O fenômeno Ufo

Fatos, Fantasia e Desinformação

John Michael Greer

O fenômeno Ufo

Fatos, Fantasia e Desinformação

Tradução:
Marcos Malvezzi

Publicado originalmente em inglês sob o título *The Ufo Phenomenon*, por LLewelyn Publications Woodbury, MN 55125 EUA, <www.llewellyn.com>.
© 2009, John Michael Greer.
Direitos de edição e tradução para o Brasil.
Tradução autorizada do inglês.
© 2014, Madras Editora Ltda.

Editor:
Wagner Veneziani Costa

Produção e Capa:
Equipe Técnica Madras

Tradução:
Marcos Malvezzi

Revisão da Tradução:
Larissa Ono

Revisão:
Silvia Massimini Felix
Jerônimo Feitosa

Dados Internacionais de Catalogação na Publicação (CIP)
(Câmara Brasileira do Livro, SP, Brasil)

Greer, John Michael
O fenômeno Ufo : fatos, fantasia e desinformação / John Michael Greer ; tradução Marcos Malvezzi. -- 1. ed. -- São Paulo : Madras, 2014.
Título original: The Ufo phenomenon : fact, fantasy and disinformation.

ISBN.: 978-85-370-0932-1

1. Cosmologia 2. Objetos voadores não identificados 3. Ufologia 4. Vida extraterrestre
I. Título.

14-08801 CDD-001.942

Índices para catálogo sistemático:
1. Objetos voadores não identificados 001.942
2. Ufologia 001.942

É proibida a reprodução total ou parcial desta obra, de qualquer forma ou por qualquer meio eletrônico, mecânico, inclusive por meio de processos xerográficos, incluindo ainda o uso da internet, sem a permissão expressa da Madras Editora, na pessoa de seu editor (Lei nº 9.610, de 19.2.98).

Todos os direitos desta edição, em língua portuguesa, reservados pela

MADRAS EDITORA LTDA.
Rua Paulo Gonçalves, 88 – Santana
CEP: 02403-020 – São Paulo/SP
Caixa Postal: 12183 – CEP: 02013-970
Tel.: (11) 2281-5555 – Fax: (11) 2959-3090
www.madras.com.br

Agradecimentos

Nenhum autor escreve um livro sozinho; e esta exploração do fenômeno Ufo dependeu mais da assistência de outras pessoas que todos os meus livros anteriores. Encabeçando a lista daqueles que merecem meu agradecimento estão Jordan Pease, que me deu acesso total à sua coleção extraordinária de livros de ufologia; David Larson, que me emprestou raros clássicos sobre os contatados dos anos 1950 e me falou a respeito do programa espacial que deu ao fenômeno Ufo grande parte de seu contexto cultural; David Spangler, que me ajudou a compreender o contatado e o cenário da Nova Era no qual ele teve um papel tão importante; e Erskine Payton, fantástico apresentador de um *talk show*, cuja identificação de uma deusa alienígena como uma das Ding-a-Lings do cantor Dean Martin sem dúvida nos proporcionará outro tema para um programa futuro. À equipe da Biblioteca Metafísica de Rogue Valley, da Biblioteca Hannon da Southern Oregon's University e da biblioteca pública de Ashland, em Oregon, todos foram sempre muito prestativos; e a Elysia Gallo, da Llewellyn Publications, que sempre mostrou seu entusiasmo, ajudando-me a trazer este projeto para o papel.

Algumas das pessoas mencionadas talvez não gostem muito do resultado deste trabalho. Minha pesquisa começou com a conhecida oposição entre os que acreditam que os Ufos são espaçonaves de outros planetas e os que não acreditam na existência de objetos voadores não identificados; mas logo meu estudo deixou para trás esse conflito e entrou no rastro de temas mais estranhos e gratificantes – a natureza das aparições, a história das tecnologias aeroespaciais secretas dos Estados Unidos, a mitologia do progresso e o papel da cultura popular na definição da realidade vivenciada, entre outros.

O resultado não é o livro que planejei escrever acerca dos Ufos, embora seja o único que eu realmente conseguiria escrever sobre o assunto. Ele desafia muitas das pressuposições de ambos os lados da contenda e tenta reformular as perguntas sem resposta em torno do fenômeno Ufo, permitindo-nos buscar uma solução de forma mais satisfatória. Se essa solução é correta ou não, minha esperança é de que as explorações e redefinições aventadas aqui possam ao menos lançar alguma luz sobre um dos mistérios perenes do século XX.

Índice

Introdução: O Mistério dos Ufos 11
   Anatomia de um avistamento 13
   Uma Guera de hipóteses 16

Parte I: Rastreando o Fenômeno

Capítulo 1: Antes da Chegada dos Discos, Pré-história - 1947 21
   Dirigíveis, *foo fighters* e foguetes fantasmas 24
   Outros mundos além do nosso 27
   Uma procissão de condenados 30
   O impacto da ficção científica 33
   Esperando pelos irmãos do espaço 37

Capítulo 2: Um Mistério nos céus, 1947-1966 43
   A narrativa toma forma 45
   A invasão do espaço 49
   Mensagens de Clarion 53
   A ascendência extraterrestre 58
   Os anos do Sputnik 60
   O incidente do gás do pântano 64

Capítulo 3: Esperando o Primeiro Contato, 1966-1987 69
   O fiasco Condon 70
   Das cinzas renasce a fênix 73
   Mutilações de gado 76
   O advento da cultura alternativa 80
   Desafiando os extraterrestres 85
   O triunfo os extraterrestres 88
   Abdução alienígena 90
   Triângulos Pretos 93

Capítulo 4: Sombras de Dreamland, 1986-Presente 97
    Majestic-12 100
    Dreamland 103
    A agenda reptiliana 107
    Crepúsculo dos discos 110

Parte II: Explorando as possibilidades

Capítulo 5: Os obstáculos ao Entendimento 117
    Paradigmas problemáticos 118
    Hipóteses infalsificáveis 120
    Lutas pela legitimidade 123
    Parcialidade de confirmação 127
    Falácias lógicas 129
    O poder da narrativa 135

Capítulo 6: As Hipósteses Não Examinadas 139
    A hipótese antropogênica 140
    A hipótese intraterreste 143
    A hipótese criptoterreste 145
    A hipótese de viagem no tempo 146
    A hipótese zoológica 147
    A hipótese geofísica 147
    A hipótese demoníaca 149
    A hipótese dos Mestres Ascensionados
    (ou Mestres Ascensos) 150
    A hipótese ultraterreste 152
    A hipótese neurológica 153
    Um resumo das hipóteses 155

Parte III: Solucionando o Mistério

Capítulo 7: História Natural das Aparições 163
    O fator Oz 167
    Hipnose, memória e fantasia 170
    Abduzidos pela cultura popular? 174
    Viagens a outros mundos 178
    A dimensão xamânica 181

Capítulo 8: O Último Segredo da Guerra Fria 185
    Por trás do véu 186
    Guarda-costas de mentiras 189
    Um guarda-costas alienígena? 191

A fonte de desinformação 196
O segredo de Hendelsham 200
Escaramuça na escuridão 205
Resumo do fenômeno 209

Capítulo 9: O Fim do Sonho 217
   O Paradoxo de Fermi 218
   Os limites do progresso 220
   O paralelo espiritualista 223
   Sete previsões falsificáveis 226

Glossário de Siglas 231
Bibliografia 235
Índice Remissivo 247

Introdução

O Mistério dos Ufos

Em vários sentidos, a melhor maneira de tratar do tema deste livro é observar a forma cinza no canto superior direito desta página. Se você é como a maioria das pessoas no mundo todo hoje em dia, reconheceu imediatamente o desenho como uma imagem de um objeto voador não identificado (ÓVNI), ou Ufo (na sigla em inglês – *unidentified flying object*). Na segunda metade do século XX, essa imagem saltou da obscuridade para se tornar um dos ícones visuais mais reconhecidos na cultura moderna. Instantaneamente reconhecível e impregnada de significados tais como a suástica ou a cruz cristã, ela carrega um fardo adicional de mistério e controvérsia. Algumas pessoas questionam se Jesus de Nazaré foi realmente um ser humano real, mas ninguém duvida da existência da Igreja Cristã; quanto a Hitler e seu partido nazista, estes deixaram sua realidade muito evidente na memória de todos.

Com os Ufos, a situação é diferente. De acordo com várias pesquisas recentes, cerca de metade de todos os norte-americanos acredita que esses objetos existem, enquanto a outra metade insiste que não. Após 60 anos de confusão e controvérsia, afirmações e contra-afirmações, fraudes, ilusões e relatos sinceros de objetos estranhos vistos no ar, ninguém até hoje pôde convencer o lado oposto da existência ou não existência dos Ufos. Entretanto, esses misteriosos objetos, sejam eles fisicamente reais ou não, se tornaram uma realidade maciça no mundo da imaginação coletiva.

Essa realidade vem à tona de maneira sutil, ou até de modo muito óbvio. Vá até a uma loja de departamento ou supermercado, por exemplo, e provavelmente terá um contato imediato com pelo menos um disco voador. Pode ser nos rótulos de esponjas de banho ou de louça, com desenho de um disco e dizeres do tipo "produtos de limpeza que são de outro mundo";[1] ou em caixas de cereais matinais, com um Ufo e o rostinho amigável de um ET. Entre em uma papelaria e veja os cartões de felicitações: deverá encontrar cartões humorísticos de aniversário com uma piada em torno de discos voadores ou abdução alienígena. Observe os brinquedos e provavelmente verá um ou dois discos voadores coloridos entre bonecas e carrinhos. Vá para casa, ligue a televisão e, caso sintonize algum filme antigo de ficção científica ou um episódio de alguma série de ficção científica de décadas passadas, suas chances de deparar com discos voadores serão muito grandes.

É verdade que o mesmo tipo de presença circunda muitas outras entidades cuja não existência é aceita por todos. Uma imagem de Papai Noel ou do Coelho da Páscoa, por exemplo, é tão reconhecível quanto a de um disco voador; e na época apropriada do ano podem ser vistas mais facilmente nas mesmas lojas citadas. Parte da diferença, claro, é que ninguém alega ter visto o Papai Noel ou o Coelho da Páscoa, pelo menos não pessoas que já tenham passado da idade pré-escolar; enquanto, por outro lado, dezenas de milhares de pessoas afirmam ter visto Ufos.

Há, no entanto, outro lado do fenômeno Ufo que o destaca dos outros ícones. O Papai Noel e o Coelho da Páscoa são relíquias de crenças folclóricas com séculos de idade, há muito tempo desembaraçadas dos significados originais que as tornaram símbolos poderosos. Poucas pessoas hoje em dia se lembram das tradições xamânicas do norte da Europa que deram à vestimenta de Papai Noel a cor do cogumelo alucinógeno[2] mais usado do hemisfério, bem como suas renas e visitas noturnas perto do solstício de inverno. Do mesmo modo, o robusto simbolismo sexual de coelhos e galos que antes cercavam o equinócio da primavera, passando para a Páscoa com o advento do Cristianismo, reduziu-se à belezinha pueril de coelhinhos e pintinhos no imaginário pascal moderno.

Mais uma vez, com os Ufos a situação é outra. Os significados e as crenças que cresceram em torno deles desde 1947, quando o fenômeno Ufo ganhou proeminência pública, fundamentam-se em questões ainda muito presentes hoje. Para muitas pessoas, independentemente de acreditarem na existência física dos Ufos ou não, eles se tornaram um elemento central nas tentativas de compreender algumas das grandes questões de nosso tempo – o futuro da sociedade industrial, a relação

---

1. Ver http://www.ufobrand.com.
2. *Amanita muscaria*, cuja casca é vermelha com pintas brancas e babados de guelras brancas. Ver Renterghen (1995), para uma discussão das raízes xamâncias do Papai Noel.

entre cidadãos e seus governos, a natureza da evidência científica e a origem e o destino da humanidade, para citarmos alguns. A crença em Papai Noel não leva as pessoas a devotar suas vidas à pesquisa do mistério ou a acusar o governo de conspiração, a questionar toda uma visão de realidade ou cometer suicídio em massa. A crença em Ufos, no entanto, faz tudo isso.

Tabela 1
O falecido J. Allen Hynek, um dos mais distintos pesquisadores de Ufos dos Estados Unidos e fundador do CUFOS (*Center for Ufo Studies* – Centro de Pesquisas Ufológicas), elaborou o sistema-padrão para classificar os avistamentos de Ufos. Na década de 1980, o sistema foi expandido para incluir as abduções. Veja a seguir.
NL: *Nocturnal light* (Luz noturna) – um objeto brilhante avistado à noite a mais de 300 metros de distância.
DD: *Daylight disk* (Disco à luz do dia) – um Ufo visto durante o dia a mais de 300 metros de distância.
CE-1: *Close encounter of the first kind* (Contato imediato do primeiro grau) – um Ufo visto a menos de 300 metros de distância.
CE-2: *Close encounter of the second kind* (Contato imediato do segundo grau) – um Ufo que deixa marcas físicas.
CE-3: *Close encounter of the third kind* (Contato imediato do terceiro grau) – um avistamento dos ocupantes de um Ufo.
CE-4: *Close encounter of the fourth kind* (Contato imediato do quarto grau) – Abdução de um ser humano pelos ocupantes de um Ufo.

Todas essas complexidades se desdobram do fato simples, embora desconcertante, de que pessoas no mundo todo viram coisas no céu que não sabem explicar, em termos aceitáveis, segundo a moderna visão científica do mundo. Basta a leitura de um caso de avistamento típico para compreendermos alguns dos pontos envolvidos e iniciarmos o processo de decifrar o mistério dos Ufos.

Anatomia de um avistamento

A noite de segunda-feira, 6 de janeiro de 1969, estava agradavelmente fresca e clara na cidadezinha de Leary, Geórgia. Às 19h15, quando um grupo de homens trajando roupas sociais se reunia em volta da piscina municipal, o céu estava estrelado, apenas coberto aqui ou ali com poucas nuvens. Os homens prestavam pouca atenção às estrelas; por serem membros do Lions Club local que sempre se encontravam no *deck* da piscina, eles fumavam e cumprimentavam o governador distrital do clube, que viera de carro a Leary para uma visita oficial. De repente, alguém apontou para uma luz forte pairando no céu, ao norte – uma luz que parecia se deslocar em direção aos homens.[3]

Azulada a princípio, a luz ficou vermelha à medida que se aproximava, assuntando os observadores. No ponto mais próximo de sua aproximação, ela parecia estar a algumas centenas de metros de distância, aparentando ter o tamanho e o brilho da Lua. Parou, afastou-se um pouco, voltou a se aproximar e depois se deslocou para longe, desaparecendo. "Foi a coisa mais esquisita que já vi", comentou o governador distrital alguns anos depois. "Nós a observamos por dez minutos, mas ninguém sabia dizer o que era."

Dali a alguns minutos, os membros do clube entraram no *deck* da piscina, fizeram sua reunião, ouviram o discurso do governador distrital e foram para casa. Nada mais de estranho aconteceu. Na terminologia dos ufólogos, aquele foi mais um caso clássico de contato imediato do primeiro grau, como milhares de casos registrados desde o início da controvérsia acerca dos Ufos, em 1947. O avistamento teria caído no esquecimento se o governador distrital em visita ao clube naquela noite de janeiro não fosse o fazendeiro de amendoins e político do estado da Geórgia, Jimmy Carter, que tomou posse como presidente dos Estados Unidos quase exatamente seis anos após observar um Ufo nos céus de seu estado natal.

A publicidade em torno do avistamento quando Carter se tornou uma figura nacional garantiu a sequência da investigação. Mais precisamente, houve duas investigações – uma realizada por alguém que acreditava na procedência extraterrestre dos Ufos e outra comandada por uma pessoa que não aceitava sequer a existência deles. A primeira investigação foi feita por Haydan Hewes, do *International Ufo Bureau* (Agência Internacional de Ufos), e consistiu simplesmente em enviar a Carter um formulário, o qual a testemunha preencheu com prazer e devolveu. Sem muito estardalhaço, a luz foi identificada como uma nave extraterrestre. A partir de então, o avistamento de Jimmy Carter foi citado com frequência em publicações ufológicas como um caso clássico de contato imediato com uma espaçonave de outro planeta.

A segunda investigação foi feita por Robert Sheaffer, do *Committee for Scientific Investigation of Claims of the Paranormal* – CSICOP

---

3. Uso o relatório de Sheafter (1981) como base para este e os parágrafos subsequentes.

(Comitê de Investigação Científica de Fenômenos Paranormais), uma das principais organizações de desmistificadores da ufologia. Sheaffer rastreou a data e o momento do avistamento, determinando que o planeta Vênus se encontrava mais ou menos naquela mesma região do céu onde as testemunhas viram a luz, e anunciou que o caso estava encerrado. Carter confundira um planeta com um Ufo. O caso, então, começou a ser citado em publicações ufológicas como exemplo de erro de interpretação de um objeto inteiramente conhecido e natural.

Essas duas investigações e seus resultados foram tão típicos quanto o próprio avistamento, além de igualmente inconclusivos. Ambos os lados satisfizeram as expectativas de seus públicos com o que escreveram; nenhum dos dois ofereceu, porém, material palpável para aplacar as dúvidas razoáveis desses mesmos públicos. A afirmação de que a luz observada por Carter e seus colegas do Lions Club era uma nave extraterrestre, por um lado, só faz sentido para aqueles que acreditam que luzes incomuns no céu são necessariamente naves estelares de outros mundos. Nada no comportamento e no aspecto da luz justifica essa pressuposição; a evidência mostra apenas que as testemunhas viram uma luz estranha no céu e que não foram capazes de identificá-la.

Ao mesmo tempo, a afirmação de que a luz observada se tratava do planeta Vênus é igualmente insatisfatória. A maioria das pessoas já viu Vênus aparecer antes do Sol ou se pôr depois dele. Pouquíssimas, ao menos sem a influência de substâncias químicas, já viram Vênus mudar de cor, de azul para vermelho, expandir até quase o tamanho da Lua Cheia e manobrar de um lado para outro no céu. Se as mesmas dez testemunhas afirmassem ter visto um caminhão de coleta de lixo passando à frente delas, Sheaffer encontraria dificuldade para convencer um júri de que, na verdade, o que observaram foi um triciclo de uma criança no quintal de uma casa. Portanto, é razoável que a mesma lógica se aplique nesse caso.

Quanto à afirmação de Sheaffer de que, uma vez que Vênus estava na mesma região aproximada do céu, a luz só podia ser esse planeta, não passa de um argumento que tenta provar a si mesmo sem fundamentação. Se algo estranho pairou no céu naquela noite, Carter e as outras testemunhas poderiam ser perdoados por não notarem um planeta específico no firmamento. Se a luz fosse de fato o planeta Vênus, por outro lado, alguma explicação deve ser dada para a alucinação que afetou os membros do Lions Club de Leary. Os pequenos empresários e aposentados de classe média que compõem a nata do Lions certamente não são indivíduos propensos a alucinações. Insistir que esse grupo de pessoas apenas imaginou ver as mudanças de cor e tamanho, para defender a teoria de Vênus, é também um argumento vazio, sem fundamento.

Em outras palavras, ambas as investigações partiram de uma noção preconcebida de que os Ufos são espaçonaves extraterrestres, ou só podem ser fraudes, ilusões ou erros de interpretação de fenômenos naturais; e ambas, em sua demonstração de raciocínio circular, encontram exatamente o que queriam encontrar. Comece com um conjunto de pressuposições e vá sempre atrás da confirmação delas, tornando possível, assim, "provar" o que você quer a respeito da estranha luz que Carter e seus colegas do Lions viram no céu da Geórgia. Alguns pesquisadores de Ufos encontraram seus motivos para defender várias teorias alternativas e pouquíssimos deles tentaram estudar o fenômeno sob uma perspectiva menos doutrinária. De um modo geral, porém, o debate coletivo de nossa cultura a respeito dos Ufos é dominado pelas mesmas duas teorias que encontraram suas respostas preferidas ao avistamento de Carter.

Uma guerra de hipóteses

O que torna o papel dessas duas teorias acerca dos Ufos tão fascinante é que para a maioria das pessoas, dentro ou fora das comunidades ufológicas, não se trata de teorias. Uma crença enraizada na cultura popular é que os objetos não identificados vistos nos céus, se de fato existirem, devem ser espaçonaves oriundas de um planeta distante. Há várias décadas vemos termos como "pró-Ufo" ou "crente nos Ufos" usados para descrever pessoas que aceitam a noção de que os Ufos são naves extraterrestres; e termos como "anti-Ufo" ou "cético quanto aos Ufos" para aquelas que afirmam que os Ufos devem ser uma mistura de fraude, alucinação e erros de interpretação de objetos perfeitamente comuns.

Deveria ser óbvio que um número muito grande de fatores pode levar as pessoas – membros do Lions Club de Leary ou quaisquer outras – a ver algo no céu que não conseguem identificar. Igualmente óbvio deveria ser também que a expressão *objetos voadores não identificados* significa exatamente isto: um objeto no ar que os observadores não conseguem identificar; nada além disso. Qualquer teoria quanto ao que pode ser o objeto é algo separado da experiência em si. O fato de nem uma coisa nem outra ser óbvia nos atuais debates em torno dos Ufos é uma das dimensões mais interessantes e menos comentadas de todo o fenômeno. De acordo com Thomas Bullard, em seu sensato artigo, a dimensão experiencial dos Ufos – as luzes e os objetos não identificados vistos nos céus por milhares de pessoas nas últimas seis décadas e mais – foi empurrada para fora do palco por mitos, histórias e pressuposições que tornaram o fenômeno Ufo um dos ícones mais reconhecíveis no mundo.[4]

É improvável que um único livro desembarace um novelo assim tão denso, mas o esforço se faz necessário. Neste livro, portanto, termos como "crente nos Ufos" e "cético quanto aos Ufos" só aparecerão entre aspas. A teoria de que as pessoas que veem Ufos depararam com espaçonaves extraterrestres de mundos distantes será chamada de hipótese extraterrestre, ou HET (ETH, na sigla em inglês), termo adotado em uma minoria de livros que exploraram outras opções. A teoria de que as pessoas que alegam ter visto Ufos são mentirosas, sofreram alucinação ou cometeram erros de interpretação de fenômenos comuns será chamada de hipótese nula, ou HN (NH, na sigla em inglês); é um termo usado, às vezes, nas publicações relacionadas a Ufos, em particular pelo defensor da HN, Robert Sheaffer, em seu livro detrator dos Ufos, *The Ufo Verdict*. Há muitas outras hipóteses acerca das origens e natureza dos Ufos, que também serão discutidas neste livro.

O domínio das hipóteses extraterrestres nulas no debate em torno dos Ufos resultou em distorções gritantes no modo como as experiências ufológicas são coletadas, interpretadas e adotadas. Ambos os lados acumulam evidências que sustentam seu ponto de vista como munição para a luta contra o outro lado, desvalorizando todo o resto. Assim, é comum vermos os defensores da hipótese extraterrestre afirmando que "um vasto e consistente cabedal de evidências ufológicas (...) quase grita 'tecnologia extraterrestre'",[5] enquanto os defensores da hipótese nula insistem que as evidências sugerem claramente que os Ufos não existem.[6] O resultado é que as dimensões do fenômeno que não se encaixam nem em uma nem em outra hipótese são ignoradas.

Esse efeito distorcido apresenta uma influência poderosa na maneira como a história do fenômeno Ufo tem sido contada. A dissertação para doutorado de David Jacobs, em 1974, *The Ufo Controversy in America*, por muitos anos a única tentativa séria de um estudo histórico do fenômeno, conseguiu deixar de fora muitos dos vultos mais influentes dos primeiros anos de estudos ufológicos, tais como Charles Fort, Raymond Palmer e Meade Layne, entre outros, cujo papel na controvérsia

---
4. Bullard (2000).
5. Donderi (2000, p. 56).
6. Sheaffer (1981, p. 197-213).

(como veremos) lança uma luz incômoda sobre as origens da hipótese extraterrestre defendida no trabalho de Jacobs.[7] Distorções igualmente drásticas da história são encontradas em livros que apoiam a hipótese nula.

Por esse motivo, nossa investigação começa por rastrear os Ufos através do tempo. Quando as pessoas começaram a ver Ufos do tipo que é relatado por testemunhas nos tempos modernos e o que aquelas pessoas pensavam a respeito das coisas que viam? A resposta redefine o fenômeno Ufo de uma maneira inesperada.

---

7. Keel (1989, p. 145) discute a dimensão revisionista do trabalho de Jacobs.

Parte I

Rastreando o Fenômeno

Uma procissão dos condenados.
Por condenados, refiro-me a excluídos.
Teremos uma procissão dos dados que a ciência excluiu.
Batalhões dos amaldiçoados, capitaneados por dados pálidos que exumei, marcharão. Você os lerá – ou eles marcharão. Alguns lívidos e alguns em fogo, e alguns putrefatos... os ingênuos e os pedantes e os bizarros e os grotescos e os sinceros e os insinceros, os profundos e os pueris.

– Charles Fort, *O Livro dos Danados*

O Coelho Branco pôs os óculos. "Por onde devo começar, Vossa Majestade, por favor?", perguntou.
"Comece pelo começo", disse o Rei, em tom solene, "e prossiga até chegar ao fim; no fim, pare."
– Lewis Carroll, *Alice no País das Maravilhas*

Capítulo 1

Antes da Chegada dos Discos, Pré-história-1947

A maioria das histórias famosas do fenômeno Ufo tem sua origem em 1947, quando o piloto Kenneth Arnold avistou nove objetos não identificados no ar, perto do Monte Rainier. Pesquisadores historicamente mais bem informados associam o fenômeno aos "foguetes fantasmas" reportados nos céus da Suécia em 1946, ou aos "*foo fighters*" vistos por pilotos tanto aliados quanto do Eixo na Segunda Guerra Mundial, e aos dirigíveis fantasmas avistados no espaço aéreo norte-americano entre 1896 e 1897, e em 1909, bem como nos céus da Grã-Bretanha, entre 1909 e 1912. Todos esses casos são precursores importantes do misterioso fenômeno Ufo contemporâneo. Entretanto, assim como os próprios Ufos, eles também devem ser inseridos em um contexto histórico muito maior.

Quando um defensor da hipótese extraterrestre comenta que "ao que tudo indica, o fenômeno Ufo é uma ocorrência histórica recente, aparentemente de não mais que dois séculos",[8] está totalmente equivocado. Desde o início da história registrada, as pessoas têm visto coisas estranhas no céu, muito parecidas com os objetos que ocupam o palco central do fenômeno Ufo desde 1947. Consideremos o seguinte avistamento no Japão. Um objeto luminoso parecido com um "pote de barro" foi visto por volta da meia-noite na província de Kii; voou de trás do Monte Fukuhara a Nordeste, deu meia-volta no ar e desapareceu em sentido Sul. Um perfeito avistamento de um Ufo – exceto pelo fato de ter ocorrido em 27 de outubro de 1180.[9]

---

8. Clark (2000, p. 122).
9. Citado em Vallee (1969, p. 5).

Esses avistamentos não são raros nos relatos antigos. Podemos citar mais alguns exemplos. O grande historiador romano Tito Lívio descreve a aparição de um "escudo do céu" perto da cidade de Arpi, no Livro XXII de suas *Histórias*. Observações de escudos voadores semelhantes estão registradas nas crônicas de Plínio, no Livro II, capítulo 24, de sua *História Natural*. A *Crônica da Inglaterra*, de Holinshed, descreve uma roda flamejante vista no céu por muitas pessoas no inverno de 1394, enquanto Pedro Sarmiento, um capitão espanhol da Era dos Descobrimentos, avistou um objeto em forma de escudo nos céus acima do Estreito de Magalhães, em 1580.[10] Essa lista breve se expande muito a partir de quase todas as crônicas históricas dos mundos antigo e medieval.

Na Renascença e nos primeiros períodos modernos, toda uma literatura de "prodígios" – vários tipos de fenômenos inexplicáveis – atingiu enorme popularidade, particularmente porque os eventos estranhos não eram raridade. Nos comentários de Pierre Boaistuau, um autor desse gênero, em sua *História dos Prodígios*, de 1560: "A face do céu tem tão frequentemente sido desfigurada por cometas cabeludos e barbudos, tochas, chamas, colunas, lanças, escudos, dragões, luas e sóis duplos e outras coisas semelhantes que, se um homem quisesse contar na ordem aqueles que se sucederam desde o nascimento de Jesus Cristo e investigar as causas de sua origem, sua vida não seria longa o suficiente".[11]

Os escudos e as luas duplas de Boaistuau seriam, sem dúvida, chamados de Ufos se aparecessem nos céus de nossos dias. A franca diversidade das descrições do autor, bem como de outros escritores de prodígios, porém, aponta para um fato crucial do fenômeno Ufo: ele é muito mais diversificado do que a maioria das teorias propostas a explicá-lo. Para que o fenômeno seja posto em seu contexto apropriado, é necessário que haja uma visão mais ampla, abrangendo todo o escopo de fenômenos estranhos avistados nos céus no decorrer dos séculos.

A lista de "escudos voadores" anterior poderia ser usada como exemplo de um mau hábito, próprio dos dois lados da controvérsia ufológica contemporânea: escolher em meio a dados diversos apenas aqueles que sustentam uma teoria existente. Os mesmos livros de prodígios que descrevem avistamentos de discos voadores medievais e renascentistas também trazem relatos de objetos aéreos que se parecem com dragões, espadas, exércitos em guerra, caravelas e muitas outras coisas estranhas. Se os "escudos voadores" são admitidos como evidência – e deveriam ser –, os dragões também não podem ser excluídos.

---

10. Ver a lista útil em Hurley (2003).
11. Ibidem, p. 7.

Dragões e outros seres parecidos são difíceis de incluir no molde da hipótese extraterrestre; e claro que, justamente por isso, encontram pouco espaço nas discussões atuais. Entretanto, muitas dessas aparições aéreas refletem elementos do fenômeno Ufo de hoje, de maneiras surpreendentes. As pessoas no início da Europa medieval, por exemplo, estavam acostumadas com a ideia de seres não humanos que se locomoviam no ar e abduziam humanos para fins sinistros. Essas entidades pertenciam à *Wild Hunt*, um exército espectral que galopava em cavalos fantasmas (a mais avançada tecnologia de transporte da época) pelo céu noturno. A Wild Hunt não era apenas folclore; há pessoas que vivem hoje no sul da Alemanha e nos cantões norte da Suíça, onde muitas crenças antigas perduram, que juram ter visto esses seres em sua juventude.

Outra classe de seres lendários no folclore europeu também tem certa relevância com o fenômeno Ufo moderno. São luzes noturnas de várias cores e brilhos diversos que pairam no ar, vistos geralmente perto de pântanos. Na Grã-Bretanha, elas recebem nomes folclóricos interessantes como Kit wi'th' Canstick, Will o' the Wisp e Jack o'Lantern – "*canstick*" é um castiçal; um *wisp* era um pedaço de palha retorcida embebida em óleo e acesa para iluminação temporária; e Jack, com sua lanterna, era um espírito muito antes de seu nome ficar associado às morangas iluminadas com vela, que imitam sua presença em outubro, atualmente, na comemoração do Dia das Bruxas, ou Halloween. Tais fenômenos às vezes são explicados pelos cientistas modernos como jatos de gás metano – ou seja, gás do pântano – que entram em combustão espontaneamente. Isso, porém, não produz o efeito descrito pelas testemunhas, seja nos tempos medievais ou hoje em dia: uma luz pairando no ar, medindo, às vezes, vários centímetros de diâmetro, que flutua no ar à noite por vários minutos.

Na África Oriental, luzes incomuns atravessando o céu noturno são um fenômeno já bastante familiar, embora sejam atribuídas a atividades de bruxas. Essas luzes não são apenas folclóricas. O antropólogo britânico Philip Mayer, que realizou intenso trabalho de campo em meio a uma tribo do Quênia, os Gusii, disse o seguinte a respeito delas:

> *Vi, com os Gusii, luzes noturnas que se moviam perto do acampamento; elas se apagavam e se acendiam de novo, exatamente como alegam os mitos das bruxas. Os Gusii dizem que as bruxas produzem esse efeito levantando e baixando as tampas de seus caldeirões no fogo, os quais carregam consigo.*[12]

---

12. Citado em Harpur (1994, p. 6).

Outro antropólogo igualmente famoso, E. E. Evans-Pritchard, cuja obra de 1937, *Witchcraft and Oracles among the Azande*, é considerada a explicação científica clássica das crenças em bruxas, admitiu ter visto as mesmas luzes misteriosas que Mayer observou e que os Azande, assim como os Gusii, as atribuíam a bruxas voadoras.

Desde a aurora da história registrada, os seres humanos têm visto coisas estranhas se movendo no ar; e essas coisas geralmente se parecem muito com as esperanças, os medos e as especulações das pessoas que as viram. Era provavelmente inevitável que com a chegada de uma época em que os povos focam suas esperanças, medos e especulações nas máquinas, as pessoas começassem a ver máquinas no céu também.

Dirigíveis, foo fighters *e foguetes fantasmas*

Na noite de 19 de abril de 1897, dois moradores da cidade de Beaumont, Texas, J. B. Ligon, agente local da Cervejaria Magnólia, e seu filho, Charles, observaram luzes se movendo em volta do pasto de seu vizinho, a alguns metros de sua casa, e foram investigar. Encontraram quatro homens em pé, ao lado de um dirigível pousado, que lhes pediram dois baldes de água. Os Ligon providenciaram a água e conversaram com um dos homens, que se apresentou como Wilson. O dirigível era um de quatro, disse Wilson, com hélices e asas, movido a eletricidade; tinham voado em segredo sobre uma cidadezinha em Iowa, e agora Wilson e seus tripulantes voltavam após um voo até o Golfo do México. Após a conversa, os homens entraram no dirigível e decolaram.[13]

Esse foi apenas um entre as dezenas de avistamentos de dirigíveis em 20 estados norte-americanos entre 1896 e 1897. Milhares de testemunhas viram dirigíveis que pareciam consistir em um corpo alongado em forma de charuto, com uma gôndola embaixo e uma mistura de hélices e pequenas asas que lhes davam a força motriz. A maioria desses avistamentos envolvia objetos se movendo a grande altura, mas alguns se aproximaram o suficiente do solo a ponto de as testemunhas ouvirem vozes e verem pessoas dentro do dirigível; e alguns ainda aterrissaram e seus ocupantes mantiveram contato com as testemunhas, como no caso dos Ligon.

Os avistamentos desses dirigíveis são misteriosos porque, entre 1896 e 1897, ninguém ainda havia pilotado um aeróstato que se comportasse como aqueles dirigíveis. O melhor dirigível naquela época,

---

13. Jacobs (1975, p. 12); ver também *Houston Post*, 21 de abril de 1897, p. 2.

construído por Charles Renard e A. C. Krebs, na França, e testado em Paris em 1884, voava à velocidade de 20,92 quilômetros por hora, mas não podia carregar mais que seu piloto e tinham um alcance máximo pouco mais de 1,61 quilômetros. O primeiro dirigível de sucesso no mundo foi criado por Alberto Santos-Dumont, na França, em 1898, e circundou a Torre Eiffel em um voo de 11,27 quilômetros, em 1901. Na América, o primeiro aeróstato de sucesso, o *California Arrow*, foi construído por Thomas Baldwin e teve seu voo inaugural em 1904. Enquanto os dirigíveis mal saíam dos desenhos em 1897, a ideia de viajar no ar tornara-se uma obsessão. Na América, mais que em qualquer outro lugar do mundo industrial, a crença que o progresso tecnológico era tão inevitável quanto benéfico adquirira fé de uma intensidade inabalável; e o sonho das máquinas voadoras ocupava um lugar especial nessa fé. Muitos norte-americanos acreditavam que logo os avanços notáveis na tecnologia de transporte que produzira estradas de ferro e navios a vapor culminariam na conquista do ar; e o grande orgulho nacional se concentrava na esperança de que inventores norte-americanos liderariam o mundo nas viagens aéreas. Os avistamentos de dirigíveis em 1896 e 1897 se alimentavam das esperanças e expectativas de todo o país, ao mesmo tempo em que alimentavam as próprias esperanças.

O sucesso do voo em balão, que já existia havia quase um século, tornava o dirigível o candidato mais provável para uma tecnologia eficaz de viagem aérea; e a imprensa popular da época era permeada de visões especulativas de um futuro repleto de dirigíveis. Nos últimos anos do século XIX, muitas pessoas acreditavam que uma nave mais pesada que o ar jamais voaria. Carl Jung era uma dessas pessoas. Entretanto, em seu livro sobre discos voadores, publicado em 1958, o próprio Jung criticou a ingenuidade de suas certezas da juventude.[14] Até a primeira década do século XX, quando os primeiros aviões dos irmãos Wright já haviam demonstrado o potencial de uma nave mais pesada que o ar, histórias de ficção científica de autores como H. G. Wells a E. M. Foster ainda supunham que a onda do futuro seria trazida pelos dirigíveis, não pelos aviões.

Apesar de seu caráter promissor, contudo, os dirigíveis se tornaram um beco sem saída. As naves que os norte-americanos viam em 1896 e 1897 cruzando o céu ou aterrissando nos pastos e nos bosques do país eram as aeronaves que eles esperavam ver em um futuro próximo, não as que realmente foram inventadas na aurora dos tempos das viagens aéreas. Mais curioso ainda, as pequenas asas e as grandes hélices com aspecto

---
14. Jung (1978, p. 136).

de barbatana que pareciam impulsionar os misteriosos dirigíveis pelo céu se mostrariam completamente incapazes de fazer isso. Desenhos semelhantes foram experimentados repetidas vezes pelos inventores de aeróstatos, e todos fracassaram. Entretanto, esses desenhos copiavam nos mínimos detalhes as imagens dos dirigíveis do futuro próprios da literatura popular do fim do século XIX.

Qualquer que fosse a fonte dos misteriosos dirigíveis, eles sumiram no fim de 1897. Com exceção de algumas aparições dos dirigíveis fantasmas na Nova Inglaterra, em 1909, naves aéreas desconhecidas foram muito pouco avistadas nos céus norte-americanos até 1947. Além-mar, contudo, objetos voadores não identificados de vários tipos tomavam a mídia a intervalos diretos entre esses períodos. Dirigíveis apareceram sobre a Grã-Bretanha em 1909 e 1910, e novamente em 1912. Nesse ano, eles já eram uma realidade, mas esses avistamentos não correspondiam às atividades dos aeróstatos conhecidos no Reino Unido ou nas proximidades, naqueles anos.

Outra série de avistamentos aéreos inexplicáveis ocorreu na Suécia e na Noruega nos anos anteriores à Segunda Guerra Mundial. No fim da década de 1930, centenas de testemunhas viram aeronaves cinzentas, sem marcas conhecidas, no espaço aéreo escandinavo. Algumas dessas naves, segundo as descrições, eram maiores que qualquer coisa conhecida que fosse capaz de voar. Uma tinha oito hélices e efetuava manobras arriscadas, como, por exemplo, desligar os motores e deslizar em espiral descendente durante nevascas. As Forças Aéreas da Suécia e da Noruega tentaram encontrar evidências sólidas da existência desses objetos, mas não conseguiram.

No decorrer da guerra, esses avistamentos cessaram, mas o fim das hostilidades trouxe de volta os fantasmas aéreos. Dessa vez, as testemunhas viam "foguetes fantasmas" – naves voadoras cilíndricas, sem asas, movendo-se em altas velocidades. Mais de 2 mil avistamentos desses objetos foram relatados em 1946. Na época, a especulação girava em torno da possibilidade de os russos estarem testando foguetes alemães V-2 capturados, mas nenhuma evidência foi encontrada para corroborar essa ideia, mesmo quando os arquivos militares russos foram abertos após a queda da União Soviética. Entre essas duas ondas escandinavas,[15] outra série de fenômenos aéreos enigmáticos levou cientistas, pilotos e oficiais militares a arrancar os cabelos no mundo todo. Os *foo fighters*,

---

15. Uma onda, na terminologia ufológica, é uma série de vários avistamentos seguidos – geralmente um período de vários meses ou dois anos – quando o número de relatos é maior que os níveis comuns.

bolas de luz que brincavam de pega-pega com os aviões, eram vistos em todos os cenários da Segunda Guerra Mundial e pelos dois lados do conflito. Eram bolas coloridas de luz com cerca de 30 centímetros ou pouco mais de diâmetro que surgiam de repente, seguindo os aviões por até 40 minutos. Os *foo fighters* eram vistos tanto durante o dia quanto à noite, nas mais variadas condições climáticas, e foram fotografados mais de uma vez.[16] Foram avistados pela primeira vez em 1940, mas nos anos seguintes vários pilotos em guerra, de ambos os lados, os viram; esses objetos permaneceram ativos até o fim da guerra, quando retornaram para onde quer que os fantasmas aéreos se vão após seu trabalho.

Vale observar que quase todas as pessoas que viram esses objetos voadores não identificados antes de 1947 presumiam que viessem de outra parte da Terra. Os dirigíveis fantasmas dos anos 1890 tinham sua origem atribuída a projetos secretos de algum inventor inteligente, enquanto as naves fantasmas escandinavas e os *foo fighters* eram considerados tecnologia militar secreta de alguma potência hostil. Entretanto, algumas vozes no decorrer da onda de dirigíveis norte-americanos de 1896-1897 propunham uma fonte diferente para as naves desconhecidas vistas nos céus. Diziam que os dirigíveis vinham de Marte.[17]

Outros mundos além do nosso

A ideia de que poderia haver seres inteligentes em outros planetas circula pelo mundo ocidental, na verdade, há mais de 2 mil anos.[18] Filósofos gregos da Antiguidade, como Demócrito de Abdera (c. 460-370 a.C.) e Epicuro (341-270 a.C.), afirmavam existir mundos habitados por todo o infinito Cosmos. Estudiosos de renome na Idade Média, como Alberto Magno (c. 1193-1280) e Tomás de Aquino (1224-1274), debatiam a questão da vida inteligente em outros mundos; e Etienne Tempier, bispo de Paris, decretou em 1277 que se tratava de artigo de fé cristã que Deus podia criar quantos mundos habitados Ele quisesse. Nicolau de Cusa (1401-1464), Giordano Bruno (1548-1600) e Johannes Kepler (1571-1630) foram algumas das figuras intelectuais importantes na Renascença que sugeriram que seres inteligentes viviam em outros planetas.

O surgimento do pensamento científico moderno trouxe a questão da vida extraterrestre ao primeiro plano, na mente de muitas pessoas.

---

16. Ver Hurley (2003, p. 154), para uma foto.
17. Jacobs (1975, p. 28-29).
18. Minha referência para o levantamento seguinte é Crowe (1986) e Dick (1982).

Um dos maiores *best-sellers* de 1686 foi a obra *Diálogos sobre a Pluralidade dos Mundos*, de Bernard le Bovier Fontenelle (1657-1757), seis encantadores diálogos entre um filósofo e um nobre que apresentam argumentos convincentes para a existência de vida inteligente em outros mundos. Em seus diálogos, Fontenelle deu um passo que pouquíssimos tinham arriscado antes dele, argumentando que não só os planetas em volta de nosso Sol, mas também mundos invisíveis orbitando outros sóis poderiam ser habitados por seres inteligentes. Muitos escritores da posteridade seguiram suas ideias, afirmando que os seres humanos compunham apenas uma dentre as incontáveis espécies de vida inteligente no Universo. Esse tipo de pensamento era especialmente popular na América, onde o famoso clérigo puritano Cotton Mather (1663-1728) foi um dos muitos intelectuais que defendia que o Universo continha inúmeros outros mundos habitados.[19]

Para muitos desses pensadores, parecia óbvio que várias (talvez todas) outras espécies no Cosmos fossem mais inteligentes que nós. Seu argumento se baseava no conceito da Grande Corrente do Ser – a crença universalmente apregoada até o fim do século XIX de que o mundo da natureza formava um espectro de inteligência e ser, ao longo do qual cada ponto, desde Deus até a matéria crua, tinha seu ocupante necessário.[20] Em sua forma clássica, conforme ensinada em toda escola do mundo ocidental na Idade Média e na Renascença, a Grande Corrente do Ser tinha a humanidade como seu elo do meio. Outros seres vivos desciam a parti dali, com os macacos apenas um degrau abaixo dos humanos, e assim por diante, até as criaturas mais simples e o reino da matéria não viva abaixo deles. Acima da humanidade, em reprodução idêntica, ficava o reino das inteligências incorpóreas: espíritos, anjos e arcanjos, subindo de patamar em patamar até os pés do trono de Deus.

A chegada da revolução científica no século XVII fortaleceu a metade inferior da sequência, revelando as diversas semelhanças biológicas que aproximavam a humanidade de seus parentes animais, mas cortou a extremidade superior da Grande Corrente do Ser, pois conversas a respeito de anjos e espíritos saíram de moda. A lacuna foi preenchida pelas especulações em torno de vida extraterrestre. Se seres inteligentes mais sábios que a humanidade habitassem outras partes do Cosmos, a Grande Corrente estaria completa, embora nem todos os seus elos fossem vistos a partir da perspectiva limitada da Terra. Benjamin Franklin falou em nome de muitos pensadores do século XVIII quando afirmou

---
19. Crowe (1986, p. 106-7).
20. Lovejoy (1936) é o estudioso clássico desse conceito.

que "há um número infinito de mundos sob o Governo Divino; e se este [nosso mundo] fosse aniquilado, não faria falta no Universo".[21] Com o advento da Revolução Industrial e o surgimento das ideias acerca do progresso, essa crença em seres extraterrestres mais inteligentes que a humanidade mudou inevitavelmente para uma crença de que os habitantes de outros mundos devem ser muito mais avançados que a raça humana, em um sentido estritamente tecnológico.

Na época de Franklin, fomentava-se uma nova revolução, tão dramática quanto a que fora lançada por Copérnico dois séculos e meio antes. À medida que a segunda metade do século XVIII avançava, os filósofos propunham a teoria ousada de que a Via Láctea – aquela faixa irregular de luz que se estende através dos céus da Terra – era um vasto disco de estrelas; e algumas áreas estranhas e leitosas de luz chamadas nebulosas eram outros discos do mesmo tipo. Foi só em 1920 que a segunda parte de seu salto conceitual encontrou prova conclusiva, mas muito antes disso a visão de um Cosmos vasto o suficiente para abrigar inúmeras galáxias já assolara a imaginação coletiva do mundo ocidental. Já se tornara quase um artigo de fé entre as pessoas estudadas que um Universo tão imenso não teria sido criado somente para o benefício dos seres humanos. Embora alguns autores, notadamente William Whewell (1794-1866), contra-argumentassem a existência de vida extraterrestre por fundamentação religiosa, o consenso da época era contrário a eles.

A crença na existência de vida extraterrestre se tornou tão difundida no começo do século XIX que, quando um jornalista de Nova York chamado Richard Adams Locke (1800-1871) escreveu uma sátira sobre a literatura especulativa de vida em outros mundos e a publicou em 1835 nas páginas do *The New York Sun*, a população norte-americana e de várias outras nações a levaram a sério. A sátira de Locke dizia que o astrônomo *sir* John Herschel, equipado com um poderoso e novo telescópio, localizara vida na Lua. O satélite da Terra, anunciara o astrônomo quase sem fôlego, era habitado por castores gigantes e sem rabo que viviam em cabanas e por humanoides com asas de morcego cobertos de pelos cor de cobre. Por mais bizarro que isso parecesse, as pessoas aceitaram como fato; e durante algumas semanas a descoberta de vida na Lua foi anunciada como um dos maiores triunfos científicos da época. Só quando Locke revelou que tinha inventado tudo foi que a "mentira lunar" perdeu credibilidade científica.[22]

---

21. Citado em Crowe (1986, p. 109).
22. Ver discussão da obra de Locke em Crowe (1986, p. 202-15).

A ideia de que seres de outros mundos podiam viajar pelos Cosmos também teve seu papel nessas antigas discussões em torno de um universo habitado. A maior parte das especulações a respeito do voo espacial – incluindo a mais antiga: duas viagens fictícias à Lua escritas pelo filósofo grego Luciano de Samosata (c.120-c.200 d.C.) enfocavam a viagem entre a Terra e outros planetas e satélites em nosso sistema solar. Um dos filósofos que introduziu a ideia das galáxias, Johann Heinrich Lambert (1728-1777), foi também um dos primeiros a ir mais longe, propondo em 1761 que seres alienígenas eram capazes de se locomover de um sistema estelar para outro viajando em cometas.[23] Ciente da vasta escala de tempo implicada por uma viagem interestelar sobre um cometa, ele imaginou formas de vida para as quais milhares de anos da Terra contavam como alguns dias apenas.

Passou-se mais de um século e meio, com evolução da fé no progresso tecnológico tão intensa como qualquer religião, além do surgimento do gênero literário ficção científica, até alguém seguir os passos imaginativos de Lambert e visualizar jornadas através dos espaços entre as estrelas. Quando esses voos espaciais da imaginação finalmente decolaram, a longa história da especulação em torno da vida em outros planetas lhes garantiu um público cativo. Mesmo assim, seria necessário outro movimento na cultura popular para tornar uma parte considerável desse público suscetível à afirmação de que viagens entre as estrelas já estavam acontecendo. Uma das figuras mais influentes nesse movimento foi um sujeito rechonchudo, de óculos e bigode de morsa, chamado Charles Hoy Fort.

Uma procissão dos condenados

Nas três primeiras décadas do século XX, a cidade de Nova York conquistou sua reputação de uma das melhores cidades do mundo, a capital cultural do Novo Mundo e um dos berços principais de novas iniciativas literárias, artísticas e sociais. Festas literárias no Hotal Algonquin e as exposições de arte internacionalmente famosas, como a Armory, em 1913, incrementavam um ambiente cultural que atraía talentosos e curiosos do mundo todo. Em meio a todo esse movimento e agitação, porém, talvez a mais revolucionária ventura daqueles anos tenha sido a que ocorreu em uma silenciosa sala de leitura na Biblioteca Pública de Nova York, onde Charles Fort trabalhava todos os dias cercado de pilhas de periódicos científicos, tomando notas com toda a atenção.

---

23. Crowe (1986, p. 57).

Para um pensador tão revolucionário, Fort (1874-1932) levava uma vida bastante comum. Nascido e criado em uma família rica em Albany, estado de Nova York, ele saiu de casa ainda na adolescência, viajou o mundo de carona, casou-se com a cozinheira de seu avô e seguiu carreira jornalística na cidade de Nova York, onde passou o resto da vida. Aos 42 anos, ele herdou dinheiro suficiente para largar o jornalismo e dedicar a vida a um extraordinário programa de pesquisa sobre a natureza da realidade.

Em seus anos como jornalista, Fort viu o pêndulo da opinião científica oscilar de um tema para outro e notou como os cientistas se vangloriavam de seus sucessos, esqueciam suas falhas e enfiavam pinos redondos em buracos quadrados quando teorias diferentes das suas assim o exigiam. Um de seus exemplos favoritos foi o ardor dos autocumprimentos que sucedeu a descoberta do planeta Netuno em 1846, após as previsões do astrônomo Urbain Leverrier. Como Fort explicara, no entanto, Leverrier foi apenas uma das vozes na comunidade científica da época; outros astrônomos, com bases igualmente sólidas, previram que havia dois planetas além da órbita de Urano, ou nenhum; assim, independentemente do que aparecesse no telescópio, os cientistas não perderiam tempo em soar suas trombetas como prova de sua infalibilidade. Fort escreveu, sarcasticamente: "Um planeta foi encontrado, de acordo com os cálculos de Leverrier, em suas profundas meditações. Se dois fossem encontrados, isso confirmaria os cálculos brilhantes de Hansen. Se nenhum fosse encontrado, estaria de acordo com a opinião do grande astrônomo *sir* George Airy".[24]

O grande projeto de Fort foi orientado pelo ceticismo. Por 27 anos, ele vasculhou as melhores publicações científicas da época atrás de fatos que não se encaixavam. Ele documentou quedas de peixes e carne crua do céu, planetas observados por astrônomos onde até então não existiam, aparecimento e desaparecimentos misteriosos, luzes e objetos estranhos no céu e muito mais, tudo registrado por cientistas eminentes e testemunhas sóbrias, muitas vezes corroborado por evidências físicas; e todos, na terminologia de Fort, "danados" – condenados ao limbo do irreconhecível e incomprovado por uma comunidade científica indisposta a admitir a existência de qualquer fenômeno que ela não compreendia. Em quatro livros extensos, *O Livro dos Condenados* (1919), *New Lands* [Novas Terras] (1923), *Lo!* (1931) e *Wild Talents* (1932), ele apresenta uma verdadeira procissão dos condenados, corroborando a afirmação de que a ciência de sua época sabia menos acerca do mundo do que

---
24. Fort (1974, p. 318).

pensava. Essa afirmação se tornara uma força significativa na cultura popular no mundo ocidental, na época em que Fort nasceu. Em 1877, o primeiro grande livro de Helena Blavatsky, *Ísis Revelada*, lançou o ocultismo na imaginação popular como alternativa à religião ortodoxa e ao pensamento científico aceito; e, com isso, desencadeou uma torrente de teorias alternativas a respeito da natureza da realidade e da forma da história humana. Em 1882, Ignatius Donnelly ressuscitou a velha lenda de Atlântida no primeiro de uma série de livros que desafiavam muitas das pressuposições corriqueiras de sua época. Esses dois livros foram impressos pela primeira vez na América; e, com eles, os conhecimentos até então rejeitados e as visões alternativas encontraram na América um público maior que em qualquer outro local. Era provavelmente inevitável que Fort, o qual consolidou essa obra pioneira em uma teoria de ceticismo universal que rejeitava todos os tipos de dogmas, surgisse também no Novo Mundo.

Fenômenos que mais tarde seriam chamados de Ufos ganham papel de destaque nos quatro volumes de Fort. Os exemplos saltam das páginas: um corpo luminoso em formato de uma mesa quadrada pairando estático sobre a cidade de Niagara Falls, em 13 de novembro de 1833, relatado no *American Journal of Science*;[25] um objeto verde brilhante em forma de charuto, avistado a partir do Observatório Real, em Greenwich, e muitos outros lugares da Grã-Bretanha e Holanda, que cruzou o céu em ritmo compassado, na noite de 17 de novembro de 1882;[26] um dirigível visto por milhares de testemunhas nos céus acima de Chicago na noite de 11 de abril de 1897, em uma época em que nenhum dirigível voara com sucesso na América do Norte;[27] uma procissão de luzes se movendo lentamente sobre Toronto na noite de 8 de fevereiro de 1913;[28] e centenas mais.

O próprio Fort sugeria que essas luzes poderiam ser naves pilotadas vindas do espaço sideral. Fez tal sugestão com o mesmo espírito cínico que o levara a especular que partes do espaço sideral estavam cheias de alguma substância gelatinosa que às vezes caía na Terra; e que o teletransporte podia ser um fator importante no ciclo de vida das enguias. Ele propunha essas e outras teorias ainda mais tolas para destacar o igual absurdo de afirmações feitas por cientistas de renome e repetiu numerosas vezes que acreditava tão pouco em suas próprias

---

25. Fort (1974, p. 287).
26. Ib., p. 293-94.
27. Ib., p. 469.
28. Ib., p. 516-17.

teorias quanto nas dos cientistas. No fim das contas, porém, talvez isso não tenha importado. As afirmações de Fort plantaram uma semente que brotaria mais de uma década após sua morte.

O legado de Fort se mostrou durável, principalmente porque seus livros conquistaram um público entre o vasto espectro de pensadores alternativos no começo do século XX. Entre um dos mais influentes estava Tiffany Thayer, que fundou a Sociedade Forteana, para dar prosseguimento ao trabalho de Fort em 1932 (sincero com os próprios princípios, Fort se recusou a entrar para a sociedade que recebera seu nome, e foi enganado para comparecer ao banquete inaugural). Thayer era um conservador fervoroso que odiava Franklin Roosevelt e insistia que o *New Deal* e tudo relacionado a ele não passava de uma grande conspiração. Sob a liderança de Thayer, a Sociedade Forteana passou do ponderado ceticismo de Fort para uma intolerância pesada à discórdia que mais tarde seria reproduzida fielmente em muitos setores do debate em torno dos Ufos. No fim dos anos 1940, a Sociedade Forteana já tinha 15 mil membros espalhados por todos os Estados Unidos e vários outros países; estavam todos bem posicionados para assumir o papel de especialistas quando os discos voadores apareceram nos céus da América.

O impacto da ficção científica

Entretanto, a Sociedade Forteana não era a única entusiasta de realidades alternativas e visões de voo interplanetário. As primeiras décadas do século XX também viram a ficção científica se cristalizar no mundo da cultura popular por meio da próspera indústria das revistas populares (*pulp* magazines). *Pulp*, ou polpa, era uma referência ao papel barato de que eram feitas as páginas entre as capas extravagantes dessas revistas, que descendiam das publicações horríveis, baratas, com a mesma mistura de assuntos lúridos, comerciais escandalosos e de qualidade dúbia que as tornavam tão lucrativas. As revistas *pulp* cobriam todo o escopo de gêneros populares: faroeste, romance, mistério, aventuras, etc. As mais extravagantes de todas, porém, eram as de ficção científica.[29]

A *cientificação*, como costumava ser chamada naqueles tempos, tinha um *pedigree* próprio e complexo. Os historiadores do gênero atribuem sua origem a várias fontes, mas a maioria concorda que os escritores do século XIX na Europa e na América, que começaram a explorar as possibilidades literárias da ciência e tecnologia, ergueram as

---

29. Goulart (1972) é o melhor guia para essas revistas populares.

fundações para o crescimento da ficção científica. Em algum momento entre a publicação de *Frankenstein*, de Mary Shelley, em 1819, e o sucesso estrondoso de *Da Terra à Lua*, de Júlio Verne, em 1865, a ficção científica encontrou voz como literatura, explorando o futuro do progresso tecnológico. A maioria das obras de ficção científica do século XIX era considerada literatura séria, e algumas das vozes literárias mais significativas do início do século XX experimentou o gênero. Mas nas mãos das revistas *pulp*, a ficção científica trocou o salão pela sarjeta, e por grande parte da primeira metade do século XX poucos foram os autores de reputação literária que sequer chegaram perto dela.

Esse mergulho nas profundezas da cultura popular teve consequências imensas. Apesar de suas perenes alegações de importância, a literatura séria raramente teve grande impacto na sociedade. Pouquíssimos são os que, de fato, leem essas obras e, na maioria dos casos, elas são muito arrojadas para cair no entusiasmo acrítico que molda a imaginação de uma era. De um modo geral, é a literatura popular – material de leitura para donas de casa, operários de fábrica e crianças – que penetra os espaços da cultura onde o futuro ganha forma. Abrindo mão de suas credenciais literárias e se imiscuindo na extravagância das revistas *pulp*, a ficção científica passou a contar com forças poderosas cujas raízes profundas estavam na imaginação coletiva do moderno mundo industrial.

O historiador alemão Oswald Spengler (1880-1936) mostrou, mais de um século atrás, o quão vital foi o conceito de espaço infinito para a moderna visão ocidental da realidade.[30] Esse conceito era impensável para a maioria das culturas do passado; para os antigos gregos, por exemplo, o ilimitado (*apeíron*) era o oposto da existência, e a antiga língua grega não possuía um termo para "espaço" em nosso sentido moderno da palavra. Em contraste, para a mente moderna, qualquer coisa menor que o infinito parecia claustrofóbico, e na tela em branco do espaço infinito, a imaginação moderna projeta todos aqueles sonhos, fantasias e medos que as outras culturas atribuíam a um reino mais metafísico. Contando com essa visão do espaço, bem como a crença no bem e na necessidade do progresso, a ficção científica em seus dias de "polpa" se transformou de um gênero literário mais ou menos esotérico em uma mitologia folclórica que ainda molda a maior parte de nosso pensamento a respeito do futuro hoje.

---

30. Ver Spengler 1962, principalmente p. 41-69.

Um dos vultos que marcaram essa transformação foi o editor de revistas *pulp* Raymond A. Palmer (1910-1977).³¹ Debilitado por um acidente com um caminhão na infância, Palmer buscou o refúgio de sua vida difícil na realidade alternativa e colorida da ficção científica. No fim da década de 1920, ele era uma figura líder na recém-nascida subcultura dos fãs da ficção científica; em 1930, lançou a primeira fanzine conhecida (revista amadora de ficção científica), *The Comet*, e publicou sua primeira história de ficção científica; em 1933, organizou o primeiro prêmio literário para ficção científica norte-americana, o prêmio Júlio Verne. Em 1938, quando a rede editorial Ziff-Davis comprou de seu fundador a *Amazing Stories* revista *pulp* de ficção científica prestes a acabar e precisou de um novo editor, escolheram Palmer.

O texto de Palmer não tinha o menor traço de talento, e os autores que ele recrutava para encher as páginas da *Amazing Stories* por poucos centavos por palavra geralmente eram piores. O que fez dele um grande sucesso como editor de revistas *pulp* era seu ouvido infalível para o denominador comum mais baixo em termos de gosto. Enquanto outras revistas *pulp* abriam os horizontes da ficção científica e lançavam alguns dos melhores autores do gênero em promissoras carreiras, Palmer visava, sem a menor vergonha, os interesses de seu público adolescente masculino com contos aventureiros intercambiáveis de heróis musculosos e donzelas em apuros, além de monstros horrendos vindos do espaço. Os fãs da ficção científica gemiam e os editores mais intelectuais o desprezavam, mas Palmer transformou a *Amazing Stories* em uma das revistas *pulp* de ficção científica mais bem-sucedidas, com uma circulação que eclipsava a maioria dos concorrentes. Em 1939, a Ziff-Davis o recompensou, tornando-o editor de uma segunda revista, a *Fantastic Adventures*, abordando o outro extremo do espectro *pulp*: a fantasia.

Para manter seu público feliz, Palmer contratou alguns dos melhores ilustradores na área para produzir capas chamativas para suas revistas; com isso, ele ajudou a criar o imaginário que viria a adquirir sentidos radicalmente novos nas décadas seguintes. Ele não foi o primeiro ou único editor de revistas *pulp* a prestar uma contribuição a esse aspecto. A capa da edição de dezembro de 1915 do *The Electrical Experimenter* – apesar do título, era uma revista de ficção científica editada pelo pioneiro da área, Hugo Gernsback – trazia a primeira de inúmeras naves voadoras em formato de disco na arte das capas de revistas, além de outros elementos básicos do posterior imaginário ufológico,

---

31. Minha principal referência foi para a biografia e a obra de Palmer Keel (1989).

tais como discos voadores, abduções alienígenas e bases subterrâneas, frequentes em revistas como *Amazing Stories* ou *Fantastic Adventures*. A nave discoide, em particular, assumiu um papel dominante na iconografia da ficção científica desde muito cedo. O modelo de aeronave em forma de disco parecia tão inevitável à imaginação popular nos anos 1930 que, quando o arquiteto inovador Frank Lloyd Wright projetou uma cidade do futuro em 1934, o famoso projeto Broadcare City, que foi por várias décadas a principal inspiração dos planejadores urbanos, seus esboços da cidade mostram discos voadores atravessando o ar acima das esbeltas torres e paisagens verdejantes da cidade. Eles eram as inevitáveis aeronaves da sociedade futura.[32]

Entretanto, os interesses de Palmer começaram a desviar da ficção científica para as realidades alternativas que Charles Fort defendera não muito tempo antes. A chegada de uma carta assinada por "S. Shaver" ao escritório de Palmer, em 1943, lhe deu a chance de dar proeminência a esses interesses. A carta anunciava a descoberta de uma língua antiga chamada Mantong, que provava a realidade da lendária Atlântida. Palmer entregou a carta a seu editor associado, Howard Browne, que leu as primeiras páginas e a jogou no lixo. Palmer sorriu, pegou-a de volta e a publicou na coluna de correspondência de *Amazing Stories*. Os leitores gostaram e Palmer escreveu ao autor da carta, pedindo mais material. Recebeu uma carta com 10 mil palavras e quase incoerente intitulada "Um alerta para o homem do futuro", escrita por um Richard S. Shaver.

Shaver, um soldador da Pensilvânia, explicou que, muitos anos antes, começou a ouvir histórias dentro de sua cabeça enquanto operava seu equipamento de solda. As vozes lhe revelavam a existência de um mundo subterrâneo de túneis abandonados construídos pelos antigos lemurianos, que se refugiaram sob a superfície da Terra para fugir das radiações destrutivas de um Sol enlouquecido. Posteriormente, os lemurianos partiram rumo ao espaço, deixando os túneis e os enormes depósitos de sua tecnologia para uma raça de anões malignos chamados *deros* – abreviação em inglês de *detrimental robots* (robôs prejudiciais, na língua Mantog) –, que usavam máquinas lemurianas chamadas *telaug* (*telepathic augmentation* ou expansão telepática) e raios de estimulação sexual para atormentar os infelizes habitantes da superfície. Shaver afirmava que vivia em contato com os oponentes dos *deros*, os *teros* (*integrative robots* ou robôs integrativos) e tinha uma ligação sexual com uma *tero* chamada Nydia. Palmer reuniu toda essa

---

32. Ver, por exemplo, Pfeiffer e Nordland (1988, p. 90-91).

informação, reescreveu-a em um conto de 31 mil palavras intitulado *I Remember Lemuria!* e o publicou na edição de março de 1945 de *Amazing Stories*.³³

A reação foi tão positiva que a rede Ziff-Davis – ainda sofrendo com as dificuldades do racionamento de papel nos tempos de guerra – teve de desviar papel de outras revistas para suportar a demanda dessa edição. Palmer logo recebeu mais material de Shaver e o reescreveu para a publicação. Browne descrevia o material como "a porcaria mais doentia que eu já vi",³⁴ mas a circulação de *Amazing Stories* duplicou nos quatro meses seguintes e atingiu o total impressionante de 250 mil exemplares por mês no fim de 1945. Nesse ínterim, milhares de cartas lotavam a caixa de correspondência de Palmer todos os meses, a maioria de pessoas que queriam contar suas experiências com os *deros*. Quando o "Mistério Shaver" estava no auge, a coluna de correspondência de *Amazing Stories* parecia a prévia do que hoje seria o fenômeno Ufo, cheia de testemunhos críveis relatando avistamentos de naves aéreas estranhas e relacionando contatos imediatos com seres não humanos sinistros, com aspecto de anões, obcecados pela sexualidade e reprodução humanas. Palmer e seus time de escritores enchiam as páginas com histórias do tipo "Earth Slaves to Space" (*Amazing Stories*, setembro de 1946), um conto de alienígenas que chegavam à Terra para abduzir seres humanos. A principal história na edição seguinte, "The Green Man", de Harold M. Sherman, prefigurava o fenômeno Ufo ainda mais claramente, narrando a chegada de um alienígena sábio e sobre-humano bem a tempo de salvar a terra do holocausto nuclear.

O Mistério Shaver continuou a ganhar terreno em 1946 e na primeira metade de 1947; e Palmer finalmente resolveu dedicar uma edição inteira de *Amazing Stories* às teorias de Shaver e à reação pública a elas. Foi lançada em junho de 1947 e ainda se encontrava nas bancas de jornal quando Kenneth Arnold subiu em seu avião e decolou para o voo que viraria lenda na ufologia.

Esperando pelos irmãos do espaço

Muita gente nos Estados Unidos estava ligada no mesmo imaginário que Palmer comercializava na época, e muitas dessas pessoas nada tinham a ver com a indústria de ficção científica *pulp*. A história de Harold Sherman, "The Green Man", formou, na verdade, a ponte entre duas comunidades que partilhavam uma visão comum da possibilidade de

---

33. *I remember Lemuria!* foi reimpresso em toda a sua glória em Childress e Shaver (1999).
34. Citado em Keel (1989, p. 142).

salvação pelo espaço. Sherman, que acabaria se tornando um escritor popular no campo dos fenômenos paranormais, tinha uma bagagem substancial nos movimentos populares de ocultismo do início do século XX, e seu conto "The Green Man" se baseou em uma experiência visionária pessoal. Em 1945, quando vivia em Chicago, ele teve uma visão da iminente chegada em massa de naves estelares alienígenas nos céus da Terra.

Essas ideias se fundamentavam em um cabedal mal registrado, porém altamente influente de ensinamentos e imagens de uma cultura alternativa norte-americana, uma tradição que teria imensa influência no fenômeno Ufo, quando este ocorreu mais tarde.

Por toda a América, entre o fim da Guerra Civil e o fim da Segunda Guerra Mundial, as formas religiosas conhecidas, baseadas em narrativas da Bíblia e conceitos teológicos cristãos, foram aos poucos perdendo terreno entre grandes segmentos da população para novas formas e um novo imaginário que pareciam mais relevantes em uma era de ciência e da crescente fé popular de que o progresso tecnológico seria a chave para a Utopia. Muito antes da época de Sherman, essa mudança de maré em religião popular já começara a se basear em ideias acerca da vida em outros planetas, e as pessoas que antes voltavam os olhos para o reino celeste em oração começavam agora a vislumbrar o espaço.

Uma gama espantosa de influência permeava essas novas religiões do espaço. Uma das mais importantes foi o movimento espiritualista. O Espiritualismo nasceu em 1848, quando as três meninas adolescentes, as irmãs Fox, anunciaram que tinham descoberto um meio de se comunicar com os mortos. No fim daquele ano, as meninas, sua história e as mensagens que pareciam vir dos mortos formaram o olho do furacão da mídia, das novas visões religiosas e de acusações de fraude. Em 1850, centenas de outras pessoas alegavam ser capazes de se comunicar com os mortos por meio do transe, usando técnicas do mesmerismo, o sistema de cura alternativa mais popular da época. Os médiuns espiritualistas e seus seguidores fundaram igrejas e comunidades religiosas, publicaram centenas de livros detalhando suas comunicações com o "Outro Lado" e, por algum tempo – principalmente após a Guerra Civil, quando inúmeras famílias de ambos os lados do conflito sofriam as perdas e esperavam por uma evidência sólida de vida após a morte –, contavam como um dos maiores movimentos religiosos no país. À medida que o Espiritualismo amadurecia, contudo, seus praticantes perceberam que precisavam de algo mais convincente que as mensagens particulares de parentes mortos para atrair o público. No decorrer do século

XIX, os médiuns começaram a transmitir ensinamentos de espíritos que alegavam estar muito acima dos mortos comuns.

Esse processo foi se acelerando enquanto outra influência nas posteriores religiões do espaço, a divulgação do conhecimento das religiões asiáticas, se espalhava pela cultura norte-americana. A partir dos transcendentalistas da Nova Inglaterra, pensadores alternativos nos Estados Unidos encontraram na filosofia e religião asiáticas uma fonte poderosa de inspiração. Na segunda metade do século XIX já era possível para uma pessoa escolarizada, em quase todas as partes dos Estados Unidos, ter acesso a dados relativamente corretos acerca dos pensamentos hindu, budista e zoroastriano.

O rito escocês da Maçonaria, liderado entre 1859 e 1891 pelo estudioso e místico Albert Pike, desempenhou um papel fundamental no processo, incluindo materiais detalhados e relativamente corretos sobre religiões orientais em seus rituais e publicações, acima de todas a enciclopédia de Pike, *Moral e Dogma do Rito Escocês Antigo e Aceito da Maçonaria* (1871). Em uma era na qual a maioria dos líderes masculinos da vida pública norte-americana pertencia à Maçonaria e o Rito Escocês mantinha seu lugar de orgulho indisputável entre as Ordens Maçônicas, o estudo religioso comparativo de Pike difundia os ensinamentos asiáticos por toda parte.

A popularidade crescente dos ensinamentos orientais também ajudou no nascimento da Sociedade Teosófica, fundada em 1875 na cidade de Nova York pela expatriada russa, a mística Helena Petrovna Blavatsky, e pelo ocultista norte-americano Henry Steel Olcott. A Teosofia alegava ensinar a sabedoria do Oriente, mas se baseava muito no lado filosófico do Espiritualismo e nas tradições secretas ocultistas do mundo ocidental. Como movimento organizado, a Teosofia passou por suas dificuldades, mas exerceu um impacto avassalador na imaginação coletiva do mundo ocidental durante um século após sua fundação. Os ensinamentos apresentados na obra-prima de Blavatsky, *A Doutrina Secreta* (1888), foram essenciais para grande parte da fé alternativa dos norte-americanos durante um século e ainda exercem influência atualmente: o movimento contemporâneo da Nova Era conta com mais ideais da Teosofia que de qualquer outra fonte. Uma das inovações de Blavatsky era uma visão do Cosmos segundo a qual as almas passavam de planeta em planeta no decorrer de sua evolução. Muitos grupos alternativos norte-americanos inevitavelmente se tornaram seguidores de Blavatsky.

Além das muralhas das Lojas Maçônicas e dos salões de conferência teosóficos, na terra incógnita da alma norte-americana, onde tantos impulsos religiosos tiveram sua origem, essas mesmas influências se fundiram a outras ideias religiosas de uma forma que causaria impactos dramáticos no futuro. A guerra entre o Cristianismo bíblico e a ciência materialista, um conflito feroz que se estendeu entre o fim do século XIX e o começo do XX, ajudou nesse processo. No alvorecer da era dos Ufos, muitos norte-americanos já tinham escutado os argumentos da ciência e achavam a verdade literal da Bíblia inverossímil, ao mesmo tempo em que absorviam suficientemente os argumentos da religião para não aceitar a fé científica no materialismo puro. Uma terceira alternativa que afirmasse uma posição intermediária garantia, portanto, o interesse desse público.

Uma das alternativas mais influentes foi a *Oahspe*, uma Bíblia alternativa publicada em 1882 por John Ballou Newbrough.[35] Nascido em 1828, Newbrough adotou o Espiritualismo muito cedo, como jovem adulto,[36] e se tornou um médium que usava psicografia (escrita automática), uma prática espiritualista comum na qual a mão do médium, segurando uma pena de escrita, se move e escreve sem a intervenção de sua mente convincente. Em 1881, após uma série de visões, Newbrough comprou uma máquina de escrever e, durante uma hora, todas as manhãs, deixava os espíritos datilografarem por intermédio dele. O resultado foi a *Oashpe, uma Nova Bíblia, nas Palavras de Jehovi e Seus Embaixadores Anjos*, um volume enorme proclamando um novo evangelho ao mundo.

Como muitas outras obras canalizadas, a *Oahspe* desafia uma caracterização fácil. Escrita no estilo da Bíblia do rei John, ela combina o imaginário cristão com ideias emprestadas de muitas outras religiões: Adão, Eva e Jesus aparecem em suas páginas, bem como Apolo, Thor e Buda, além do deus supremo zoroastriano, Ormuzd. O que a diferencia radicalmente das visões religiosas do século anterior, porém, é a maneira como baseia sua teologia no espaço sideral. Seus anjos e anjos vivem em inúmeros planetas espalhados pela vastidão infinita de Etherea, o termo de Newbrough para espaço interestelar, viajando de planeta em planeta em naves ethereanas que variam desde pequenos veículos de reconhecimentos até grandes naves-mãe do tamanho de um planeta.

---
35. Ver Gardner (1995, p. 161-78), e Newbrough (1950).
36. O detrator profissional Martin Gardner afirmava que Newbrough foi criado em uma família espiritualista – truque sujo, uma vez que o Espiritualismo só surgiu após Newbrough ter completado 20 anos. Esses erros factuais são embaraçosamente comuns na literatura dos detratores. Ver Gardner (2003, p. 101.)

A nova revelação de Newbrough nunca atraiu uma grande multidão, mas encontrou leitores no cenário alternativo, e por mais de três quartos de século exerceu uma poderosa influência na imaginação religiosa norte-americana. Na onda dessa revelação e frequentemente sob sua influência, centenas de outros movimentos religiosos alternativos nos Estados Unidos adotaram a mesma fusão do imaginário religioso tradicional com adaptações populares de ideias científicas acerca do espaço sideral.

No começo do século XX essas mesmas ideias começavam a moldar a cultura popular de maneiras inesperadas. Mais uma vez, a indústria da ficção *pulp* nos permite ver as mudanças de maré na imaginação coletiva que estabeleceu as fundações do fenômeno Ufo. Na década de 1920, por exemplo, dois dos autores mais populares e influentes da indústria *pulp* eram Robert Howard e H. P. Lovecraft. Howard foi o criador de Conan, o Bárbaro, e uma galáxia de heróis menos famosos, além de manter sempre cheias as páginas de *Weird Tales* e várias outras revistas do gênero de histórias ousadas e violentas de aventura em eras passadas e esquecidas. Poucos de seus leitores hoje em dia sabem que esses contos se passam no universo da *Doutrina Secreta*, de Helena Blavatsky, uma visão de mundo intimamente familiar para a maioria dos leitores.

Lovecraft, embora fosse um dos amigos mais íntimos de Howard e vendesse suas histórias às mesmas revistas *pulp* que apresentavam as aventuras violentas de Conan, escrevia no outro extremo do espectro. Um dos autores do gênero terror mais originais do século XX, Lovecraft adotava o mesmo imaginário teosófico de Howard, criando a partir daí um universo ficcional em que vastas inteligências cósmicas, mais velhas que a humanidade e totalmente malignas, espreitam além dos limites de nossa percepção, aguardando o momento em que "as estrelas estejam na posição certa" e seu antigo domínio sobre a Terra possa ser restaurado. A literatura de paranoia cósmica de Lovecraft encontrou leitores ávidos na comunidade *pulp* e desempenhou um papel importante na criação de uma subcultura na qual os relatos dos *deros* de Richard Shaver em cavernas lemurianas eram levados a sério.

Tudo isso apelava para o cenário espiritual, tornando acreditável para uma grande parte da população norte-americana a ideia de contato com outros mundos. No fim dos anos 1930, a liderança de um dos movimentos espirituais alternativos mais populares na América – o I AM Activity (dissidência da Teosofia) – afirmava estar em contato com seres avançados do planeta Vênus. Enquanto isso, guias espirituais de nativos norte-americanos, muito populares entre os médiuns nos primeiros anos do século, saíam de moda e eram substituídos por inteligências extraterrestres. Um exemplo entre centenas era o médium de San Diego Mark Probert, cujas comunicações com um ser extraterrestre chamado E Yada Da Shi'ite, emissário do Alto Conselho interplanetário, atraía o interesse de um círculo de estudantes liderados pelo ocultista veterano Meade Layne.[37]

Como a maioria do material canalizado antes e desde então, as comunicações de Probert consistiam em longas discussões de cosmologia e ciência alternativa, misturadas com aconselhamento moral e espiritual. Começando dos primeiros dias de 1946, contudo, E Yada Da Shi'ite desviou para o mesmo novo tema de Harold Sherman em seu conto "The Green Man": a iminente chegada de naves extraterrestres nos céus da Terra. O grupo de Layne, a Borderland Sciences Research Foundation (Fundação Borderland de Pesquisa Científica), tinha um boletim informativo de distribuição nacional, e o próprio Layne, há muito membro da Ordem Hermética da Aurora Dourada, possuía contatos com lojas de ocultismo em todo o país. Por meio desses canais, a notícia da iminente visita extraterrestre se espalhou rapidamente.

Em todo o cenário norte-americano da espiritualidade alternativa, os olhos se voltavam para o alto, aguardando sinais nos céus. Pouco tempo depois, Kenneth Arnold avistou nove objetos voadores estranhos sobre as montanhas Cascade. Chegava o fenômeno Ufo.

---

37. Ver Layne (1950) e Reeve (1957).

Capítulo 2

Um Mistério nos Céus, 1947-1966

Na tarde de terça-feira, 24 de junho de 1947, um piloto particular e empresário chamado Kenneth Arnold decolou do aeroporto municipal de Shelton, Washington, em seu monoplano Callair vermelho e branco, e seguiu para o Leste, na direção sul das montanhas Cascades. Arnold, que tinha um cargo de meio período no Serviço Florestal, além de um negócio muito próspero de combate a incêndios, fazia parte de uma missão de resgate de um avião que caíra perto do cone vulcânico do Monte Rainier, de 4.267,20 metros. As condições para a busca eram ideais: clima perfeito de verão, com ar calmo e visibilidade ilimitada.[38]

Três minutos após alcançar altitude de cruzeiro, aos 2.804,16 metros, a atenção de Arnold se voltou para um brilho ao Norte. Olhou para aquele sentido e viu o que pareciam nove aeronaves incomuns rumando para o Sul, cruzando sua trajetória, a uma velocidade muito grande. Se levarmos em conta o que aconteceu em seguida, devemos mencionar que as naves não se pareciam em nada com o "Ufo genérico" que paira na imaginação coletiva do mundo atualmente. Arnold descreveu os objetos como em formato de Lua Crescente com cerca de 15,24 metros de comprimento, 13,72 metros de largura e só 91,44 centímetros de espessura, com pontas lisas no centro da extremidade traseira. Em seu voo, os objetos mergulhavam de um lado para o outro, serpenteando entre os picos das montanhas, e a luz do Sol se refletia no corpo deles como em um espelho; foi, aliás, esse reflexo que chamou a atenção do piloto.

---

38. Ver Arnold e Palmer (1952) e Peebles (1994, p. 8-10).

Quando aterrissou em Yakima, Washington, 90 minutos mais tarde, para abastecer o avião, Arnold mencionou o avistamento a vários outros pilotos. Um deles sugeriu que talvez ele tivesse visto mísseis guiados a partir da base militar em Moses Lake, região central de Washington. Mais para o fim da tarde, Arnold prosseguiu em voo até Pendleton, Oregon, e encontrou uma pequena multidão aguardando-o. A notícia de seu avistamento chegara antes dele.

Ele tentou relatá-lo ao escritório local do FBI, mas este já estava fechado porque anoitecera; então, ele resolveu conversar com os jornalistas de Pendleton. Na tentativa de explicar como os objetos mergulhavam e oscilavam, Arnold disse que voavam "como um pires atirado sobre a água". Um dos repórteres, Bill Becquette, converteu a expressão em "parecido com um pires voando", usando-as na matéria que enviou à Associated Press, e algum editor assistente desconhecido torceu a expressão em "pires voador".*

A matéria foi publicada na manhã seguinte nos jornais de todo o país. Dali a alguns dias, outras pessoas começaram a relatar objetos desconhecidos nos céus, os quais a mídia imediatamente equiparou ao avistamento de Arnold. Em 4 de julho, por exemplo, testemunhas em Portland, Oregon – entre as quais alguns policiais e patrulheiros do porto –, avistaram discos voadores "na forma de calotas cromadas" se deslocando em altas velocidades sobre a cidade. Na mesma noite, a tripulação de um avião da United Air Lines, indo de Boise a Seattle, viu mais nove discos voadores, e um oficial de publicidade da Guarda Costeira que morava no distrito de Lake City, Seattle, tirou duas fotos nítidas de um disco voador no céu, perto de sua casa; a foto apareceu na primeira página do *Seattle Post-Intelligencer*, na manhã seguinte.

Nesse ínterim, o Corpo de Aviação do Exército se apressava em declarar à mídia que os discos não eram armas secretas norte-americanas, especulando que os avistamentos se deviam a reflexos do Sol em nuvens baixas, meteoros ou granizos grandes e chatos.[39] Meteorologistas citados aos montes pelos jornais descartaram essas explicações, considerando-as absurdas.

Em 7 de julho, o *Post-Intelligencer* saiu com manchetes em letras garrafais de afirmações de que os discos voadores haviam pousado em alguma parte de Idaho, enquanto o *San Francisco Chronicle* tinha na primeira página a manchete "DISCOS VOADORES VISTOS NA

---

* N. T.: Em inglês, *flying saucer*, que em português foi traduzido como "disco voador".
39. Ver, por exemplo, o *New York Times*, 4 de julho de 1947, p. 26.

MAIORIA DOS ESTADOS". Aquele 7 de julho foi um dia memorável para avistamentos; em Seattle, por exemplo, 21 pessoas relataram ter visto discos prateados no céu, a grande altitude. No dia seguinte, embora o *Post-Intelligencer* nada mencionasse, outros jornais trouxeram uma matéria ainda mais sensacional: o oficial de relações públicas do Corpo de Aviação do Exército no campo em Roswell, Novo México, relatava que um dos discos voadores caíra em uma fazenda próxima e o Exército recolhera alguns fragmentos.[40]

Já no dia 9 de julho, entretanto, veio o anticlímax. O general-brigadeiro Roger A. Ramey, comandante do campo de Roswell, anunciou que os fragmentos pertenciam a um balão militar norte-americano. Fotos publicadas na mídia mostravam Ramey e o major Jesse Marcel, oficial de inteligência no campo de Roswell, exibindo pedaços de papel-alumínio, madeira e papel. O acidente em Roswell desapareceu da mídia. Nas semanas seguintes, os discos voadores também desapareceram. Os avistamentos atingiram o auge na época do relato da queda e depois caíram. Os jornais perderam o interesse. No início de agosto, a grande onda de Ufos de 1947 tinha acabado.

A narrativa toma forma

O impacto maior dos avistamentos, porém, mal começara. Em uma sociedade loucamente apaixonada por todas as coisas tecnológicas, a ideia de misteriosas naves discoides no céu era encantadora demais para desaparecer por completo, e a cultura popular norte-americana saltou a bordo dos discos voadores com entusiasmo, antes do fim da onda. Os mesmos jornais que gritavam as notícias dos avistamentos por todo o país também traziam anúncios de coquetéis recém-inventados na forma de disco voador, *sundaes* disco voador, sanduíches e hambúrgueres disco voador, além de uma canção intitulada "The Flying Saucer Blues". Em 12 de julho, o chapeleiro Frank Barell, de São Francisco, anunciou seu mais recente modelo: o *Flying Saucer Chapeau* – um chapéu em formato de disco para mulheres, com uma fita de chiffon que descia aos ombros.[41]

---

40. Ver Saler, Ziegler, e Moore (1997) para uma apresentação documentada do relatório Roswell original.
41. Como todos os pesquisadores da história do fenômeno, fico em dívida com o site *UFOs in Popular Culture* (http://www.ufopop.com) pela documentação do avanço dos discos voadores na imaginação popular. Todos os exemplos citados nesta seção são dessa fonte.

Nos primórdios do fenômeno, no entanto, não existia ainda um consenso popular quanto à natureza dos pontos e discos prateados vistos nos céus norte-americanos. O *News* de Port Arthur, Texas, foi uma das vozes que expressou essa incerteza. Em 10 de julho de 1947, o *News* anunciou um concurso, oferecendo 25 dólares pela melhor carta ao editor que explicasse o que eram, de fato, os discos:

> *Como VOCÊ explica os "discos voadores"?*
> *Eles são reais ou será que os relatos desses discos são tão falsos quanto uma moeda adulterada?*
> *São enviados pelos russos? São mísseis de Marte? A Lua estaria jogando pedaços contra nós por causa daquele radargrama que enviamos a ela um ano e pouco atrás?*
> *Ou tudo não passa de um produto das loucuras de verão?*[42]

Como sugere o texto do anúncio, uma das teorias em voga na época era de que os discos faziam parte de alguma arma secreta russa. Muitas pessoas, no fim dos anos 1940, temiam que a União Soviética estivesse mais tecnologicamente avançada que as potências ocidentais. A tecnologia militar russa na época competia com o melhor que o Ocidente tinha a oferecer, e desde o sucesso do primeiro teste nuclear da Rússia, em 1949, até o espantoso voo espacial do Sputnik 1, em 1957, as preocupações quanto à proeza científica soviética não eram absurdas.

Outra teoria popular na época era de que os discos seriam fruto de uma tecnologia militar secreta norte-americana, ainda não pronta para divulgação, estando envolta no mesmo mistério do Projeto Manhattan, que só veio à tona com a explosão em Hiroshima. O ocultista Manly Palmer Hall foi um dos que afirmaram que os russos não seriam tolos a ponto de testar uma tecnologia nova e exótica no espaço aéreo norte-americano, onde um único erro daria acesso aos piores inimigos da União Soviética à sua arma secreta.[43] O próprio Hall argumentava que os discos deviam ser, isso sim, uma invenção norte-americana; e ele se tornou o primeiro dentre várias gerações a sofrer embaraço público ao afirmar que o segredo por trás dos discos logo seria revelado pelo governo dos Estados Unidos.

As conclusões de Hall, porém, não eram compartilhadas pelos ocultistas de sua época. Um ocultista muito mais típico era Meade Layne, cujas notáveis previsões do fenômeno Ufo foram mencionadas no Capítulo 1. Layne e sua Fundação Borderland de Pesquisa Científica

---
42. *Port Arthur News*, 10 de julho de 1947.
43. Hall (1950).

estudaram os relatos de discos voadores atentamente e chegaram à conclusão de que as "naves" não eram veículos materiais de planetas físicos. Em seu panfleto mimeografado sobre o assunto, *The Ether Ship Mystery and its Solution* (1950), Layne argumentava que os discos voadores eram de natureza etérica, ou seja, compostos da substância sutil entre a mente e a matéria, há muito um dos arcanos centrais da tradição ocultista, e construídos e tripulados por seres do plano etérico, os ethereanos de *Oashpe*.[44]

Nos espaços subterrâneos da cultura popular, porém, nenhuma dessas especulações ganhou atenção. As revistas baratas e os quadrinhos que retratavam os medos e as fantasias da emergente geração pós-guerra identificavam os Ufos como espaçonaves alienígenas e ponto final. A fé no progresso tecnológico ilimitado que permeava a sociedade norte-americana em todos os níveis tornava a ideia de viagem espacial inevitável, e se nós podíamos ir até lá, era perfeitamente possível para os leitores de ficção científica que seres de Marte ou outros mundos pudessem ter chegado aqui antes da humanidade.

Essas certezas predeterminavam a reação da cultura *pulp*. Com as revistas de Raymond Palmer previsivelmente na liderança, a indústria *pulp* entrou na onda dos discos voadores assim que começou, definiu-a como visita extraterrestre e começou a inundar as bancas de jornal com imagens extravagantes de naves discoides de outros planetas. Suas especulações e histórias continuaram a prefigurar o futuro do fenômeno em uma proporção estonteante.

Consideremos, por exemplo, a contracapa da edição de novembro de 1947 de *Fantastic Adventures*, a revista de fantasia de Palmer. Mostrava uma frota de discos dourados na linha do horizonte de Nova York e as palavras: "Será que os antigos deuses egípcios e de outras civilizações perdidas voltarão à Terra a tempo de evitar uma guerra atômica? O olho de Hórus ainda nos observa? Veja a história na página 170!". Em 1947, essa era a trama de um conto de ficção científica esquecível; menos de uma década depois, havia contatados apresentando a história como uma profecia; dali a mais algumas décadas, ideias assim seriam levadas a sério em grandes partes do moderno mundo industrial.

Observando com especial habilidade a reação entusiástica de seu público, Palmer começou a planejar uma edição inteira de *Amazing Stories* dedicada aos Ufos para 1948. Depois das controvérsias em torro do Mistério Shaver, porém, seus superiores na rede Ziff-Davis resolveram que já bastava e lhe mandaram suspender o tema; talvez tenham

---

44. Layne (1950), ver principalmente p. 2-6.

sido pressionados, como afirmaria Palmer mais tarde, por uma visita de oficiais uniformizados da Força Aérea. Sem hesitar, Palmer conseguiu capital com amigos e lançou sua própria revista, *FATE*, dedicada a "histórias verdadeiras do misterioso e desconhecido". No contexto da época, isso significava, acima de tudo, discos voadores.

A primeira edição de *FATE* saiu na primavera de 1948, com o relato de Kenneth Arnold sobre seu avistamento como artigo principal, acompanhado de uma reprodução artística na capa. Muitos dos autores de Palmer contribuíram para seu novo trabalho. Harold Sherman, autor do "Green Man", escreveu para a primeira edição um artigo sobre paranormalidade na vida de Mark Twain; logo se tornaria evidente que Palmer tinha um sucesso estrondoso nas mãos. Lançou uma segunda revista, *Mystic*, no mesmo ano. Posteriormente, mudou o nome dela para *Search* e a usava para publicar cartas e artigos que eram demais até para os ávidos leitores da *FATE*. Em 1949, após várias brigas com seus chefes na Ziff-Davis, ele se demitiu do cargo de editor da *Amazing Stories* e *Fantastic Adventures* para se dedicar em tempo integral ao seu próprio império *pulp*.

A indústria *pulp* e seu público logo se tornaram um trampolim do qual a hipótese extraterrestre saltou para a cultura norte-americana com uma velocidade estonteante. Em 1948, o herói de quadrinhos dos jornais Buck Rogers enfrentava seres de um planeta distante que vieram à Terra em discos voadores, na história "The Adventure of the Flying Saucers". Em 1950, Li'l Abner, o herói dos quadrinhos de mesmo nome e enormemente populares de Al Capp, pegou uma carona em um disco voador pilotado por um marciano de três cabeças. Os fãs de quadrinhos de jornais compravam também "discos voadores" de papelão (Frisbee® ainda não dominara o mercado), que podiam ser recortados, montados e atirados ao ar.

Mais ou menos nessa época, Hollywood entrou na primeira onda extraterrestre. O primeiro filme de discos voadores foi o serial *Bruce Gentry: Daredevil of the Skies*, de 1949, no qual os discos eram armas secretas manuseadas por vilões terrestres; a mesma trama foi usada em *O Disco Voador*, de 1950, em que um avião terrestre discoide ataca o Canal de Panamá. No mesmo ano, porém, foi lançado *Flying Disc Man from Mars*, que abriu o caminho para dezenas de filmes B que apresentavam alienígenas hostis invadindo a Terra em discos voadores.

Em 1951 foi lançado *O Dia em que a Terra Parou*, até hoje considerado um dos melhores filmes de Ufos. A trama, que mostra um extraterrestre sábio chegando à Terra para alertar seus habitantes dos perigos de uma guerra nuclear, deixou ecos na imaginação coletiva que permanecem até nossos dias. Embora se baseie em um conto de ficção científica anterior ao "Green Man" de Harold Sherman, tomou-lhe emprestada a ideia de que a tecnologia extraterrestre podia deter todo e qualquer equipamento elétrico terrestre. Vale lembrar que em 1951 ninguém ainda relatara esse efeito em um verdadeiro avistamento de Ufo, mas isso não tardaria a acontecer.

Em 1952, até o mundo normalmente pacato da literatura infantil já tinha seus contatos imediatos com o crescente fenômeno. *Susie Saucer and Ronnie Rocket*, de Stella Clair, ilustrado por Edward Andrewes, visava ao ambiente pré-escolar, enquanto o best-seller *The Space Ship Under the Apple Tree*, de Louis Slobodkin, apelava para os irmãos mais velhos. No mesmo ano, a Glencoe Model lançou o primeiro kit de Ufo, um disco estiloso com asas, motores de foguete e uma cúpula através da qual seu piloto extraterrestre com orelhas pontudas podia observar as paisagens terrestres.

Esse desfile constante de Ufos na cultura popular se mostrou profético. Em 1952, os discos voadores voltaram com força total, e o que a princípio parecia um modismo pós-guerra se converteu em questão séria aos olhos de muitos norte-americanos.

A invasão do espaço

Em retrospectiva, uma característica notável do período entre 1947 e 1950 foi a relativa escassez de avistamentos de Ufos. Alguns casos marcantes, que ganharam muita publicidade, chamaram a atenção do público, mas de um modo geral os céus traziam menos objetos desconhecidos que em muitos anos antes. Entretanto, um caso importante, o contato de Mantell, em 1948, teve papel fundamental na formação dos temas perenes da emergente narrativa ufológica.

Em 8 de janeiro de 1948, testemunhas civis e militares viram uma nave desconhecida, em formato de casquinha de sorvete, em um ponto muito alto acima do Aeródromo Godman, em Kentucky.[45] Quatro caças F-51 da Guarda Nacional foram destacados para investigar. O líder da esquadrilha, o capitão Thomas Mantell, tentou se aproximar da nave. "Parece um objeto metálico", ele disse à torre de Godman pelo rádio, "de tamanho tremendo... diretamente à frente e um pouco acima... Estou tentando me aproximar para ver melhor." Foram suas últimas palavras

---

45. Ver Good (1988, p. 146).

registradas. Algumas horas depois, o corpo de Mantell foi encontrado nos destroços de seu avião, em um campo não muito longe de Fort Knox. Uma investigação mostrou que ele voara alto o suficiente para desmaiar por falta de oxigênio e perdeu o controle da aeronave. A Força Aérea afirmou que o "objeto metálico" que Mantell seguira era o planeta Vênus, declaração que precisou ser retirada quando os jornalistas apuraram que Vênus não aparecia em parte alguma do céu no momento.

Dali a três anos, a Marinha admitiu, porém, que o objeto era um teste experimental com balões do programa Skyhook. Os balões Skyhook eram feitos para chegar à camada mais alta da atmosfera, altitude que os aviões em serviço não alcançavam. Eram construídos de plástico polietileno, que pareciam metálicos sob condições de luz, e suas extremidades refletiam a luz do Sol; pareciam uma casquinha de sorvete gigante com uma cobertura vermelha.

A tentativa da Força Aérea de culpar o planeta Vênus pela morte de Mantell, contudo, permaneceu uma questão viva na recém-nascida comunidade de investigação ufológica, contribuindo fortemente para lançar a teoria de que a Força Aérea encobria evidências relacionadas aos Ufos. Sem dúvida, a própria Força Aérea fez de tudo para fundamentar essa teoria. Duas semanas após a morte de Mantell, em resposta à pressão crescente da mídia e do Congresso, a Força Aérea abriu uma investigação oficial do fenômeno Ufo sob o codinome Projeto Sign. Um ano depois, em 16 de dezembro de 1948, o Sign foi substituído pelo Projeto Grudge, que ganhou esse nome (*grudge* significa "birra" ou "ressentimento") por insistir que todos os avistamentos de Ufos resultavam de fraudes, alucinações e erros de interpretação, embora os funcionários do projeto não tivessem encontrado nenhuma explicação natural para 23% dos avistamentos estudados.[46] Em abril de 1952, o Grudge cedeu lugar ao Projeto Blue Book, auspiciado pela Força Aérea por mais de duas décadas em resposta à manifestação do fenômeno.

O detalhe mais estranho na maneira como a Força Aérea lidava com o fenômeno Ufo em todo esse período era seu comportamento, que parecia contradizer suas intenções declaradas. Essa atitude foi notada pelo psicólogo Carl Jung, que a comentou em seu livro sobre o mito dos discos voadores, embora a maior dos outros pesquisadores nada tenha dito. Longe de reduzir o interesse do público pelos Ufos, as explicações não convincentes da Força Aérea davam ao fenômeno mais credibilidade do que ele já tinha por conta própria. Muitas pessoas que até então

---

46. Thompson (1991, p. 8).

ignoravam o assunto chegaram à conclusão de que a Força Aérea estava escondendo algo.

Essa convicção ganhou força, embora o número de avistamentos continuasse a cair. Seu principal proponente foi Donald Keyhoe, um oficial reformado da Marinha que se tornou escritor e publicou um artigo inflamado acerca do fenômeno Ufo na edição de janeiro de 1950 da revista *True*. Keyhoe se baseou nas especulações de Charles Fort, bem como na onda de 1947, para retomar um argumento de que a Terra era observada por seres de outro planeta, no mínimo, por 175 anos. Ele insistia que a Força Aérea possuía evidências que corroboraram tal afirmação. Mais tarde, no mesmo ano, Keyhoe converteu o artigo em um livro popular, *Flying Saucers Are Real*, que vendeu meio milhão de exemplares.

O jornalista Frank Scully entrou na jogada na mesma época, com um livro também sensacionalista intitulado *Behind the Flying Saucers*, afirmando que a Força Aérea não só sabia a respeito da origem extraterrestre dos discos, mas tinha em suas mãos discos acidentados e recolhidos de um local perto de Aztec, Novo México. A informação de Scully viera de Silas M. Newton e Leo A. GeBauer, dois vigaristas profissionais para quem as histórias de discos voadores tinham pouca importância; o principal negócio dos dois era a venda de arrendamentos falsos de petróleo e "máquinas de detectar petróleo" inúteis. As amostras do casco do disco que eles entregaram aos investigadores nada mais eram que metal comum; as demais afirmações dos dois foram desacreditadas pelo jornalista investigativo J. P. Cahn em um artigo em 1952. A partir dali, a queda em Aztec desapareceu da discussão ufológica.[47] A imagem de discos acidentados em poder da Força Aérea, porém, parecia atraente demais para ser abandonada, e muitos dos detalhes do relato de Scully viriam à tona anos mais tarde, nas versões do Caso Roswell.

Essas investidas não ficam sem resposta. Logo, a revista *Time* publicou um artigo alegando que todos os avistamentos de Ufos se tratavam de balões Skyhook. *U.S. News & World Report* insistiam que eram tecnologias secretas operadas pela Marinha; e a *Cosmopolitan* trouxe um artigo inflamado afirmando que qualquer indivíduo que alegasse ter visto um disco voador devia ser internado em um manicômio. Em uma época em que avistamentos de objetos incomuns no céu caíam para seus índices mais baixos no período pós-guerra, esses argumentos pareciam ter fundamento.

---

47. Cahn (1952). Ver também Cahn (1956) e Peebles (1994, p. 67-71).

Entretanto, o ano de 1952 trouxe uma mudança no debate. Na edição de 7 de abril, a *Life*, uma das revistas mais populares da época, destacou na capa um artigo intitulado "Há visitantes do espaço na Terra?". Produzido com a assistência do Projeto Blue Book, o artigo trazia dois cientistas distintos que defendia a hipótese extraterrestre e orientava todo um debate em torno da ideia de que os discos voadores deviam ser naves de outros planetas. Em uma atitude não característica, a Força Aérea se recusou a criticar o artigo da *Life*, dizendo apenas que os dados estavam corretos, mas as conclusões eram dos autores e não da instituição militar.

A primavera de 1952 também veio com a fundação da Organização de Pesquisas de Fenômenos Aéreos (em inglês, APRO – *Aerial Phenomena Research Organization*) por Coral e James Lorenzen, de Sturgeon Bay, Wisconsin. Concentrando esforços em coletar dados de avistamentos de Ufos, a APRO logo evoluiu de uma rede informal para uma das maiores organizações de pesquisa ufológica, com um boletim mensal e centenas de membros nos Estados Unidos e no mundo.

Naquela época, como se fossem chamados, os discos voadores voltaram em vingança.[48] Abril de 1952 foi um mês agitado para avistamentos, com 99 relatos recebidos pelo pessoal do Blue Book. Outros 79 chegaram em maio, 149 em junho e nada menos que 862 nos meses de pico, julho e agosto. Um deles foi o caso Nash-Fortenberry, de 14 de julho de 1952, considerado um dos avistamentos mais clássicos de Ufos de todos os tempos.

William Nash e William Fortenberry eram, respectivamente, piloto e copiloto de um DC-4 da Pan Am, que ia de Nova York a Miami. Segundo os relatos dos dois, às 20h12, quando voavam a 2.438,40 metros de altura sobre Chesapeake Bay, perto de Norfolk, Virgínia, eles viram uma fileira de seis discos vermelhos e brilhantes à frente e à direita do avião, cerca de 610 metros acima do solo. Os discos se deslocavam em direção à aeronave em alta velocidade, mas fizeram uma volta acentuada. Em seguida, outros dois discos se juntaram a eles e todos se afastaram rapidamente a Oeste e se perderam de vista. Várias outras testemunhas em solo perto de Norfolk afirmaram ter visto os objetos mais ou menos na mesma hora.

Esse foi o prólogo de avistamentos ainda mais extraordinários. Nas noites de 19 e 26 de julho, grupos de luzes que se moviam apareceram

---

48. Ver qualquer uma das histórias padrão do fenômeno UFO, tais como em Jacobs (1975) ou Clark (2000), a respeito da onda de 1952. Quanto ao avistamento Nash-Fortenberry, ver Nash e Fortenberry (1952) e Tulien (2002).

sobre o Washington D.C., observados por centenas de testemunhas. Os operadores de radar em um dos aeroportos da cidade rastrearam algo no ar, câmeras dos noticiários fotografaram as luzes e a Força Aérea informou que caças a jato foram enviados, mas não conseguiram se aproximar o suficiente para atirar contra as naves não identificadas. Após o evento, porém, a Força Aérea insistiu que os avistamentos foram causados por uma inversão de temperatura que refletiu luzes do solo e causou alvos de radar falsos.

Tanto as testemunhas quanto a mídia rejeitaram essa explicação com uma boa demonstração de escárnio. Por todo o país, milhares de testemunhas contrastavam suas experiências com as explicações dúbias da Força Aérea e tiravam conclusões próprias; ou melhor, as conclusões preparadas pela cultura popular. Na época, ninguém se perguntava se a maneira desajeitada de a Força Aérea lidar com os Ufos seria intencional.

O caso extraordinário de contato imediato, em setembro de 1952, conhecido como "Monstro de Flatwoods", selou o ano mais agitado na história da ufologia. Após uma série de relatos provindos dos estados do leste de bolas de fogo no céu, sete testemunhas na cidadezinha de Flatwoods, West Virginia, viram uma dessas bolas cair em um bosque das proximidades. Foram investigar e relataram ter visto uma criatura com 3,05 metros de altura e olhos chamejantes que exalava um cheiro muito forte. O "Monstro" lembrava os contos folclóricos do sul dos Estados Unidos sobre monstros meio humanos e meio macacos do tipo "Pé Grande". Porém, só os estudantes mais dedicados da cultura forteana chegaram a essas conclusões. Para a maior parte do público norte-americano, o ser assustador só podia ter vindo do espaço sideral.

Mensagens de Clarion

Essa convicção foi reforçada a partir de um ângulo incomum. Em meio à onda de Ufos de 1952, apareceu nas livrarias de todos os Estados Unidos um livro de 52 páginas que tratava de espiritualidade alternativa. Lançado pela New Age Publishing Company, em Los Angeles, *I Rode a Flying Saucer*, de George Van Tassel, foi o prenúncio de uma nova tendência na narrativa ufológica: o surgimento dos contatados.

Van Tassel era piloto profissional com 20 anos de experiência em testes de aeronaves para as corporações Douglas e Lockheed. Também era participante antigo do cenário ocultista da Califórnia e liderava uma organização chamada o Colegiado da Sabedoria Universal. Depois da Segunda Guerra Mundial, ele comprou um aeroporto particular em

Giant Rock, perto do Vale Yucaa, Califórnia, com a intenção de abrir um restaurante e uma taverna. Segundo o livro *I Rode a Flying Saucer*, porém, Van Tassel logo começou a receber mensagens telepáticas do espaço sideral, um processo que culminou em uma série de contatos físicos com discos voadores e seus ocupantes.

O livro de Van Tassel causou sensação nos círculos alternativos, mas não alcançou um público maior. Tal destino estava reservado para o contatado seguinte. O escritor norte-americano de origem polonesa George Adamski foi, a princípio, um autor de ficção científica que não obteve sucesso e, a exemplo de Van Tassel, uma celebridade de pouco alcance no cenário espiritualista alternativo da Califórnia. Fundador e líder de uma sociedade ocultista chamada Ordem Real do Tibet, ele foi uma figura conhecida nos salões de conferência e programas de rádio na região de Los Angeles, nas décadas de 1920 e 1930. Em 20 de novembro de 1952, Adamski afirmou que foi ao deserto com vários companheiros, incluindo o escritor ocultista George Hunt Williamson, na esperança de ver um disco voador.

Os resultados superaram suas expectativas. Após observar dois Ufos no céu, Adamski afirmou ter visto um disco pousado e seu piloto. Por meio de telepatia e de gestos, o alienígena – que era loiro, de aspecto humano e vestia um uniforme marrom – disse a Adamski que viera de Vênus para alertar a humanidade do perigo das guerras nucleares. A semelhança do relato de Adamski com o enredo de *O Dia em que a Terra Parou* não diminui seu impacto em um público ansioso. Em 1955, Adamski já tinha dois *best-sellers* publicados, narrando suas outras aventuras com discos voadores e seus ocupantes; além disso, ministrava palestras nos Estados Unidos, Europa e América Latina.

Muito antes disso, outros já corriam para alcançar o patamar dos contatados. Outro californiano, um mecânico de automóveis chamado Truman Bethurum, publicou um livro intitulado *Aboard a Flying Saucer*, em 1954, narrando seus contatos com um Ufo e sua bela capitã, Aura Rhanes. Daniel Fry, Orfeo Angelucci, Howard Menger e vários outros seguiram o mesmo caminho nos anos seguintes, ajudando a criar uma emergente subcultura de entusiastas ufófilos cujo interesse pelo fenômeno se centrava nos contatados e suas mensagens. Vários membros dessa subcultura migraram para ela a partir de círculos ocultistas, trazendo consigo suas ideias, fornecendo ao crescente cenário ufológico uma cosmologia e visão de mundo já prontas.[49]

---

49. Ver Reeve e Reeve (1957), a respeito da visão de um participante do movimento dos contatados.

O escritor mais importante na área nos anos 1950 foi George Hunt Williamson, que passou a estudar os Ufos depois de seu longo envolvimento no ocultismo. Williamson fora membro ativo da Soulcraft, uma sociedade ocultista fundada pelo fascista e ocultista norte-americano William Dudley Pelley, que publicou um livro em 1950, afirmando ter contatos com alienígenas. Amigo íntimo de George Adamski, Williamson também era ligado a Van Tassel e à Fundação Borderland de Pesquisa Científica de Meade Layne, baseando-se fortemente nessas fontes para escrever livros de leitura obrigatória nos círculos de contatados nas décadas de 1950 e 1960. A maioria das ideias apregoadas pelos teóricos dos astronautas no passado e pelos pensadores alternativos desde os anos 1970 até hoje pode ser encontrada em detalhes em clássicos de Williamson, como *Other Tongues, Other Flesh* (1953) e *Secret Places of the Lion* (1956).

A esperança de uma iminente aterrissagem em massa de discos voadores era grande. Em 1953, o International Flying Saucer Bureau – IFSB (Escritório Internacional de Pesquisas de Discos Voadores), uma das primeiras organizações ufológicas na América do Norte, organizou um "Dia Mundial do Contato".[50] O IFSB foi fundado em 1952 pelo ocultista e fã de ficção científica Albert K. Bender e conseguiu criar uma ponte entre a comunidade dos contatados e os pequenos círculos de ufólogos científicos; seu painel diretivo honorário incluía Raymond Palmer e Meade Layne, por um lado, e Coral Lorenzen, da APRO, por outro. A meta do Dia do Contato – 15 de março de 1953 – era contatar os Ufos por meio de telepatia em massa.

Exatamente às 23 horas, horário de Greenwich, membros do IFSB do mundo todo se concentraram em uma mensagem para os pilotos dos discos que começava assim: "Chamando os ocupantes das naves interplanetárias!" (cerca de 20 anos depois, essa mensagem foi gravada em música pela obscura banda canadense Klaatu, tornando-se o único sucesso deles, umas das surpreendentes histórias musicais de sucesso de 1976.) O Bureau esperava que "uma onda súbita de avistamentos de discos... ou até a aterrissagem de um disco" demonstrasse que a mensagem fora recebida. Todos ficaram decepcionados, mas o que se passou depois do Dia C foi estranhamente profético.

Durante vários meses, o fundador do IFSB, Bender, anunciou que tinha resolvido o mistério dos discos voadores e revelaria o segredo na próxima edição de seu boletim. Em vez disso, o boletim seguinte

---

50. Bender (1963, p. 82-84).

anunciava que IFSB estava encerrando as atividades e o segredo não seria revelado. Gray Barker, ufoentusiasta de West Virginia, chefe do departamento de pesquisas do IFSB, publicou o lúrido *They Knew Too Much About Flying Saucers* (1956), afirmando que Bender fora forçado por três misteriosos homens de preto a se calar. Uma década após o súbito fim do IFSB, o próprio Bender publicou *Flying Saucers and the Three Men* (1963), expandindo a história dos homens de preto e descrevendo suas próprias experiências com seres extraterrestres que o abduziram várias vezes e o submeteram a um estranho tratamento médico. Bender se antecipara no tempo. Um quarto de século mais tarde, suas afirmações encontrariam eco em dois dos maiores *best-sellers* do fenômeno Ufo, mas no começo dos anos 1960 até o próprio cenário dos contatados considerava as história de Bender nada mais que ficção científica de qualidade ruim.

De um modo geral, a escalada do movimento de contatados dos anos 1950 e 1960 é subestimada ou ignorada pelos historiadores do fenômeno Ufo. Embora nenhuma pesquisa significativa tenha sido feita na época ou atualmente sobre o número crescente de contatados, as evidências sugerem que, a partir de meados dos anos de 1950 até a década seguinte, a comunidade de contatados representava a maioria das pessoas interessadas em Ufos. Naqueles anos, para todos os efeitos, a comunidade de contatados *era* a comunidade ufológica, e os poucos pesquisadores que tentavam realizar pesquisas científicas do fenômeno formavam um movimento paralelo dentro de outro movimento paralelo, ignorado por todos os lados no debate que se desenrolava em torno do fenômeno.

Assim, nos anos intermediários da década, enquanto a APRO tinha algumas poucas centenas de membros e contava com trabalho voluntário para a maioria de suas funções, o movimento dos contatados mantinha seu próprio circuito de palestras, prosperava no comércio de publicações com dezenas de livros por ano, além de contar com os mais variados boletins mensais e trimestrais como o *Proceedings of the College of Eternal Wisdom* [Procedimentos do Colegiado da Sabedoria Eterna], de Van Tassel. Festivais anuais no aeroporto de Giant Rock atraíam multidões, e milhares de pessoas que não compareciam à peregrinação de Giant Rock se filiavam a grupos locais de contatados, que proliferavam na maioria das cidades norte-americanas.

As crenças e os ensinamentos dos contatados chegaram inevitavelmente às revistas de Raymond Palmer, enchendo as páginas de *FATE*, *Search* e, mais tarde, um periódico intitulado *Flying Saucers* – a revista ufológica de maior circulação no mundo durante uma década após sua criação – com relatos de contatos alienígenas e mensagens de seres sábios chamados por Adamski de Irmãos do Espaço. Com o aumento das vendas de literatura de contatado, Palmer criou uma mala-direta que, por muitos anos, teve uma seleção de livros de ufologia melhor que qualquer outra na América. Também publicou três edições da *Oahspe* e divulgou com grande entusiasmo o *opus* de Newborough nas páginas de suas revistas.

Entretanto, a partir de 1955, *Oahspe* dividiu o espaço no circuito dos contatados com outra obra do mesmo tipo, o ainda maior *Livro de Urantia*, que foi recebido em transe por um canal anônimo nos anos 1920 e 1930 e permaneceu em sua forma original manuscrita por cerca de duas décadas, antes de ser finalmente impresso.[51] Assim como o *Oahspe*, o *Livro de Urantia* combinava narrativas bíblicas com cenários extraterrestres, além de mostrar seus anjos e arcanjos a bordo de naves estelares em jornadas pelo espaço interestelar.

Mesmo assim, as comunicações com os Irmãos do Espaço não ficavam reservadas para algumas poucas celebridades ou canais com dons fora do comum. Na segunda metade dos anos 1950, a maioria das cidades norte-americanas, grandes ou pequenas, tinha um grupo de contatados centralizado em um médium local que alegava estar em contato com inteligências extraterrestres e passava as mensagens a respeito do desenvolvimento espiritual e a iminente aterrissagem dos discos. Um grupo localizado na área de Chicago ganhou as manchetes por algum tempo em 1954, quando a líder, uma dona de casa convertida em canal, Dorothy Martin, anunciou que seus professores alienígenas do planeta Clarion haviam alertado que a parte leste dos Estados Unidos seria destruída por inundações em 21 de dezembro.[52]

Essa profecia atraiu para o grupo a atenção dos sociólogos da Universidade de Minnesota, que colocaram vários pesquisadores no grupo de Martin e observaram a dinâmica enquanto a data prevista não chegava. O resultado foi um estudo sociológico que se tornou clássico: *When Prophecy Fails*. Nele, Dorothy Martin aparece como "Marion Keech". O que os sociólogos não previram foi que vários participantes do grupo dela acabariam se tornando figuras importantes em versões posteriores da comunidade de contatados.

---

51. Ver Gardner (1995) para um estudo muito bem conduzido acerca do *Livro de Urantia*, marcado pela polêmica ira do autor contra o tema.
52. Ver Festinger, Riecken, e Schachter (1956).

A própria Martin viajou para o Peru, onde se tornou líder na Abadia dos Sete Raios, uma tentativa malsucedida de criar um centro internacional de contatados perto das margens do Lago Titicaca. Ela retornou aos Estados Unidos em 1961 e passou o resto da vida ensinando filosofia da Nova Era sob o nome de Irmã Thedra. Charles e Lillian Laughead ("Thomas e Daisy Armstrong" em *When Prophecy Fails*), dois membros do círculo, também participaram da aventura no Peru. Diante do fracasso, eles foram para o México, onde desempenharam a função importantíssima de apresentar o dr. Andrija Puharich ao movimento dos contatados.[53]

Puharich foi um dos pesquisadores que ajudou a criar a parapsicologia, estudo científico de poderes paranormais, a partir da menos rigorosa "pesquisa psíquica" do fim do século XIX e começo do XX. No início de 1948, ele dirigia um centro de pesquisas parapsicológicas, a Fundação Round Table de Glen Clove, Maine, que testava alguns dos médiuns e paranormais mais conhecidos da época. No último dia de 1952, um de seus sujeitos testados, o dr. D. G. Vinod, entrou em transe e transmitiu um comunicado de "os Nove", que afirmavam ser os nove princípios ou forças de Deus. Após conhecer os Laugheads, porém, Puharich passou a crer que os nove eram inteligências extraterrestres; e por meio de Puharich e seus associados, as ideias básicas do movimento dos contatados começaram a se espalhar por todos os círculos intelectuais de vanguarda, com resultados importantes nas décadas seguintes.

A ascendência extraterrestre

O movimento dos contatados teve um impacto que se alastrou de forma surpreendente nos círculos de cultura popular nas décadas de 1950 e 1960. Em termos do fenômeno Ufo, porém, seu efeito mais significativo foi o ímpeto que deu à crença de que os Ufos eram, por definição, espaçonaves de outro planeta, pilotadas por seres cujo progresso estava muito mais avançado que o da humanidade terrestre. Os contatados, enfim, completavam o trabalho iniciado por Raymond Palmer e seus colegas editores de *pulp*. Em meados dos anos 1950, a hipótese extraterrestre, que na onda original de 1947 era aceita por uma minoria, tornou-se a explicação básica para os objetos desconhecidos avistados acima da superfície da Terra. Embora as organizações de contatados e os grupos de pesquisa ufológica mais respeitáveis, como a APRO, não

---

53. Ver Picknett e Prince (1999, p. 162-88 e 220-25), Puharich e suas interações com os Laugheads.

concordassem em quase nada a respeito do fenômeno, ambos presumiam como fato consumado que os Ufos deviam vir do espaço sideral. Ironicamente, mesmo as pessoas que rejeitavam tudo, dizendo que não passava de absurdo – e a maioria das pessoas nas décadas de 1950 e 1960 fazia isso – associavam os Ufos a espaçonaves extraterrestres, com a mesma prontidão de Donald Keyhoe e George Adamski; simplesmente insistiam que naves extraterrestres não existiam e, portanto, os Ufos também não podiam existir. Pouquíssimas pessoas, entretanto, assumiam um papel ativo nessa discussão, naqueles anos. A única exceção significativa foi o astrônomo de Harvard, Donald Menzel, cujo primeiro livro defendendo a hipótese nula foi lançado em 1953 e reescrito com o auxílio do coautor Lyle G. Bord, reimpresso em 1963.

O ataque de Menzel à hipótese extraterrestre se baseava principalmente em argumentos nada convincentes que envolviam óptica atmosférica, poucos dos quais encontravam apoio dentro da própria comunidade científica. Ele permitia que as pessoas que já não acreditavam na existência dos Ufos justificassem seu posicionamento, mas não atraía os defensores do outro lado. A forte ironia era que a maioria dos livros extravagantes publicados para defender a hipótese extraterrestre naquela época pregava para seus próprios partidários com a mesma veemência.

Entretanto, uma nota dissonante veio do outro extremo do Atlântico. Nos últimos anos de sua vida, o brilhante psicólogo suíço Carl Jung (1878-1961) ficou fascinado com os relatos do fenômeno Ufo que vinham da América e coletou informações de todas as fontes que encontrou. A possibilidade de visitas de outros mundos, porém, parecia muito menos importante para ele do que a dimensão psicológica do fenômeno. Em seu livro de 1958, *Discos Voadores: Um Mito Moderno de Coisas Vistas nos Céus*, ele estabeleceu uma distinção crucial entre a realidade física dos Ufos – não importa o que fossem – e a mitologia rica e complexa que se formava em torno deles.[54]

Quanto à existência física dos Ufos, ressaltava Jung, quase nada se sabe com certeza. Se os Ufos refletiam as necessidades psicológicas, os medos e desejos humanos, porém, muito mais já se podia afirmar; e ele explica no livro como os discos voadores preenchiam um vazio na psique moderna. As pessoas instruídas para acreditar na ciência mais do que na espiritualidade não eram mais capazes de abordar os símbolos velhos com a mente aberta; portanto, os salvadores, anjos e demônios da fé tradicional vestiam agora trajes espaciais para atrair a atenção de

---

54. Jung (1978, p. 107-9).

um público contemporâneo. Nas profundezas da Guerra Fria, com a ameaça de confronto nuclear entre Rússia e Estados Unidos presente na mente de todos, as mesmas necessidades emocionais que culminavam na crença da iminente Segunda Vinda de Cristo em períodos anteriores alcançavam um estado febril. Entravam em cenas os discos voadores.

A visão perspectiva de Jung sobre o fenômeno Ufo, porém, não foi captada por nenhum dos lados do emergente debate ufológico. O Boletim da APRO publicou, inclusive, um artigo alegando que Jung afirmava a realidade dos Ufos – o que ele negou imediatamente em uma declaração à imprensa.[55] Mais uma década de avistamentos de Ufos e um aumento na estranheza do fenômeno em si foram necessários para colocar as visões de Jung ao menos por algum tempo no palco central.

Enquanto esses debates prosseguiam, outra série de eventos cruciais se desenrolava, embora sua relevância para a controvérsia em torno dos Ufos só fosse percebida dali a vários anos. Em 1954, a unidade de produção de aeronaves secretas da Lockheed Aviation – os lendários Skunk Works – assinou um contrato para construir o primeiro grupo de novos e revolucionários aviões de reconhecimento para a CIA. O U-2, como foi chamada a aeronave, combinava asas de planador com um novo motor de alto desempenho que lhe permitia voar acima de 18.288 metros, distante do alcance de caças hostis ou mísseis antiaéreos.

Projetado e construído em segredo total, o U-2 precisava de um local isolado para seus testes e exercícios de treino com os pilotos. Em janeiro de 1955, alguns meses antes de os primeiros voos do U-2 serem definidos, o piloto chefe de teste, Tony LeVier, e o chefe da tripulação, Dorsey Kammerier, encontraram o lugar perfeito para a base secreta: o solo seco do Lago Groom, em Nevada, um local cercado por montanhas, pertencente a terras federais, no meio do deserto de Nevada. Décadas mais tarde, ficaria conhecido como Área 51.

Os anos do Sputnik

Nos últimos anos da década de 1950, a minoria dos entusiastas dos Ufos cuja leitura se concentrava no *APRO Bulletin* e seus equivalentes, em vez dos periódicos mais coloridos de Raymond Palmer, bem que precisava do endosso de um indivíduo do calibre de Jung. Eram um grupo muito pequeno na época entre a efervescência da comunidade dos contatados e a inércia do governo e das instituições científicas; um

---
55. Ibdem (p. 136–37).

grupo, aliás, ignorado por ambos.⁵⁶ Sob tais circunstâncias, o trabalho por eles realizado era impressionante quanto à qualidade e extensão. Logo após ser fundada, a APRO encontrou seu elemento na coletânea de relatos de avistamentos de Ufos e desempenhou papel central na divulgação de casos ufológicos da América Latina e Europa para os investigadores dos Estados Unidos. A fundadora e presidente da APRO, Coral Lorenzen, converteu os melhores casos apurados em uma série de livros na tentativa de provar que algo inexplicável e, por implicação, extraterrestre, se manifestava nos céus da Terra.

As luzes da ribalta, porém, se projetavam mais sobre Donald Keyhoe, o militar aposentado cujo artigo de 1950 fora crucial no surgimento da controvérsia, em primeiro lugar. Keyhoe era a voz que bradava no deserto até 1957, quando foi convidado para dirigir uma organização ufológica que definhava, o Comitê Internacional de Investigações de Fenômenos Aéreos [*National Investigations Committee on Aerial Phenomena* – NICAP], fundado um ano antes pelo físico Townsend Brown. Keyhoe rapidamente converteu o NICAP em uma plataforma para seu próprio objetivo, um apelo ao Congresso para que fossem feitas audiências públicas sobre o fenômeno e para obrigar a Força Aérea a liberar evidências do contato extraterrestre que Keyhoe tinha certeza de estarem escondidas da população.

Nesse meio-tempo, o fenômeno Ufo em si ganhava cada vez mais força.⁵⁷ A quantidade recorde de avistamentos nos meses de pico em 1952 nunca se equiparou a qualquer outra; e o ano de 1953 viu uma queda no número de relatos. Já 1954, porém, foi outro ano agitado; e 1957 – o ano em que Keyhoe se tornou o diretor do NICAP e Palmer lançou *Flying Saucers* – foi ainda mais, com 1.006 relatos entregues ao Projeto Blue Book. Aquele ano teve outro candidato à fama. Em 4 de outubro foi lançado o Sputnik 1, o primeiro satélite artificial na história, que entrou em órbita terrestre baixa.

A reação dos Estados Unidos ao triunfo do Sputnik pode ser descrita como de pânico total. A ideia de que a União Soviética tinha vencido a América na corrida espacial já era intragável, mas o segundo passo soviético, o maior e mais ambicioso Sputnik 2, que levou o primeiro animal vivo ao espaço, foi ainda pior. E com o embaraçoso fracasso da primeira tentativa norte-americana de resposta – o Vanguard, que

---

56. Usei Jacobs (1975), Keel (1989) e Dolan (2002) como base para o histórico das principais organizações ufológicas citadas nesta seção.
57. Dolan (2002) oferece uma explicação minuciosa, ainda que crédula, dos avistamentos de Ufos nesse período.

explodiu na plataforma de lançamento em 6 de dezembro de 1957 –, a humilhação dos Estados Unidos foi completa. Curiosamente, a quantidade de avistamentos de Ufos nos céus norte-americanos aumentou logo depois do Sputnik e permaneceu alta até o fim daquele ano.

O ano seguinte trouxe uma queda acentuada de relatos nos Estados Unidos. O foco do fenômeno parecia ter mudado para outros lugares, com ondas de avistamentos de Ufos na França e no Brasil, em 1957, e no restante da América do Sul, em 1958. No início da década seguinte, os Ufos se tornaram um fenômeno mundial. Os países comunistas – que insistiam em afirmar que qualquer relato de Ufos ou de atividade a eles associada não passava de uma trama capitalista – eram os únicos a não informar a manifestação desses objetos nos primeiros anos da década de 1960. Entre o fim de 1958 e começo de 1964, enquanto o NICAP continuava exigindo investigações por parte do Congresso, a APRO e a maioria das organizações ufológicas menores se concentravam em investigar os poucos avistamentos norte-americanos e divulgar detalhes das manifestações mais interessantes de Ufos em outros países.

Em 1964, contudo, o fenômeno retornou aos céus dos Estados Unidos com força total e em um caso importantíssimo, em solo norte-americano também. Foi o incidente em Socorro, Nova México, que envolveu um contato imediato em 24 de abril de 1964. Segundo dezenas de relatos publicados, o sargento Lonnie Zamora, do departamento de polícia de Socorro, perseguia um carro em alta velocidade às 17h45 quando viu um "fogo no céu" e ouviu um som alto parecido com uma explosão. Pensando que se tratava de um galpão de dinamite em uma colina próxima, ele abandonou a perseguição e se dirigiu ao local.

Zamora parou o carro a certa distância do galpão e subiu até a colina a pé. Lá ele viu uma nave de formato oval aterrissada sobre quatro pés, com duas "crianças" trajando macacões brancos ao lado dela. Quando notaram o policial, as "crianças" correram para dentro da nave, que decolou com um estrondo e produzindo chamas. Zamora correu de volta ao automóvel e retornou para Sudoeste, de onde viera. Um exame posterior do local revelou depressões espaçadas e irregulares no solo, que poderiam ter sido deixadas pelo trem de aterrissagem da nave. Curiosamente, mais ninguém na área relatou nada estranho naquela hora, embora houvesse várias possíveis testemunhas por perto.

Com o ano seguinte, veio outro caso amplamente citado, a queda de um Ufo em Kecksburg, em 9 de dezembro de 1965.[58] Naquele noite, alguma coisa desceu do céu em sentido Leste sobre Ontário, Michi-

---

58. Ver Dolan (2002, p. 294-96).

gan, e Ohio, colidindo contra o solo às 16h47, perto da cidadezinha de Kecksburg, Pensilvânia. Vários caças foram destacados para investigar, pois se pensava que um avião se acidentara. O que encontraram foi um objeto metálico em forma de bolota, com 2,74 a 3,66 metros de diâmetro. A área foi interditada pelos militares na mesma noite, e o objeto, colocado em um caminhão coberto e levado à Base da Força Aérea de Wright-Patterson. Os militares e as autoridades do governo rapidamente anunciaram que se tratava de um meteorito.

Os ufólogos concluíram que devia se tratar de uma espaçonave alienígena. Em uma época em que tanto os Estados Unidos quanto a União Soviética tinham programas espaciais ativos que incluíam diversas dimensões secretas, tais como satélites espiões e armas antissatélite, além de a Força Aérea manter um programa chamado Projeto Moon Dust (pós-lunar) para captar qualquer equipamento espacial soviético que caísse fora do território do Bloco Oriental, essa conclusão exigia certo desvio da lógica. Entretanto, muitas pessoas estavam dispostas a fazer esse desvio.

Tanto o caso de Socorro quanto o de Kecksburg entraram logo para o cânon de casos ufológicos clássicos e até hoje são citados pelos defensores da hipótese extraterrestre como evidência da chegada de visitante do espaço. Na época, porém, estes eram apenas dois entre centenas de avistamentos. Entre 1964 e 1968, os Estados Unidos raramente passavam muito tempo sem a febre dos Ufos, enquanto os avistamentos em outros países alcançavam níveis recorde. Em todo o mundo, luzes estranhas em grande altitude eram avistadas por milhares de testemunhas, e os rumores de aterrissagem de estranhas criaturas em espaçonaves discoides ocupavam a mídia. Na segunda metade dos anos 1960, os Ufos haviam se tornado uma presença cultural inevitável na maioria dos países.

Um dos casos mais notáveis teve início em 1965. Fernando Sesma, um contatado da Espanha, começou a receber mensagens de extraterrestres que afirmavam vir de um planeta distante chamado Ummo – ou como se costuma grafar na literatura ufológica, UMMO.[59] O método de Sesma para receber essas comunicações era incomum nos círculos de contatados: os visitantes de UMMO lhe enviavam pacotes por meio do serviço postal espanhol, contendo longas descrições da filosofia e ciência dos ummitas. Algumas dessas mensagens vinham marcadas com um símbolo distinto,)+(, feito com um sinal de + entre dois parênteses invertidos.

---

59. Mais informações sobre o caso UMMO, ver Vallee (1979) e Carballal (2006).

No ano seguinte, o mesmo símbolo ganhou as primeiras páginas de periódicos ufológicos do mundo todo. Em 6 de fevereiro de 1966, 12 testemunhas em Aluche, Espanha, alegaram ter visto um disco voador com o símbolo de UMMO na parte inferior. Outro avistamento ocorreu em 1º de junho do mesmo ano em San José de Valderas; posteriormente cilindros metálicos contendo rolos de plástico prateado foram encontrados perto do local do avistamento. Por algum tempo, parecia que finalmente o fenômeno apresentara o caso perfeito: múltiplas testemunhas, fotografias e traços físicos de um único avistamento.

Quando os ufólogos começaram a pesquisar esses eventos, porém, a miragem de UMMO começou a se dissipar. Embora se afirmasse que as fotos fossem provenientes de várias testemunhas, a análise mostrava que haviam sido feitas pela mesma câmera, nos mesmos ângulo e distância, com o mesmo tipo de filme. O plástico prateado nos metais cilíndricos era um produto inteiramente terrestre fabricado pela empresa DuPont. Um estudo apurado dos documentos de UMMO revelou erros científicos óbvios.

Para dar crédito a quem merece, a reação da grande maioria dos ufólogos foi rejeitar o caso, considerando-o uma fraude, embora uma minoria continuasse a crer na realidade dos visitantes de UMMO. Muitos anos depois, um homem chamado José Luis Pena admitiu que inventou toda a série de eventos como uma brincadeira bem elaborada.[60] O quase sucesso da fraude foi possível graças a dois fatores. O primeiro foi a onda de luzes e objetos incomuns vistos por testemunhas fidedignas na Europa e em outros lugares na época; o segundo foi a enorme publicidade da mídia que era dada a qualquer história a respeito dos Ufos, naqueles mesmos anos.

O incidente do gás do pântano

Enquanto esses eventos se desenrolavam, a atitude da Força Aérea Norte-americana e de outras agências do governo em relação ao fenômeno Ufo tornara-se acentuadamente negativa. No começo da onda de 1957, a relativa abertura do Projeto Blue Book em seus primeiros dias cedeu lugar a um esforço sistemático de menosprezar todo o fenômeno e descartar o maior número possível de relatos, independentemente de fazer sentido ou não.

Consideremos o caso a seguir, nada atípico, ocorrido durante a grande onda de Ufos dos anos 1960. Na noite de 2-3 de agosto de 1965,

---

60. Veja a entrevista com Peña em Carballal (2006).

milhares de testemunhas em território norte-americano em uma faixa desde Dakota do Sul até o Texas observaram formações de luzes brilhantes se deslocando pelo céu, mudando de tamanho, velocidade e cor enquanto se moviam. As polícias estaduais nessa área receberam relatos de que esses objetos eram rastreados por radares civis e militares. Os funcionários do Blue Book analisaram os relatos e afirmaram que as testemunhas tinham simplesmente observado as quatro estrelas mais brilhantes da constelação de Órion. Essa explicação, porém, teve de ser retirada logo depois, quando a imprensa ressaltou que Órion estava abaixo do horizonte naquela época do ano, e uma nova explicação responsabilizando o planeta Júpiter foi logo anunciada.[61]

O que torna essas explicações muito estranhas é o fato de a Força Aérea mostrar tanto interesse por um fenômeno que supostamente não existia. Muitos dos relatos ufológicos mais exuberantes vinham da própria Força Aérea e de outras ramificações militares, geralmente por meio de vazamentos não oficiais a personalidades da mídia interessadas em Ufos, como o radialista da Mutual Radio, Frank Edwards, e a jornalista investigativa Dorothy Kilgallen. Em meio aos relatos passados à mídia havia as afirmações de que jatos da Força Aérea eram constantemente enviados para interceptar Ufos, mas não conseguiam sequer se aproximar deles. Aqueles que duvidavam da honestidade da Força Aérea também apontavam para a draconiana JANAP (*Joint Army-Navy-Air Force Publication*, ou Publicação Conjunta do Exército/Marinha/Força Aérea) 146, lançada em dezembro de 1953, que considerava os relatos de avistamentos de Ufos feitos por militares e várias categorias de civis, incluindo pilotos comerciais, crimes federais sob a Lei de Espionagem, com pena de detenção de um a dez anos ou uma multa de 10 mil dólares. Tudo isso convenceu muitos norte-americanos de que a Força Aérea escondia alguma coisa.

Na verdade, é difícil imaginar outra estratégia que tornasse o fenômeno Ufo mais célebre que a estratégia usada pela Força Aérea. Toda vez que seus investigadores proclamavam um caso resolvido com base em argumentos tão dúbios como os listados anteriormente, aumentava a lista de testemunhas cujas experiências simplesmente não correspondiam às explicações oficiais e de cidadãos norte-americanos que nunca tinham visto um Ufo, mas achavam que as declarações da Força Aérea eram mais difíceis de acreditar do que a possibilidade de que os Ufos vinham de outro planeta. O fluxo constante de vazamentos de fontes

---

61. Dolan (2002, p. 285-86).

militares anônimas afirmando que os Ufos eram detectados por radar e perseguidos pela Força Aérea só fazia aumentar tal convicção.

À medida que o índice de avistamentos de Ufos aumentava na grande onda dos anos 1960, a dissonância cognitiva entre esses avistamentos e as explicações parecia prestes a explodir. A nova posição da mídia quanto aos Ufos assinala a mudança. No começo da década, as reportagens costumavam tratar todo o fenômeno como assunto para sátira ou descaso; mas em 1965, o tom já era outro. Um editorial no *Fort Worth Star-Telegram* tipifica essa situação:

> *Eles podem parar de nos enganar agora, afirmando que não existem os "discos voadores". Muitas pessoas de mente obviamente sã viram e relataram esses objetos nas mais diversas localidades. Suas descrições são semelhantes e não retratam nenhum objeto conhecido. Está ficando claro para muita gente que as explicações da Força Aérea só conseguem dar um ar de ridículo à própria Força Aérea.*[62]

O reboliço só chegou no início da primavera de 1966. No dia 14 de março daquele ano, testemunhas em três condados da região oeste de Michigan, incluindo três policiais, avistaram objetos profusamente iluminados efetuando manobras no céu, pouco antes do amanhecer. No dia 20, um fazendeiro próximo a Ann Arbor relatou que um objeto em forma de pirâmide e com luzes aterrissou em um de seus campos, para logo depois decolar de novo. Mais de 50 testemunhas, novamente incluindo policiais, reuniram-se para observar o mesmo objeto dançando pelo ar à noite. O grande final foi na noite seguinte, quando 87 estudantes universitários de Hillsdale College, bem como o diretor, viram um objeto luminoso em forma de bola de futebol americano se movendo em zigue-zague perto do dormitório por cerca de quatro horas, até sumir em um pântano próximo.

Esses avistamentos ganharam as manchetes na mídia de todo o país, e o Projeto Blue Book foi obrigado a responder. O astrônomo J. Allen Hynek, na época o principal consultor científico do projeto, foi enviado para investigar. Ele se viu em meio a algo muito próximo de uma histeria em massa, na qual qualquer luz no céu, desde um vagalume até estrelas brilhantes, era reportado como Ufos. Quatro dias após o último avistamento, Hynek falou diante dos microfones de uma coletiva de imprensa montada às pressas, explicando que alguns dos avistamentos talvez

---

62. Citado em Dolan (2002, p. 290).

fossem causados por metano produzido durante a decomposição de matéria vegetal no pântano perto do *campus*, que entrava em combustão espontânea e produzia efeitos luminosos estranhos. A expressão que ele usou, para seu eterno arrependimento posterior, foi *gás do pântano*.

A mídia se apoderou daquelas palavras e encheu as manchetes de toda a América com a afirmação de que a Força Aérea declarara que os avistamentos eram *gás do pântano*. Hynek tentou esclarecer sua posição nos dias que se seguiram, mas percebeu que nem a mídia nem a Força Aérea estavam interessadas em seus esforços. A imprensa tinha uma matéria que venderia jornais, e os superiores de Hynek no Projeto Blue Book anunciaram que estavam satisfeitos com a explicação de Hynek e classificaram os avistamentos de Michigan como resolvidos.

Para muita gente, e não só os cidadãos da região oeste de Michigan, aquilo foi a gota d'água. Moradores das áreas dos avistamentos bombardearam o congressista Gerald R. Ford com uma enxurrada de cartas iradas e telefonemas indignados. A resposta de Ford foi comparecer à Câmara dos Representantes e solicitar uma investigação congressional do fenômeno Ufo. Tantos eram os congressistas que recebiam a mesma mensagem de seus constituintes que, de fato, ocorreram algumas audiências.

O Comitê de Serviços Armados da Casa realizou uma sessão aberta de um dia, em 5 de abril de 1966, terminando-a com uma solicitação à Força Aérea que lançasse um estudo científico independente do fenômeno Ufo, sob a direção de uma universidade norte-americana. Após quase duas décadas batendo às portas em vão, o fenômeno Ufo finalmente chegava ao tribunal.

Capítulo 3

Esperando o Primeiro Contato, 1966-1987

A Força Aérea teve meses de muito trabalho e esforço até encontrar uma universidade disposta a levar a sério o mistério dos Ufos. A maioria dos cientistas em disciplinas relevantes não tinha interesse em um assunto que, sob seu ponto de vista, fora marcado com o estigma da irracionalidade por ser associado à ficção científica *pulp* e à comunidade dos contatados, e a maior parte dos administradores das universidades estava menos disposta ainda a se envolver com polêmicas. Por fim, a Universidade do Colorado aceitou o projeto em 6 de outubro de 1966 e montou uma equipe liderada pelo dr. Edward Condon, um físico muito respeitado, ex-diretor do Bureau Nacional de Padrões (*National Bureau of Standards*), e pelo administrador da universidade, Robert Low.[63]

A reação inicial das organizações de pesquisas ufológicas foi cautelosa, porém favorável. Nos primeiros meses do estudo, a maioria dos principais pesquisadores civis de Ufos no país se dirigiu a Boulder, Colorado, para defender a hipótese extraterrestre. Entre eles se encontrava J. Allen Hynek, que estava prestes a sair do projeto Blue Book após o incidente do gás do pântano e começando a criar seu próprio nicho como pesquisador independente do fenômeno Ufo. Hynek apresentou seu caso em 11 de novembro de 1966; James McDonald, físico atmosférico na Universidade do Arizona e o cientista mais importante no campo extraterrestre, passou informações aos membros do projeto em 22 de novembro; Donald Keyhoe chegou no dia 28. A APRO enviou cerca de 250 relatórios sobre Ufos para Boulder nos últimos meses de

---
63. Usei extensivamente Dolan (2002) e Peebles (1994) para uma cronologia do Comitê Condon.

1966. Por algum tempo, muitos defensores da hipótese extraterrestre acharam que seus pareceres seriam devidamente ouvidos.

Esse otimismo inicial não teve vida longa. A perda de confiança no comitê se deveu quase inteiramente ao próprio Condon, que não se esforçou para esconder seu desagrado com o tema e sua convicção de que os Ufos não existiam. Seus comentários durante um discurso em janeiro de 1967 foram típicos: "Inclino-me neste momento a recomendar que o governo ignore esse assunto. Minha atitude é que nada há de verdade nisso". Com um sorriso, acrescentou: "Mas só posso chegar a uma conclusão daqui a um ano".[64] Quando leu essas observações, Keyhoe decidiu retirar do programa o apoio da NICAP, e foi difícil convencê-lo a continuar enviando relatórios de Ufos para Boulder. Em meados de 1967, após mais comentários de Condon e da descoberta de que os membros do comitê não tinham o menor interesse em pesquisar avistamentos, a maioria dos pesquisadores civis começou a se afastar do Comitê Condon, convencidos de que não passava de outra tentativa de varrer o fenômeno para embaixo do tapete.

O fiasco Condon

A ironia é que essa desconfiança estava certa. Um memorando escrito por Robert Low a seus superiores na administração da universidade, em agosto de 1966, meses depois do início dos trabalhos do comitê, já esmiuçava a seguinte estratégia:

> *Nosso estudo seria conduzido quase exclusivamente por descrentes que, embora não pudessem provar um resultado negativo, provavelmente acrescentariam um cabedal suficiente de evidências de que as observações não são reais. O truque seria, penso eu, descrever o projeto de um modo que, para o público, pareceria um estudo totalmente objetivo, mas para a comunidade científica apresentaria a imagem de um grupo de descrentes tentando ao máximo ser objetivos, mas tendo uma expectativa quase zero de encontrar um disco.*[65]

Em julho de 1967, um dos membros do projeto, Roy Craig, encontrou esse memorando enquanto examinava arquivos do escritório e o pôs em circulação entre o pessoal envolvido no projeto. A maioria dos membros já estava convencida de que, nas palavras do membro David Saunders, "estamos envolvidos em uma investigação falsa, provavelmente com

---

64. Citado em Peebles (1994, p. 175–76).
65. Ibidem (p. 180).

o objetivo de tirar a Força Aérea do alvo das relações públicas".[66] Entretanto, o memorando Low foi a última gota. Em novembro, Saunders passou-o secretamente a Donald Keyhoe, que já retirara totalmente o apoio do NICAP do comitê em setembro, depois de outra denúncia pública feita por Condon do tema que ele deveria estudar. Em fevereiro de 1968, a equipe do comitê estava abertamente revoltada com Condon e Low, que responderam demitindo Saunders e Norman Levine, os dois rebeldes mais inflamados. A secretária do comitê, Mary Lou Armstrong, pediu demissão no mesmo mês, bem como outro membro da equipe.

Nessa época, os problemas do comitê estavam chegando ao conhecimento do público, e a mídia se agarrava à história. O artigo de John Fuller, de 27 de abril de 1968, na *Look*, "The Flying Saucer Fiasco", lavava a roupa suja do projeto com detalhes embaraçosos, desencadeando outros artigos na imprensa popular e audiências diante do comitê de Ciência e Astronáutica da Casa dos Representantes. Sem se sentir ameaçado, Condon contratou outra equipe para redigir o relatório final do estudo, que foi lançado para a Força Aérea em 31 de outubro de 1968 e impresso em janeiro do ano seguinte.

O Relatório Condon era um documento estranho em vários sentidos. As duas primeiras seções, bem como as conclusões, recomendações e sumário do projeto foram escritos pelo próprio Condon, previsivelmente em tom negativo:

> *Nossa conclusão geral é que nada surgiu do estudo dos Ufos nos últimos 21 anos que tenha contribuído para o conhecimento científico. Uma consideração ponderada dos registros disponíveis nos leva a concluir que a continuidade do estudo dos Ufos provavelmente não pode ser justificada na expectativa de que contribuirá com o avanço da ciência.[67]*

O grosso do relatório – sumários de evidências e os 59 estudos de casos de avistamentos de Ufos – se empenhava ao máximo para sustentar essa conclusão, mas com sucesso limitado. Muitas das explicações dadas nos sumários de evidência eram quase cômicas em sua ávida tentativa de encontrar uma explicação natural a qualquer custo. O relato de um avistamento, em 1954, pela tripulação de um avião comercial e um piloto militar trazia uma conclusão espantosa: "Esse avistamento inusitado deve, portanto, ser atribuído à categoria de quase certamente um fenômeno natural, tão raro que talvez nunca tenha sido relatado

---
66. Citado em Dolan (2002, p. 330).
67. Condon (1969, p. 1).

antes".⁶⁸ No entanto, apesar dos esforços da equipe, quase um terço dos casos estudados foram classificados como desconhecidos.

O Relatório Condon foi um prato cheio para a mídia. A maioria das reportagens tratava as conclusões de Condon como a solução para o mistério, embora uma notável minoria expressasse as dúvidas de muitas pessoas quanto à facilidade com que a cultura oficial descartava o fenômeno. Uma tira em quadrinhos editorial, frequentemente reimpressa, mostrava Condon sendo abduzido por dois homenzinhos verdes. Enquanto o arrastavam até um disco voador, um colega gritava, tentando ajudar: "Diga-lhes que eles não existem, dr. Condon".

Mesmo assim, a publicação do Relatório Condon marcou uma reviravolta na história do fenômeno Ufo. O Projeto Blue Book foi encerrado no ano seguinte, e pela primeira vez desde 1948, não havia mais um órgão do governo norte-americano ao qual os cidadãos podiam relatar avistamentos de Ufos. A esperança de uma investigação congressional, que tanto animara a comunidade ufológica por mais de uma década, esmoreceu após o Relatório Condon, embora alguns grupos continuassem se empenhando em despertar o interesse do governo e da comunidade científica.

O destino da NICAP, a maior organização de pesquisa ufológica dos anos 1960 e que mais insistira na existência de um acobertamento por parte da Força Aérea e na necessidade de uma investigação congressional, foi um golpe duro para o movimento como um todo. Em uma reunião da diretoria da NICAP, em 3 de dezembro de 1969, os membros forçaram Donald Keyhoe a se demitir como diretor do grupo. Com Keyhoe e seu assistente Gordon Lore Jr. fora do caminho, a diretoria seguiu um novo caminho administrativo, notável mais por suas ligações estreitas com os serviços de Inteligência norte-americanos que com o interesse pelos Ufos.⁶⁹

O novo corpo administrativo proibiu qualquer política de crítica ao governo dos Estados Unidos acerca dos Ufos, livrou-se dos subcomitês investigativos que muito tinham feito pelo trabalho da organização em nível local e converteu a NICAP em um "centro de apuração de avistamentos". A maioria de seus membros ativos saiu nos anos seguintes, entrando para outras e novas organizações de pesquisas ufológicas, tais como a Mutual UFO Network (MUFON), fundada pelo executivo da Motorola Walter Andrus, em 1969. Em 1973, enquanto a NICAP entrava em uma espiral descendente, J. Allen Hynek, que já se tornara

---
68. Citado em Dolan (2002, p. 355).
69. Ibidem (p. 364-65).

um importante proponente do lado extraterrestre da polêmica em torno dos Ufos, fundou outra organização, o Centro de Estudos Ufológicos (*Center for UFO Studies* – CUFOS), tirando ainda mais membros da NICAP. A casca da NICAP sobreviveu mais alguns anos até implodir.

Um fim ainda mais trágico aguardava o dr. James McDonald, cujas tentativas de influenciar o Comitê Condon constituíam apenas uma pequena parte de sua defesa da hipótese extraterrestre. No fim dos anos 1960, McDonald era o cientista profissional de maior destaque a apoiar a HET, entrando em constante conflito com Philip Klass, o editor de *Aviation Weekly* e *Space Technology*, defensor da hipótese nula. Klass retaliou com uma campanha de assédio que visava à postura profissional de McDonald e suas verbas de pesquisa. Em 1971, com a carreira e a reputação arruinadas e seu casamento chegando ao fim, McDonald cometeu suicídio.[70]

Das cinzas renasce a fênix

Mesmo assim, aqueles que esperavam que o movimento ufológico desaparecesse após o Relatório Condon tiveram uma surpresa. Na década seguinte à publicação do relatório, a crença na realidade física e na origem extraterrestre dos Ufos saiu das sombras e entrou na cultura cotidiana da América e de outros países ocidentais.

A cultura popular, que desempenhara um papel importante na formação do fenômeno Ufo, teve agora papel ainda mais significativo em sua preservação, nesse ponto de sua história. Mesmo durante os anos que o Comitê Condon passou estudando o fenômeno, por exemplo, os programas de televisão de todos os canais norte-americanos baseavam seus enredos na crença básica da mesma hipótese extraterrestre que o relatório do comitê rejeitaria com tanta veemência, e o domínio cultural dos Estados Unidos na época garantiu que esses mesmos programas fossem exibidos nas telas de televisão em todo o mundo não comunista, nos anos seguintes.

A série de ficção científica campeã de audiência da ABC na época era *Os Invasores*, estrelando Roy Thinnes como um arquiteto que tentava alertar um mundo descrente de que seres extraterrestres chegaram em discos voadores para conquistar nosso planeta. Ironicamente, um dos episódios da série apresentava um comitê do estilo Condon com um membro extraterrestre que burlava a investigação, defendendo a hipótese nula para ocultar a invasão secreta. A CBS lançou a bem-sucedida série cômica

---

70. Druffel (2003) é a única biografia detalhada de McDonald até hoje.

em três temporadas, *Meu Marciano Favorito*, em 1966, apresentando um visitante de Marte na Terra; e no ano anterior havia lançado outra série de igual popularidade, *Perdidos no Espaço*, que mostrava uma espaçonave em forma de disco lançada pela Terra, poluída e já escassa em recursos, para encontrar outro planeta que a humanidade pudesse colonizar. Já a NBC lançara a mais inovadora, porém menos comercialmente bem-sucedida de todas, *Jornada nas Estrelas*, que tocava em um dos maiores temas da mitologia ufológica da época, com um episódio, "Tomorrow is Yesterday", exibido em 26 de janeiro de 1967, baseado no avistamento de Mantell em 1948, com a nave U.S.S. Enterprise sendo confundida com um Ufo.

Tudo isso era apenas a ponta de um iceberg muito maior da cultura ufológica popular que inundava todos os níveis da sociedade no fim dos anos 1960. Nos livros, quadrinhos e desenhos animados de sábado de manhã, os discos voadores pilotados por extraterrestres eram uma presença inescapável. Os tabloides norte-americanos, surgidos a partir do barulho de fundo do baixo jornalismo naqueles anos, já estavam apaixonados pelo fenômeno Ufo, publicando uma história mais estapafúrdia que outra em cada edição. Enquanto isso, o incansável Ray Palmer, que vendeu a *FATE* a seus sócios em 1958, continuou lançando edições de uma meia dúzia de revistas *pulp* dedicadas, ao menos em parte, ao fenômeno Ufo, até seu falecimento, em 1977, fundindo a mitologia ufológica com a terra oca, outras revelações de Shaver e qualquer coisa que despertasse seus interesses onívoros.

Esses mesmos padrões repercutiram bem mais no alto na pirâmide cultural da época. Os anos 1960 viram a ficção científica emergir de seu longo exílio na cultura *pulp* para se tornar o gênero literário sério que fora nos dias de H. G. Wells. Na onda da ficção científica, todas as formas de literatura imaginativa ganharam respeitabilidade em um mundo que já não seguia as regras conhecidas. Na fantasmagoria da década de 1960, uma geração que recebera grande parte de sua cosmologia das fantasias de J. R. R. Tolkien da Terra Média, quando não vivia embriagada dos supostos contos reais de magia de Carlos Castaneda no deserto mexicano,[71] achava fácil crer que a presença de seres extraterrestres fazia tanto sentido quanto qualquer outra coisa.

A publicação, em 1960, de *Le Matin des Magiciens*, de Louis Pauwels e Jacques Bergier, traduzido para o inglês três anos depois, foi

---

71. Ver Thompson (1971) para a importância de Tolkien como fonte da visão do mundo nos anos 1960 e De Mille (1980) para uma discussão do papel de Castaneda como guru da contracultura.

o selo oficial dessas transformações. Um *best-seller* em várias línguas, *O Despertar dos Mágicos* se baseava nos escritos de Charles Fort, na maior parte de um século de literatura popular ocultista, e uma coletânea de rumores excitantes em torno do envolvimento da Alemanha nazista em tradições arcanas e ciências ocultas a ponto de desafiar as pressuposições mais básicas do materialismo científico. Seu sucesso fenomenal garantiria o mesmo êxito em edições de capa mole, mais baratas, de vários títulos semelhantes nas décadas seguintes.

Vários fatores alimentaram a onda de mudanças que remodelou a imaginação popular do mundo ocidental no fim dos anos 1960, mas um deles foi imenso, sem, no entanto, ter recebido a atenção que merecia. Em 20 de julho de 1969, Neil Armstrong se tornou o primeiro ser humano a pisar no solo de outro mundo, quando desceu a escadinha do módulo lunar da nave Apollo 11 e deixou suas pegadas na Lua. Com imagens embaçadas transmitidas da Lua pelo centro de controle em Houston nas televisões do mundo todo, as pessoas que até então desconsideravam a ficção científica se depararam com o fantástico diante de seus olhos. Perante o triunfo estonteante da missão Apolo, a visão de um futuro de progresso infinito em meio às estrelas, que tanto alimentara a ficção científica e exercera poderosa influência na imaginação coletiva do mundo industrial, parecia prestes a se cumprir.

Entretanto, após os triunfos técnicos do programa Apollo, os Estados Unidos dos anos 1970 enfrentaram o fracasso no Vietnã, a crise de petróleo de 1973 e a implosão da presidência de Nixon no escândalo Watergate. Um dos legados permanentes do programa Apollo foi a pergunta em muitas mentes: "Se podemos enviar um homem à Lua, por não que não podemos...?". No momento em que o sonho de progresso perpétuo parecia se tornar realidade, cada dia questionava-se mais e mais esse progresso. A década de 1970 viu o despertar generalizado da preocupação popular com o ambiente e a popularidade de livros como *The Limits to Growth*, segundo o qual toda a base para o sonho fora uma ilusão, desde o início. Em momentos assim, visões alternativas da realidade encontram muitos adeptos.

Os dois traumas nacionais de derrota no Vietnã e no escândalo Watergate também tiveram um impacto enorme, ainda que tardio, no fenômeno Ufo, bem como em todos os demais aspectos da cultura popular norte-americana. Na sequência, à medida que as barreiras dos segredos governamentais titubearam algum tempo, os norte-americanos se horrorizavam ao descobrir quantas das afirmações aparentemente absurdas dos radicais da política feitas na década anterior eram verdadeiras e, por outro lado, quantas das negações plausíveis por parte do governo e da mídia no mesmo período eram mentiras descaradas.

A despeito de anos e anos de negação oficial, os Estados Unidos vinham, de fato, travando guerras secretas em metade do sudeste da Ásia, derrubando governos no Terceiro Mundo, espionando sistematicamente seus próprios cidadãos e sabotando movimentos políticos domésticos de esquerda e direita com total desconsideração à própria Constituição. Tudo isso contribuiu em muito para a noção de um acobertamento governamental escondendo a realidade dos Ufos. Se o governo dos Estados Unidos era capaz de esconder bombardeios no Camboja e a espionagem do FBI de dissidentes domésticos, argumentavam os ativistas da ufologia, por que não ocultariam discos voadores acidentados na Base da Força Aérea de Wright-Patterson?

Entretanto, esses mesmos anos viram outra mudança significativa no fenômeno Ufo em si. Depois de 1974, os avistamentos de Ufos na América do Norte diminuíram paulatinamente, e a vasta maioria dos objetos estranhos relatados eram simples luzes noturnas em grandes altitudes. As esferas prateadas vistas por tanta gente nos anos 1950, que tanto contribuíram para conquistar o interesse do público pelo fenômeno Ufo, desapareceram completamente, e os contatos imediatos de primeiro e segundo graus – os que envolviam aterrissagens e traços físicos – tornaram-se muito raros. Nada disso atrapalhou a popularidade da hipótese extraterrestre. Nas palavras de Curtis Peebles: "O mito do disco voador se separara do próprio disco voador".[72]

O fim dos avistamentos em massa de discos voadores dos anos 1960 deixou um vazio, mas a natureza, e principalmente a natureza humana, abomina o vácuo. Não tardou até que uma nova onda de fenômenos estranhos, alguns reais, outros imaginários, entrasse de roldão na espiral do fenômeno Ufo. Um dos mais perturbadores foi o caso dos cadáveres mutilados de animais de fazenda que começaram a aparecer no fim da década de 1960, desencadeando pânico na década seguinte.

Mutilações de gado

Há um humor negro no nome da primeira vítima de mutilação de animais encontrada: Snippy.* Tratava-se de uma égua da raça Appaloosa; portanto, não uma espécime de gado. Seu destino, no entanto – literalmente "cortado" por pessoas (ou não pessoas) desconhecidas –, exerceu a mesma influência na imaginação popular do pânico ante as mutilações

---
72. Peebles (1994, p. 325).
*N.T.: "snip" significa cortar, separar.

de gado que o avistamento original de Kenneth Arnold no Monte Rainier teve no fenômeno Ufo como um todo.[73]

Snippy pertencia à sra. Nellie Lewis, de Alamosa, Colorado, que era fascinada pelos Ufos. A mãe da sra. Lewis, de 87 anos de idade, vira algo no céu em 7 de setembro de 1967, mais ou menos no momento em que Snippy desapareceu. Como não estava com seus óculos, não pôde ter certeza se o objeto era um disco voador. Dali a um mês, o corpo de Snippy foi encontrado. Um boletim da *Associated Press* de 5 de outubro anunciava estrondosamente que a égua fora totalmente escalpelada e tivera todo o sangue drenado, além de o local onde o cadáver foi encontrado apresentar altos índices de radioatividade e sinais de que algum objeto pesado pousara e depois decolara.

Nada disso era verdade, como se constatou depois. Fotos do corpo de Snippy mostram que a cabeça e o pescoço, não o corpo todo, tiveram a pele e a carne removidas. As mesmas fotos não mostram sinal algum de um suposto objeto pesado, e o local foi averiguado por um funcionário do Serviço Florestal com contador Geiger, não indicando a menor presença de radioatividade incomum. Além disso, um veterinário da Universidade Estadual do Colorado encontrou sinais de uma infecção em uma pata traseira do animal, grave o suficiente para incapacitá-la. Quanto à carne removida da cabeça e do pescoço, isso é exatamente o que fazem animais como coiotes quando encontram outro animal morto.

Essas correções, porém, não causaram o menor impacto na imaginação humana. Muito mais influente foi a matéria sensacionalista em um jornal, sob o título "Morte de Snippy é apenas um capítulo em ataques do espaço", escrita pelo jornalista e pesquisador de Ufos John Keel. A matéria alegava que Snippy era apenas um dentre centenas de animais mutilados cuja morte estava ligada a avistamentos de Ufos. Na época, tal afirmação era exagerada; não havia mais que um punhado de casos na literatura ufológica descritos nesses termos. Mas teve seu efeito.

Outros relatos de mutilação em gado começaram a aparecer, primeiro esparsos, depois em uma verdadeira enxurrada. Em 1974, rancheiros e fazendeiros em todo o oeste norte-americano estavam convencidos de que alguma força misteriosa estava matando e mutilando seus animais. A edição de 30 de setembro de 1974 da *Newsweek* apresentou uma matéria intitulada "O destruidor da meia-noite", a respeito da epidemia de mutilações, descrevendo grupos fortemente armados de

---

73. Para informações sobre Snippy e mutilação de gado em geral, ver Kagan e Summers (1983) e Thompson (1991, p. 127-32).

homens que vigiavam os topos das colinas à noite, esperando deter os mutiladores. Mesmo assim, os corpos continuaram a aparecer – centenas de corpos de animais por ano, em uma região que se estendia do norte do Texas até Dakota do Sul e do oeste de Iowa até Idaho. A vasta maioria era de vacas, encontradas mortas com tecidos moles – olhos, língua, orelhas, órgãos sexuais e ânus – removidos, sem o menor sinal de sangue nos animais ou no solo.

Essas notícias vendiam muito e ajudavam a alimentar um viés paranoico no movimento ufológico, que teria resultados dramáticos na década seguinte. Apesar do furor da mídia, porém, as mutilações de gado eram muito menos misteriosas do que pareciam. Patologistas veterinários apontaram repetidas vezes, sem sucesso, para o fato de que, quando animais de rapina encontram uma vaca morta, comem exatamente os tecidos que faltavam no gado mutilado; animais mortos há algumas horas não sangram porque o sangue coagula após a morte, e feridas feitas em um cadáver ao ar seco encolhem de uma forma que parecem mais limpas e mais precisas do que eram originalmente. Relatos de mutilação de gado vinham praticamente apenas de propriedades cujos rancheiros não tinham muita experiência; os fazendeiros profissionais raramente relatavam algo do tipo, e muitos pecuaristas experientes consideravam toda a paranoia um grande absurdo. Tampouco, o índice de morte de gado aumentou nos anos em que os relatos de mutilações atingiram seu auge.[74]

O que estava acontecendo, na verdade, era o clássico pânico despertado por rumores, do tipo estudado exaustivamente pelos sociólogos.[75] Um pânico dessa espécie começa com uma afirmação chocante a respeito de uma ameaça insuspeita contra algo que simboliza um ou mais dos valores primários de uma cultura. A afirmação não precisa de evidência para corroborá-la; se se tocar o nervo dos medos indizíveis de uma cultura, pode-se facilmente encontrar essas evidências ou fabricar as próprias, e qualquer pessoa que faça perguntas sensatas quanto a tais evidências poderá ser chamada de ingênua ou acusada de mancomunar com o inimigo. Assim como outros pânicos norte-americanos modernos – a infiltração comunistas do fim dos anos 1940 e começo de 1950 ou pânico do abuso dos rituais satânicos dos anos 1980 –, o da mutilação de gado rapidamente ganhou o apoio de investigadores amadores cujos métodos visavam provar o que eles já tinham como verdade, em vez de

---

74. Ver Kagan e Summers (1983).
75. Victor (1993) apresenta uma discussão interessante a respeito do pânico.

testar suas teorias diante dos fatos presentes. O resultado em cada um dos casos foi uma torrente de informações errôneas que alimentaram o pânico em um círculo vicioso.

O que distinguia o pânico da mutilação de gado de outros já citados era ele ter derivado da controvérsia em torno dos Ufos e se convertido em uma fonte de apoio para a hipótese extraterrestre. Os Ufos, no entanto, não eram os únicos suspeitos da aparente epidemia de animais mutilados. Programas secretos do governo e cultistas satânicos – outros dois temas quentes na época – também levavam a culpa pelo fenômeno, e histórias corroborando essas alegações contribuíram tanto para o pânico quanto aquelas que afirmavam que os mutiladores eram alienígenas. Na verdade, os helicópteros pretos, que se tornariam mais tarde uma imagem básica do mal à margem da política norte-americana, entraram no cenário das mutilações graças aos relatos de alguns pesquisadores do fenômeno. No entanto, com o passar do tempo e à medida que os cadáveres de animais aumentavam, a teoria de que os Ufos eram os responsáveis empurrou as outras hipóteses para fora de cena e muitos defensores da hipótese extraterrestre adotaram a epidemia das mutilações de gado como mais uma evidência em apoio à teoria de contato alienígena.

A justaposição de discos voadores e vacas mortas, contudo, era um desafio muito grande para os membros da comunidade ufológica que consideram os extraterrestres sob um prisma positivo, a qual era sua maioria nos anos 1970. Para muitos, era difícil imaginar os Irmãos do Espaço iluminados ou os exploradores galácticos de inteligência sobre-humana desviando de seus projetos e drenando o sangue das vacas em Wyoming. A interface entre os Ufos e as mutilações de gado foi, então, empurrada para os confins da comunidade ufológica, onde começou a erguer as fundações de uma visão mais sinistra de contato alienígena que acabaria dominando a controvérsia em torno dos Ufos dali a uma década.

Um exemplo típico de como as mutilações de gado foram admitidas na periferia da pesquisa ufológica é encontrado nos livros e vídeos de Linda Moulton Howe, que começou a estudar os casos sob uma perspectiva ufológica no fim dos anos 1970 e lançou uma série de documentários e livros populares nas décadas de 1980 e 1990. Seu livro *An Alien Harvest*, repleto de fotos grandes e coloridas de vacas mutiladas, afirma que um agente do governo confidenciou e mostrou à autora documentos secretos provando, pelo menos ao julgamento dela, que seres de um planeta distante estavam matando e mutilando gado a fim de obter matéria-prima que seria usada em experimentos de engenharia genética cruciais para a sobrevivência de sua espécie.[76]

Infelizmente, é quase desnecessário dizer que Howe não apresentou evidência alguma dessas afirmações, exceto as imagens muito ambíguas das carcaças de vacas. Tampouco ela ou outros ufólogos notaram que tais histórias podem ser encontradas na cultura popular de décadas passadas. Em meados dos anos 1970, por exemplo, quando os relatos de mutilações de gado estavam no auge, muitos telespectadores norte-americanos assistiam à série britânica *UFO*, que mostrava uma raça moribunda de alienígenas cuja estratégia de sobrevivência era abduzir, matar e mutilar seres humanos para que seus órgãos fossem transplantados para os corpos dos extraterrestres. Não era um tema inédito na ficção científica, pois histórias parecidas já constavam na literatura *pulp* de décadas anteriores; porém, era novo no cenário ufológico nos anos 1970. Na década seguinte, ganharia o palco principal.

O advento da cultura alternativa

Por trás do pânico das mutilações de gado e, por tabela, da crescente aceitação da hipótese extraterrestre, encontrava-se uma disposição para acatar ideias rejeitadas pela visão de mundo comum da ciência moderna; disposição esta que se espalhou por grande parte do mundo industrial nas décadas de 1970 e 1980. O renascimento do protestantismo evangélico como importante força social, décadas após ser banido dos círculos culturais, foi um dos sinais dessa tendência, mas não o único.

Outro, ainda mais marcante, foi o crescimento explosivo de livros de cultura alternativa como principal linha editorial. Já no fim dos anos 1960, a maioria dos livros de Ufos, magia ritual, fenômenos forteanos e assuntos correlatos vinha de editoras pequenas especializadas em temas fora do comum. O sucesso enorme de *best-sellers* como *O Despertar dos Mágicos* e *Os Ensinamentos de Don Juan*, de Carlos Castaneda, mudou tudo isso. Editoras comerciais de livros tipo brochura logo reconheceram que livros promovendo ideias alternativas em ciência, saúde e espiritualidade rendiam muito dinheiro. Autores que queriam um público para ideias radicais perceberam que suas oportunidades cresciam a proporções inimagináveis.

---

76. Howe (1989).

Inevitavelmente, grande parte da enxurrada de heresia intelectual resultante era farta em afirmações, mas pobre em evidências; e uma quantidade significativa dessa literatura criava mistérios do nada. O Triângulo das Bermudas foi um exemplo clássico. Dois livros de escritores populares na imprensa alternativa dos anos 1960, *Invisible Horizons*, de Vincent Gaddis (1965), e *Limbo of the Lost* (1968), de Charles Berlitz, afirmavam que um número absurdamente grande de navios e aviões desaparecera misteriosamente, sem deixar rastro, em uma região triangular do oceano, perto das Bermudas. As mesmas afirmações foram repetidas e floreadas por quase uma dúzia de autores na década seguinte.

Os pesquisadores que se deram ao trabalho de reavaliar as evidências originais nada encontraram de anormal além do número de navios naufragados e aviões acidentados comuns em uma área tão grande de oceano, e muitos dos detalhes que faziam o Triângulo das Bermudas parecer misterioso foram simplesmente inventados.[77] Nada isso impediu que o Triângulo das Bermudas fizesse seu ninho nas crenças populares da década de 1970 ou que fosse recrutado pela comunidade ufológica como mais uma prova de que algo literalmente de outro mundo pairava nos céus de nosso planeta.

Outra afirmação que se tornou muito popular na época foi a de que astronautas de outros mundos foram os responsáveis pela criação de antigas culturas humanas do próprio *Homo sapiens*. Essas ideias tiveram uma longa pré-história no movimento dos contatados. O livro seminal de George Hunt Williamson, *Other Tongues, Other Flesh* (1953), girava em torno da mesma noção e autores importantes da fase inicial do controvertido fenômeno Ufo, tais como Brinsley Le Poer Trench e Desmond Leslie, se aproveitaram dela. A publicação em massa de *Eram os Deuses Astronautas?*, de Erich Von Däniken, em 1970, trouxe ao conhecimento do público em geral a ideia da visitação de astronautas extraterrestres no passado de nossa Terra. O impacto do livro foi marcante.

Eram os Deuses Astronautas? e sua sequência de cinco livros alcançaram um índice de vendas superior a 50 milhões de exemplares até o fim do século XX. Os críticos científicos afirmavam que muitos dos argumentos de Däniken se baseavam em informações incorretas de história, sem prova convincente. Os ufólogos da ala científica do movimento apoiavam tais críticas, distanciando-se das afirmações de Däniken, tanto quanto se haviam distanciado dos contatados nos anos 1950. Nenhuma dessas críticas desacelerou a aceitação popular

---

77. Kusche (1975).

das teorias de Däniken, tampouco como a desaprovação por parte da NICAP e da APRO diminuíra a disseminação das crenças nos contatados, pelo mesmo motivo: as crenças rejeitadas tinham uma constituição própria, grande e entusiástica.

O mesmo clima de ideias teve uma poderosa influência nas narrativas mais diretamente ligadas ao fenômeno Ufo. Uma grande beneficiária desse processo foi aquela história, há muito esquecida, da queda de um Ufo em Roswell, Novo México, em meio à onda de avistamentos original de 1947. O mesmo Charles Berlitz que ajudou a colocar o Triângulo das Bermudas no mapa, trabalhando com os ufólogos William Moore e Stanton Friedman, publicou *The Roswell Incident* em 1980. Esse livro combinava material dos eventos reais ocorridos nos primeiros dias de julho de 1947 com elementos emprestados da história desacreditada da queda em Aztec, de Frank Scully, além de outras histórias que Berlitz e seus coautores inventaram.[78] Esses problemas não impediram que *The Roswell Incident* exercesse forte influência sobre textos posteriores a respeito dos Ufos.

Quando *The Roswell Incident* foi publicado, quase todas as ideias que se apresentassem como alternativas ao *status quo* eram garantia de público. Desde que tocasse questões emocionantes e atraentes, tinham uma grande chance de trazer muito dinheiro, mesmo de instituições mais convencionais da cultura ocidental. No fim dos anos 1970 e começo dos 1980, por exemplo, a CIA investiu milhões de dólares para testar a habilidade de pessoas paranormais no uso de espionagem extrassensorial, enquanto algumas corporações Fortune 500 contratavam psicológicos do movimento potencial humano para organizar grupos de encontros de gerentes de nível médio, e milhões de cidadãos norte-americanos investiam somas consideráveis de dinheiro em seminários de misticismo em massa, oferecidos por grupos como o Transcendental Meditation e outros.

O cenário dos contatados dos anos 1950 contribuíra muito para essa situação. Algumas das figuras mais marcantes na cena alternativa de décadas posteriores tinham sido ativas nos círculos dos contatados por muito tempo. George King, ex-taxista londrino, se converteu na voz do Parlamento Interplanetário da Sociedade Aetherius; e Ruth Norman, fundadora da religião Unarius (*"Universal Articulate Interdimensional Understanding of Science"*, ou "Compreensão Interdimensional Articulada Universal da Ciência"), cujos seguidores acreditavam que ela era o arcanjo Uriel, são alguns dos exemplos mais conhecidos. As práticas

---

78. Ver, por exemplo, Saler, Ziegler e Moore (1997, p. 12-19).

exuberantes e as afirmações improváveis dessas e outras figuras semelhantes irritavam os ufólogos mais científicos, mas abriam o caminho para que crenças aparentemente menos exóticas entrassem na onda.

Vemos um exemplo influente desse processo na carreira do dr. Andrija Puharich, o parapsicólogo cujas interações com o movimento dos contatados são mencionadas no Capítulo 2. Puharich passou os anos 1950 e 1960 no auge do pensamento alternativo, estudando xamanismo com kahunas havaianos e investigando o "médico espírita" brasileiro Arigó (José Pedro de Freitas), cujos tratamentos médicos eram guiados por informações que ele recebia em estados de transe. Em 1970, Puharich soube de um jovem paranormal israelense chamado Uri Geller, que conquistara fama nos circuitos de boates em Israel. Puharich visitou o futuro superstar paranormal e o hipnotizou várias vezes para tentar descobrir a fonte dos poderes de Geller.[79]

Apesar de seu conhecimento profissional como hipnotizador, os relatos dessas sessões deixam claro que Puharich violou a prática hipnótica-padrão em vários aspectos, particularmente quando fazia uma série de perguntas indutoras que enfocavam suas crenças em inteligências extraterrestres e nos "Nove". De boa-fé, Geller respondeu a uma pergunta de Puharich citando um avistamento de um Ufo quando era criança e uma comunicação em transe oriunda de um "computador consciente" em órbita da Terra, a bordo de uma espaçonave chamada Spectra.

Em 1972, Puharich levou Geller aos Estados Unidos para ser testado nos laboratórios do Instituto de Pesquisas Stanford (SRI, na sigla em inglês), perto de Palo Alto. Na época, o SRI tinha grande reputação nos estudos de parapsicologia; menos conhecido, porém mais lucrativo, foi seu envolvimento com programas secretos de pesquisa para a CIA e o Departamento de Defesa. Durante os testes, Uri Geller mais uma vez canalizou o computador a bordo da Spectra, anunciando que logo haveria uma aterrissagem em massa de discos voadores e afirmando que ele e Puharich foram escolhidos pelos extraterrestres para preparar a humanidade para a aterrissagem.

No ano seguinte, contudo, os extraterrestres tiveram seus planos frustrados quando a presença de Geller no programa britânico de TV, *Dimbledy's Talk-In*, fez dele o equivalente paranormal de um astro do rock. Logo depois disso, Geller se afastou de Puharich. Sem desanimar, Puharich encontrou outro médium para passar as mensagens dos "Nove" e continuou bancando o *éminence grise** do movimento dos

---

79. Ver Picknett e Prince (1999, p. 169-73).
*N.R.: Em português, eminência parda. Trata-se de uma pessoa que atua como assessor de algum órgão ou instituição.

contatados. Entretanto, seu patrocínio de Geller ajudou a dar ao emergente movimento de conhecimento rejeitado uma de suas figuras mais conhecidas, semeando a imaginação popular com ideias que teriam fortes influências culturais, mais tarde.

Além dessas figuras já antigas no movimento, havia uma nova geração de contatados, como Eduard "Billy" Meier, um fazendeiro suíço cujas histórias se tornaram o tema de um livro suntuosamente produzido em 1979, *Spaceships from the Pleiades*.[80] Segundo Meier, seus contatos com seres espiritualmente avançados originários das Plêiades começaram em 1975, envolvendo centenas de avistamentos de Ufos e conversas com os alienígenas. As evidências oferecidas por Meier foram fotos das "*beamships*" (naves-raio) pleiadianas e imagens borradas de Semjase, a líder da expedição dos seres das Plêiades, além de uma grande quantidade de ensinamentos religiosos ao estilo dos contatados.

As análises das fotos das naves mostraram que não passavam de trucagens, e as fotos da pleiadiana têm uma semelhança enervante com as imagens da atriz norte-americana Darleen Carr em suas participações no *The Dean Martin Show*, no qual ela interpreta uma das irmãs Ding-a-Ling. De qualquer forma, seus relatos foram amplamente aceitos em círculos alternativos na Europa e nos Estados Unidos, e Shirley MacLaine, diva dos círculos norte-americanos da Nova Era, doou uma quantia substancial de dinheiro para apoiar o Centro da Estrela Prateada Semjase (Semjase Silver Star Center), de Meier.

Poucas pessoas compreendiam que o movimento da Nova Era (ou New Age), que ganhou tantas manchetes naquelas décadas, era simplesmente o movimento dos contatados com um novo rótulo e um foco um pouco diferente. Sob a flâmula da Nova Era, as velhas histórias de que haveria uma aterrissagem em massa de discos voadores ganhavam uma forma mais sutil; a nova versão sugeria que a transformação de consciência, já presente, faria o trabalho dos discos. Livros como o de Marilyn Ferguson, *The Aquarian Conspiracy* (1980), e de Theodore Roszak, *Person/Planet* (1978), celebravam a chegada iminente de uma nova era de potencial humano e lucravam com o alto índice de vendas. Nessa onda, as ideias até então confinadas aos círculos dos contatados se difundiram em meio à cultura popular.

---

80. Ver Kinder (1987) para um estudo minucioso do caso Meier; Stevens, Elders e Elders (1979) para o lado de Meier da história; e Korff (1996) para um exame crítico. Agradeço a Erskine Payton por me apontar a referência às Irmãs Ding-a-Ling no Caso Meier.

Desafiando os extraterrestres

Um fermento cultural nessa escala garantia a presença de muito trabalho criativo, além de grande ilusão e fraude deliberada. O próprio cenário Ufo não estava livre de tais problemas. Algumas das ilusões e das fraudes já foram mencionadas, mas o trabalho criativo também merece atenção. Afastando-se do impasse entre as hipóteses extraterrestre e nula, vários ufólogos inovadores começaram a fazer perguntas sérias a respeito das suposições básicas subjacentes às tentativas de encontrar um sentido para o fenômeno. Os mais influentes desses ufólogos da "Nova Era", Jacques Vallee e John Keel, argumentavam que os Ufos não podiam ser forçados em categorias predeterminadas por todos os lados desde 1947.

As obras desses dois autores não podiam ser mais diferentes. Vallee, um bem-sucedido cientista da computação que trabalhara com J. Allen Hynek por muitos anos, oferecia uma série de análises incisivas do fenômeno, deixando claro que as velhas pressuposições não se justificavam mais. Seu livro *Passaporte para Magônia* (1969) mostrava que os avistamentos de Ufos não podiam ser separados dos relatos de aparições e de seres espirituais no passado. Já o mais perturbador, *Messengers of Deception* (1979), se afasta ainda mais do cenário ufológico convencional, associando os avistamentos de Ufos a movimentos religiosos alternativos e inteligência militar, além de propor que os Ufos podiam ser usados – e até fabricados – com o intuito de moldar a opinião pública por parte do governo, de sociedades secretas afiliadas com o Oculto, ou de alguma espécie totalmente não humana.

Keel, jornalista veterano e ex-autor de *pulp* que escrevia sobre qualquer esquisitice desde a Guerra na Coreia, apresentava as mesmas visões desafiadoras, ainda que de uma maneira diferente. Seu melhor livro, *The Mothman Prophecies* (1975), deixava a análise para trás e jogava o leitor em um atormentador caminho até o coração negro do fenômeno Ufo, misturando tudo com elementos do folclore, experiências alucinatórias e dimensões paranormais que a maioria dos ufólogos convencionais excluía de seus relatórios. Descrevendo os eventos estranhos que antecederam a queda da ponte Silver, em Point Pleasant, West Virgínia – eventos estes que incluíam avistamentos de Ufos, Homens de Preto e uma criatura alada esquisita que a imprensa batizou de "Mothman", ou Homem-mariposa –, Keel mostrava que a categoria pura e simples de "visitantes do espaço" já não servia para o fenômeno que a própria categoria alegava explicar. Keel argumenta que o fenômeno Ufo e muitas outras ocorrências estranhas eram manifestações de um "superespectro", um nível de realidade fora do mundo da experiência humana comum.

Muitos pesquisadores de Ufos permaneceram fiéis à hipótese extraterrestre e rejeitavam a nova hipótese "ultraterrestre" (palavra usada por Keel), geralmente com discussões inflamadas. Mesmo assim, Keel, Vallee e outros escritores que adotavam a mesma abordagem encontraram um público ávido por suas ideias em meio a uma geração mais jovem de entusiastas de ufologia e do público em geral. Poucas eras recentes tiveram um desejo tão ardente de sortilégios, e a hipótese ultraterrestre – com todas as suas implicações de realidades desconhecidas e forças paranormais – satisfazia esse desejo mais plenamente do que a hipótese extraterrestre. Para a geração *Guerras nas Estrelas* dos anos 1970, que cresceu com astronautas no noticiário da noite e ficção científica nas aulas de inglês do colégio, a ideia de espaçonaves atravessando os céus já não era mais excitante.

Por algum tempo, a Nova Era parecia capaz de varrer tudo à sua frente e redefinir todo o fenômeno Ufo como um único elemento inserido em um padrão muito mais amplo de realidades alternativas. No fim dos anos 1980, porém, a hipótese extraterrestre ressurgiu triunfante. Muitos fatores contribuíram para essa reversão, mas um dos mais importantes era também um dos mais irônicos: o apetite por sortilégios que inspirara tantos pensamentos inovadores nos anos 1970 gerou sua própria nêmesis, na forma de um movimento de oposição que lembrava muito o próprio movimento ufológico.

O momento decisivo nessa reviravolta foi o nascimento do Comitê de Investigação Científica de Fenômenos Paranormais (*Committee for Scientific Investigation of Claims of the Paranormal* – CSICOP), em 1976. O CSICOP foi criado por Paul Kurtz, professor de filosofia da Universidade Estadual de Nova York, em Buffalo, e figura de destaque na Associação Humanista Norte-americana. No ano anterior, Kurtz reagiu à crescente popularidade das crenças no ocultismo, ajudando a formular um manifesto intitulado "Objeções à Astrologia", com as assinaturas de 186 proeminentes cientistas e estudiosos" e lançado na mídia.[81] Animado com a reação, Kurtz providenciou uma conferência especial da Associação Humanista Norte-Americana em 30 de abril e 1º de maio de 1976, para lançar uma nova organização cujo objetivo era se opor ao ocultismo e a outros modos de pensar não científicos.

---

81. Ver Bok, Kurtz e Jerome (1975). Nem Kurtz nem os outros contribuintes desse documento parecem ter aprendido coisa alguma de astrologia antes de criticá-la; tanto que muitos dos erros resultantes são citados por astrólogos como evidência de que a rejeição científica da astrologia se baseia mais em preconceitos que em evidências.

O CSICOP, resultado dessa iniciativa, conseguiu atrair os principais críticos norte-americanos de ocultismo, parapsicologia e assuntos semelhantes tão apreciados pela cultura alternativa da época, desde os cientistas Carl Sagan e Marcello Truzzi ao autor de ficção científica Isaac Asimov, bem como o mágico de espetáculos James "The Amazing" Randi; o detrator dos Ufos Philip Klass também foi um dos membros fundadores. Mais importante foi seu sucesso em atrair um número maior de seguidores entre pessoas fora do mundo acadêmico e da mídia, um gesto que garantia uma fonte de verbas por meio de taxas de afiliação e uma rede de investigadores amadores que aplicavam o sistema de crenças do CSICOP aos relatos de fenômenos inexplicáveis em suas respectivas áreas.

Se parece a descrição de um grupo de pesquisas ufológicas, deve parecer mesmo. Em grande parte, o CSICOP evoluiu em uma reprodução idêntica dos grupos ufológicos aos quais ele se opunha com tanta veemência. Assim como esses grupos, a afiliação logo se concentrou em um núcleo de figuras públicas ávidas pela atenção da mídia, um grupo maior de investigadores que nem sempre tinham a qualificação profissional para apoiar suas alegações de especialidade e uma base ampla de membros comuns que pagavam as taxas, recebiam os boletins e divulgavam as ideias da organização entre seus círculos sociais. Como os grupos de estudos ufológicos, o CSICOP também aplicava uma estratégia centrada em investigar relatos de fenômenos estranhos e divulgar os resultados dessas investigações quando elas sustentavam os fins da organização. Nesse sentido, detratores como Philip Klass e James Oberg se tornaram parte do movimento ufológico tanto quanto seus opositores e usavam essencialmente as mesmas estratégias que os partidários do contato extraterrestre para promover seus pontos de vista e rechaçar as alternativas.

Os primeiros anos da história do CSICOP foram marcados por disputas internas girando em torno dos objetivos da organização e suas relações às vezes problemáticas com questões de fato. Marcello Truzzi, um dos membros fundadores, saiu pouco depois de um ano, acusando Kurtz e outros membros da organização de um "pseudoceticismo" que punha a defesa de crenças científicas da época acima da análise objetiva das evidências. O ano de 1978 viu outra explosão, quando o membro do comitê executivo do CSICOP, Dennis Rawlins, ressaltou que um estudo feito pela organização do "Efeito de Marte", um fenômeno que dava certo apoio à astrologia, manipulara os dados para obter o resultado negativo desejado; pouco tempo depois, por meio de uma série de eventos que continuam até hoje controvertidos, Rawlins foi tirado do comitê executivo e se demitiu, ou foi demitido pelo grupo.[82] A culminação dessas brigas foi a transformação completa do CSICOP em um grupo de defesa de certas crenças aceitáveis quanto a eventos aparentemente paranormais, mais uma vez assemelhando-se às organizações de pesquisa ufológica.

Essas ironias completaram um círculo nos anos seguintes, à medida que um movimento em grande parte inspirado no CSICOP, adotando a retórica irada e o escárnio que permeava as publicações do CSICOP, tornou-se uma fonte involuntária de apoio aos defensores da hipótese extraterrestre e muitas outras visões alternativas do mundo. A partir do fim dos anos 1970, qualquer pessoa nos Estados Unidos que relatasse o avistamento de um Ufo podia contar com o surgimento do "cético" da vizinhança, que acusava as testemunhas de desonestidade ou ignorância total e apresentava explicações para o avistamento que geravam mais perguntas que respostas. As mesmas testemunhas também podiam contar, por outro lado, com a chegada de um ufólogo local, que as tratava com cortesia, levava suas histórias a sério e as colocava em determinada perspectiva – a hipótese extraterrestre – que analisava o avistamento no contexto de crenças altamente populares. Não nos deve surpreender que a aproximação encorajadora dos ufólogos ajudasse a estimular a crença na HET, assim como a arrogância e hostilidade de tantos autointitulados céticos fechasse a mente de muitas pessoas à possibilidade de haver explicações menos exóticas para os avistamentos de Ufos.

O triunfo extraterrestre

Ainda assim, foi mais uma vez a cultura popular que deu o voto decisivo. Filmes e a ficção de um modo geral na era Ufo deram aos alienígenas um *status* ambivalente. Os filmes sobre Ufos abordavam todo o espectro, desde os horrores extraterrestres, como *O Enigma do Outro Mundo* e *Alien, o 8 Passageiro,* até o angelical Klaatu de *O Dia em que a Terra Parou*, incluindo a singeleza de *E.T – O Extraterrestre*. Mas as inúmeras histórias sobre monstros do espaço sideral que enchiam as revistas *pulp* nas décadas precedentes deixaram traços profundos na imaginação coletiva.

Em seu livro publicado em 1958 a respeito do fenômeno, Carl Jung comentou que as emoções que cercavam os casos ufológicos na década anterior haviam mudado definitivamente de esperança para medo,

---
82. Ver Rawlins (1981) e Kamann (1982).

na medida em que as pessoas temiam a possibilidade de uma invasão alienígena.[83] Portanto, não é de surpreender que os filmes de discos voadores desde o início do gênero em 1950 até a década de 1970 dessem mais espaço a extraterrestres hostis que aos amistosos, com efeitos poderosos no imaginário coletivo. É um sinal dos tempos a publicação em 1967 de um livro popular de técnicas de sobrevivência incluir um parágrafo breve sobre autodefesa contra extraterrestres vindos à Terra em discos voadores.[84]

A televisão seguiu o mesmo padrão, com menos originalidade ainda. Os extraterrestres da série da ABC, *Os Invasores*, e da série britânica *UFO*, eram uma ameaça pura e simples, vindo à Terra a partir de mundos distantes, prestes a ser extintos, para invadi-la e encontrar um lar para sua espécie (no caso de *Os Invasores*) ou colher órgãos humanos para reparar seus corpos (em *UFO*). *Perdidos no Espaço*, da CBS, a série de ficção científica mais popular da época, apresentava o mesmo enredo sem desafiar nenhuma de suas pressuposições; a espaçonave terrestre em forma de disco decolou de uma Terra poluída e superpovoada em 1997 com a missão de encontrar um novo lar no espaço para a humanidade. O que os habitantes desse novo lar pensariam de uma invasão por parte de humanos ficava por conta da imaginação, mas não devia escapar da mente da maioria dos telespectadores.

Esses temas mudaram inesperadamente nos anos 1970 e 1980, contudo, à medida que a mídia começava a enfocar imagens positivas de extraterrestres. Uma trama única – um extraterrestre solitário perdido na Terra, solicitando ajuda de terráqueos bonzinhos enquanto tentava fugir de sinistros agentes do governo e céticos arrogantes, em sua tentativa de voltar para seu planeta – tornou-se um dos enredos de cinema mais lucrativos do período. Comparemos *E.T.*, de Steven Spielberg, com o rapidamente esquecido filme Disney *O Gato do Espaço Sideral* (1978) ou *O Homem das Estrelas* (1984), e veremos o mesmo tema básico repetido com variações mínimas. Esses temas falavam alto em uma época de alienação geral, quando muitas pessoas nos Estados Unidos e em outros lugares se sentiam como que perdidas em um planeta estranho.

Claro que os monstros espaciais das décadas anteriores nunca abandonaram o campo totalmente. O filme de ficção científica/terror de estrondoso sucesso de Ridley Scott, *Alien, o 8º Passageiro* (1979), apresentava o mais feio extraterrestre que já aparecera nas telas, enquanto

---

83. Jung (1978, p. 61).
84. Greenbank (1967, p. 34).

a minissérie da televisão norte-americana *V* (1983) mostra um vislumbre do futuro da mitologia ufológica, com sua história de répteis alienígenas sedentos por sangue que trajavam macacões vermelhos e mudavam de forma, vindo à Terra em discos voadores com a intenção de dominar o planeta por meio de uma tecnologia que controlava a mente dos líderes políticos.

Seja como for, o filme de Ufos mais influente de todos os tempos, a apoteose de efeitos especiais de Steven Spielberg, *Contatos Imediatos do Terceiro Grau*, provavelmente foi o que mais contribuiu para trazer a hipótese extraterrestre de volta ao palco central. Na visão de Spielberg, os Ufos eram espaçonaves extraterrestres, e os aspectos mais estranhos do fenômeno simplesmente provavam como a tecnologia alienígena era avançada. Havia uma ironia sutil nisso, uma vez que um dos personagens do filme – um ufólogo francês interpretado por François Truffaut – foi baseado no contestador da HET, Jacques Vallee.

Contatos Imediatos do Terceiro Grau tomou emprestado material da maioria das áreas do mito ufológico contemporâneo, deixando de fora a mutilação de gado. O Triângulo das Bermudas, porém, era imperdível, e um dos supostos desaparecimentos atribuídos ao mito do Triângulo serviu para o argumento da trama de que os extraterrestres pegavam grupos de humanos para levarem a um passeio nas estrelas. Esse tema se baseava em um dos elementos mais poderosos do fenômeno Ufo nos anos 1980: a crença de que seres extraterrestres em discos voadores abduziam um grande número de humanos para propósitos desconhecidos.

Abdução alienígena

Como muitos outros elementos do fenômeno Ufo, a narrativa da abdução tem uma pré-história complicada. Histórias de abdução que incluem a maior parte dos detalhes nos relatos contemporâneos do fenômeno já apareciam nos contos de ficção científica das revistas *pulp*. O sociólogo francês Bertrand Méheust pesquisou quase um século inteiro de ficção científica e encontrou centenas de histórias que usavam a abdução alienígena como motivo central entre 1880 e 1940; seguindo um padrão, esses contos apresentavam os temas essenciais da narrativa atual em detalhe.

Um exemplo citado com frequência, a história de Ege Tilms, "Hodomur, Man of Infinity" (1934), combinava abdução alienígena e lapso de tempo, ou *missing time* – o fenômeno frequentemente relatado por abduzidos de perder horas, mas ter a impressão de que só se passaram minutos –, com campos de trigo estranhamente amassados, prenunciando os círculos nas plantações da década de 1990.⁸⁵ O cenário de abdução em *Flying Saucers and the Three Men* (1963), de Albert Bender, uma das primeiras menções do tema na literatura ufológica, emprestou da ficção científica muitas das mesmas ideias e ajudou a colocar a abdução no imaginário coletivo da comunidade ufológica.

Entretanto, como o fenômeno Ufo em si ou o pânico das mutilações de gado dos anos 1970, a narrativa de abdução alienígena começou mesmo com um caso amplamente divulgado, o equivalente ao avistamento de Kenneth Arnold ou ao aterrador caso da égua Snippy. Por volta das 22h30 no dia 19 de setembro de 1961, Barney e Betty Hill viram no céu um objeto brilhante que lembrava a fuselagem de um avião, porém sem asas, bem acima de seu carro, na Rota 3 perto de Lancaster, New Hampshire.⁸⁶ O objeto parecia segui-los e, por fim, se aproximou a poucos metros do veículo. Barney estacionou e caminhou até o objeto, mas voltou correndo ao ver rostos estranhos olhando para ele a partir de janelinhas na lateral do objeto.

De acordo com os relatos posteriores do casal Hill, ele tentou se afastar, mas o som de um bip que parecia vir do porta-malas do carro os fez cair em um estranho estado de torpor. Mais dois bips se seguiram e, de repente, os Hills se viram a cerca de 56 quilômetros mais adiante na estrada, sem a menor ideia de como foram parar lá.

Nos dias seguintes, Betty teve a certeza de que algo extraordinário acontecera durante naquela noite. Ela leu *The Flying Saucer Conspiracy*, de Donald Keyhoe, começou a sonhar que era levada para dentro de um disco voador e contou o sonho para o marido. Ela entrou em contato com pesquisadores de Ufos e, enquanto lhes descrevia os eventos do avistamento, o casal se deu conta de que a viagem levara duas horas a mais do que deveria. Os ufólogos insistiram para que os dois fossem hipnotizados, na esperança de descobrir o que acontecera no intervalo do "lapso de tempo".

Foram recomendados ao dr. Benjamim Simon, um respeitado psiquiatra de Boston, que hipnotizou os Hill separadamente em várias sessões e os regressou ao momento em que viram o Ufo de perto. Sob hipnose, Barney descreveu que olhava para dentro das janelinhas da nave e via figuras que lembravam os nazistas. Sua narrativa prosseguiu, com Barney dizendo que foi capturado pelos "nazistas", levado para dentro da nave e submetido a um exame físico; estava com tanto medo

---

85. Ver Thompson (1991, p. 67-68).
86. Ver Fuller (1968) para o relato clássico do caso Hill.

o tempo todo, disse, que mal abria os olhos. Betty também disse que foi levada para dentro da nave e submetida a um exame médico; antes de ela sair, os seres lhe mostraram um mapa de pontos ligados por linhas e explicaram que era um diagrama mostrando de onde eles vinham. Após voltar ao carro, disse Betty, eles viram o Ufo brilhar intensamente e alçar voo, tomando a forma de uma bola cor de laranja e luminosa.

No decorrer de 1962, essa história começou a circular entre os defensores da hipótese extraterrestre como um relato correto e crível das atividades dos tripulantes de uma nave estelar extraterrestre. O dr. Simon, por sua vez, não concordava. Como hipnotizador profissional experiente, ele sabia que a regressão hipnótica pode incluir grande quantidade de fantasia e conteúdo inconsciente – uma questão que abordaremos melhor no Capítulo 7 –, e seu parecer era que a "abdução" se tratava de um sonho e não de evento real.[87] Tal visão não teve impacto algum diante da crença popular em Ufos de outros planetas, nem na noção comum, embora incorreta, de que a regressão hipnótica reproduz exatamente os eventos vividos no passado.

Apesar de tudo isso, levou muito tempo até a experiência do casal Hill exercer forte impacto fora do estreito segmento da comunidade ufológica. O caso surgiu em um momento em que o NICAP, o mais prestigioso de todos os grupos de estudo ufológico "respeitáveis", se recusava a lidar com avistamentos de Ufos que envolvessem ocupantes, pois tinha medo de ser associado aos contatados. O que levou o caso à atenção nacional, assim como tudo mais na história dos Ufos, foi sua transformação em um fenômeno de mídia.

O trabalho ficou por conta do jornalista John Fuller, que ficara interessado no fenômeno Ufo alguns anos antes, depois de uma série de avistamentos notáveis de objetos aéreos brilhantes na cidade de Seacoast, New Hampshire, em 1965. Seu livro excitante e agradável de ler, *Incident at Exeter* (1966), tornou-se um *best-seller*, e o caso Hill era um prato cheio para uma segunda parte. *The Interrupted Journey* foi publicado em 1968 e eclipsou o predecessor, tornando-se um dos livros sobre Ufos mais influentes da década, tendo recebido várias ofertas para o cinema. Um filme de televisão intitulado *The Ufo Incident*, estrelando James Earl Jones, foi ao ar em 20 de outubro de 1975. Muitos dos detalhes da abdução original foram alterados no filme – notadamente, os extraterrestres descritos por Betty Hill, que tinham cabelo preto e nariz do tipo Jimmy Durante, foram substituídos por criaturas esqueléticas,

---

87. Peebles (1994, p. 226).

sem cabelo, com a pele cinza, cabeça grande e olhos grandes, oblíquos. O enredo básico do livro de Fuller, porém, permaneceu no filme.

Logo vieram as reações do outro lado da controvérsia. Robert Sheaffer, membro do CSICOP que começava a conquistar uma reputação entre os defensores da hipótese nula, publicou um artigo no ano seguinte em que insistia que o casal Hill confundira o planeta Júpiter com um disco voador.[88] Essa explicação não foi aceita, exceto por aqueles que já acreditavam na hipótese nula, mesmo porque a única evidência citada por Sheaffer para sua teoria era que Júpiter se encontrava mais ou menos naquele setor do céu na referida noite. Muitos entusiastas do fenômeno Ufo também sabiam que a Força Aérea responsabilizara o planeta Vênus pelo avistamento de Mantell em 1948, para depois identificar o Ufo de Mantell como sendo um balão-teste do projeto secreto Skyhook; aliás, cada vez mais pessoas sabiam que os defensores da hipótese nula recorriam a planetas para explicar objetos aéreos não identificados desde os avistamentos de dirigíveis, em 1896.

Quando Sheaffer fez suas declarações em público, porém, mesmo uma explicação mais convincente teria sido em vão. Nos recônditos da imaginação coletiva, a narrativa de abdução já ganhara sua forma clássica. Ao mesmo tempo, o fenômeno Ufo começava a sofrer mudanças inesperadas.

Triângulos pretos

Na noite de 17 de março de 1983, um caminhoneiro chamado William Durkin dirigia em sentido Oeste na rodovia interestadual 84, no vale do Rio Hudson, Nova York.[89] Por volta das 20h30, quando passou por Brewster, ele notou um emaranhado de luzes no ar, movendo-se em direção à rodovia, vindo do Sul. Os carros à sua volta começaram a se movimentar erraticamente, pois os motoristas queriam ver melhor as luzes, e muitos pararam no acostamento para sair dos veículos e observar.

Durkin pensou, a princípio, que eram luzes de um avião voando muito perto do solo, mas logo percebeu que o objeto se movia muito devagar para ser uma aeronave comum. Parecia um enorme bumerangue preto, do tamanho de um campo de futebol, decorado com luzes multicoloridas. Durkin estacionou e desceu do carro, bem no momento em que a nave passava acima do local. Viu uma estrutura de hastes escuras unindo as luzes, mas não ouviu som algum. A nave se distanciou um

---

88. Sheaffer (1976).
89. O avistamento de Durkin apresentado aqui é um resumo de Hynek, Imbrogno, e Pratt (1998, p. 23–24).

pouco, lançou um raio de luz sobre o caminhão, cujo motorista aturdido não se moveu enquanto isso acontecia; tão logo o raio se apagou, porém, ele deu a partida e saiu dali rapidamente. Pouco tempo depois, a nave voou lentamente pelo céu até sumir de vista, em sentido Nordeste.

Durkin foi uma das mais de cem testemunhas que avistou "bumerangue de Westchester" na noite de 17 de março e um dentre milhares de observadores que viram o objeto em ação nos meses seguintes.[90] A descrição era sempre a mesma: um bumerangue enorme ou um triângulo de pontas arredondadas, preto, com dezenas de luzes multicoloridas, movendo-se lentamente a pouco mais de 30 metros de distância do solo. Algumas testemunhas, como Durkin, afirmaram que era completamente silencioso, enquanto outras relataram um ruído baixo como de motor quando a nave se encontrava diretamente acima de suas cabeças. Algumas pessoas observaram o que parecia uma estrutura metálica na parte inferior do triângulo preto, sustentando os pontos de luz. A nave jamais foi vista aterrissando, e poucos a viram fazer outra coisa além de um voo lento pelo céu à noite, piscando suas luzes a intervalos regulares e assustando os observadores em solo.

Os jornais da região anunciavam os avistamentos com manchetes. Uma delas dizia: "CENTENAS DE PESSOAS VEEM UFOS", na primeira página do *Daily Item* de Westchester-Rockland, na manhã de 26 de março de 1983, após uma noite bastante agitada. Mas, fora os jornais locais, a mídia não se aprofundou na história. Após uma gafe breve e curiosa – o departamento do xerife atendeu aos chamados relatando avistamentos e explicou que uma base militar próxima estava testando um tipo novo de avião, mas depois negou tudo –, o policial anunciou que o "bumerangue" era, na verdade, um grupo de ultraleves voando sem licença à noite, enquanto os controladores de tráfego aéreo locais negavam ter visto qualquer coisa fora do comum. O bumerangue, ou o que quer que fosse, continuou a aparecer regularmente durante a primavera, o verão e início de outono de 1983. O fenômeno se interrompeu no inverno, mas reapareceu no fim de março de 1984 e desfilou pelos céus até o fim de outubro. Depois disso, os avistamentos diminuíram acentuadamente e a onda de 1983-1984 se tornou um fato do passado.

Investigadores do CUFOS – na época a mais proeminente organização de pesquisas ufológicas – entrevistaram as testemunhas, colheram relatos e anunciaram que o "bumerangue de Weschester" era uma espaçonave extraterrestre, pura e simplesmente, consistindo mais uma prova da chegada de seres do espaço à Terra. Os detratores repetiam a

---

90. Ver Hynek, Imbrogno e Pratt (1998) para um relato completo.

insistência da polícia de que as luzes eram apenas brincadeiras de ultraleves voando em formação. Na época, a escolha de Hobson entre a hipótese extraterrestre e a hipótese nula se tornara tão enraizada que poucas pessoas consideravam a possibilidade de que certas tecnologias terrestres muito conhecidas eram capazes de colocar o bumerangue no ar.

Com o passar dos anos, bumerangues e triângulos pretos começaram a aparecer em outras regiões dos Estados Unidos e do mundo. Até o fim da década, já tinham sido vistos na maior parte da América do Norte e em mais de uma dezena de países em outros continentes. Esses objetos nunca substituíram o disco voador como ícone cultural clássico do fenômeno Ufo, mas trouxeram uma forma nova aos medos profundamente enraizados que começaram a se cristalizar em torno do fenômeno no fim dos anos 1980. Enquanto os entusiastas dos Ufos olhavam, esperançosos, para o céu, lembrando-se da espaçonave iluminada de *Contatos Imediatos do Terceiro Grau* e sonhando com o primeiro contato, uma visão muito mais sinistra da interação humano-alienígena penetrava o cenário básico do fenômeno Ufo.

Capítulo 4

Sombras de Dreamland,*
1986-Presente

O rosto de um extraterrestre na capa do *best-seller Comunhão*, de Whitley Strieber, com sua boca minúscula e olhos enormes em formato de amêndoa, se tornou um dos ícones mais reconhecidos do fenômeno Ufo, só perdendo para o disco voador em si. Em torno dessa figura tecia-se uma dos elementos mais distintos da fase mais recente do fenômeno Ufo: a narrativa das abduções alienígenas. Segundo essa narrativa, um propósito principal – talvez *o único* – por trás das visitas secretas dos extraterrestres à Terra seria o sequestro noturno de milhares, ou até milhões de seres humanos, com o intuito de submetê--los a dolorosos procedimentos médicos por razões que são centrais no atual debate em torno dos Ufos.

Como vimos no Capítulo 3, a narrativa da abdução se cristalizou em torno dos relatos da mídia do caso de Barney e Betty Hill, mas só se tornou dominante no fenômeno Ufo na década de 1980. Precisamos compreender isso em seu contexto histórico. Mesmo com os avistamentos em massa dos triângulos pretos, os avistamentos de Ufos em geral, nos Estados Unidos, foram muito menos numerosos nos anos 1980 que antes de 1974. O caso "Billy" Meier, que prometia tanto no início da década, se comprometera com acusações de fraude e fotos falsas, e o pânico das mutilações de gado nos anos 1970 tornara-se um embaraço, à medida que se acumulavam cada vez mais evidências contrárias a qualquer coisa fora do comum que ocorria nos pastos norte--americanos. A maioria dos aspectos do fenômeno parecia estacionada,

---

* N.T.: "Terra dos sonhos".

e os ufólogos que não se concentravam nas abduções passavam boa parte de seu tempo revendo casos antigos.

Com isso, a pesquisa dos relatos de abdução se tornava irresistível para muitas pessoas na comunidade ufológica. Relembrar o caso Barney e Betty Hill na literatura especializada era algo que dava credibilidade ao cenário das abduções, e a hipótese proporcionava aos investigadores uma ferramenta incrivelmente útil para eliciar relatos vívidos e coerentes de abdução. No decorrer dos anos 1970, vários pesquisadores pioneiros usaram essa abordagem, hipnotizando pessoas que relatavam experiências parecidas com a do caso Hill: avistamentos de Ufos a uma distância curta, acompanhados de episódios de lapso de tempo. Eles descobriam que quase todas essas testemunhas afirmavam ter sido levadas para dentro de Ufos, examinadas e devolvidas ao local onde estavam antes. No início dos anos 1980, os pesquisadores hipnotizavam indivíduos que nunca tinham avistado um Ufo, tampouco sentido o problema do lapso de tempo, mas que simplesmente temiam que algo estranho lhes tivesse acontecido em algum momento no passado. E esses indivíduos também relatavam, sob hipnose, uma abdução por parte dos ocupantes de um Ufo.[91]

Budd Hopkins, um artista nova-iorquino que se tornou ufólogo, foi uma das figuras proeminentes no campo das abduções, publicando em 1983 o livro *Missing Time*, que se baseava quase inteiramente nos resultados de regressão hipnótica. Hopkins e outros pesquisadores de abduções alienígenas argumentavam que os abduzidos até então investigados talvez fossem apenas a ponta do iceberg. Poderia haver milhões de "abduzidos silenciosos" espalhados pelo mundo, os quais recebiam visitas frequentes dos mesmos seres pequenos e cinzentos (os *grays*) que estrelaram os filmes *The Ufo Incident* e *Contatos Imediatos do Terceiro Grau*. Esse era o ponto em que se encontrava a narrativa da abdução no começo de 1986, quando um escritor chamado Whitley Strieber contatou Hopkins, com um relato clássico de abdução.

Strieber relatou que, nos últimos dias de dezembro de 1985, entrara em uma depressão súbita, acompanhada de sensação de terror e um comportamento errático. Imagens confusas em sua memória de repente se tornaram claras, na forma de uma cena em que fora abduzido em seu quarto e submetido a uma série de procedimentos médicos brutais por parte de extraterrestres baixinhos, magros e de pele cinzenta, com olhos grandes e em formato de amêndoa. Ele procurou Hopkins, que

---

91. Quanto ao cenário das abduções descrito nesta seção, ver particularmente Bullard (1987), Hopkins (2000) e Klass (1989).

o encaminhou a um terapeuta para ajudá-lo a lidar com o pânico e a depressão; em seguida, o próprio Hopkins o hipnotizou, na esperança de obter mais detalhes. De fato, os detalhes vieram e, dali a poucos meses, Strieber começou a escrever um livro a respeito de sua abdução. O título original era *Body Terror*, mas Strieber mudou para *Communion*.

Antes da publicação do livro, Hopkins e Strieber se separaram em meio a uma torrente de acusações mútuas, desencadeada, em grande parte, por suas interpretações diferentes do fenômeno. Hopkins insistia que mito, folclore e cultura popular nada tinham em comum com a experiência ufológica, e via a abdução como uma experiência essencialmente negativa; Strieber, por sua vez, apreciava elementos da teoria ultraterrestre popularizada na década anterior por Vallee e Keel, argumentando que, apesar de suas características assustadoras, a abdução era, no fim, uma experiência positiva – até espiritual. Poucos ufólogos concordavam com esse parecer. Enquanto isso, os críticos apontavam para as grandes semelhanças entre *Communion* e os livros de terror de Strieber, fictícios, e sugeriam que, à medida que sua carreira de escritor de ficção decaía, Strieber simplesmente encontrara um novo caminho para comercializar seu mais recente romance.

Nada disso retardou o sucesso de *Communion*. Ele se tornou o primeiro livro de Ufos a alcançar a primeira posição na lista dos *best-sellers* do *New York Times*, e lá ficou por meses. O rosto enigmático do sequestrador alienígena de Strieber espiava para fora da capa, nas prateleiras de todas as livrarias do mundo; e nos meses e anos seguintes, o número de relatos de abduções alienígenas subiu como foguete.

À medida que a abdução ganhava o foco principal da imaginação do fenômeno Ufo, uma cisão semelhante àquela entre Hopkins e Strieber surgiu entre os pesquisadores das abduções. Uma minoria deles via paralelos notáveis entre os relatos de abduções e as histórias de folclore, espiritualidade e experiências de quase morte, e argumentavam que a abdução podia ser compreendida como uma experiência iniciatória com muito potencial positivo.[92] A maioria rejeitava a ideia de que a abdução tivesse alguma relação com qualquer outra dimensão da experiência humana – rejeitando principalmente aqueles relatos que desviavam para o território do espiritual – e a descreviam nos mesmos termos intensamente negativos, como os filmes de monstros espaciais dos anos 1950.[93] O século XX se aproximava do fim e essas duas imagens da presença

---

92. Ver, por exemplo, Mack (1999) e Ring (1992).
93. Ver, por exemplo, Hopkins (1987) e Jacobs (1998).

alienígena, o "ET bom" e o "ET mau", se digladiavam por supremacia na imaginação popular.

Majestic-12

O ano de 1987 foi crucial na história do fenômeno Ufo, por outros motivos. Naquele ano, a pequena cidade de Gulf Breeze, Flórida, teve seus 15 minutos de fama nos círculos ufológicos, quando um morador, Ed Walters, relatou o avistamento de uma espaçonave extraterrestre que quase o abduziu.[94] Segundo esses relatos, Walter tinha uma câmera Polaroid por perto e tirou uma série de fotografias notáveis de uma nave luminosa em forma de pião. Seguiram-se outros contatos e fotos, o que trouxe a Walter enorme publicidade e um lucrativo contrato para um livro.

Os avistamentos de Walters e Gulf Breeze estavam a caminho do estrelato no circuito ufológico, com a aprovação entusiástica de vários pesquisadores proeminentes, quando alguns fatos estranhos vieram à tona. Um modelo de Ufo feito de pratos descartáveis e papel com a letra de Walters apareceu no sótão de sua antiga casa; um conhecido de Walter explicou que as fotos foram forjadas; outras evidências das habilidades de Walters em truques fotográficos com sua Polaroid foram surgindo. Quando o livro de Walters, *The Gulf Breeze Sightings*, foi publicado em 1990, todo o caso já se tornara uma guerra civil entre os ufólogos, alguns defendendo a credibilidade de Walters, enquanto outros consideravam a história uma fraude.

O mesmo destino, porém em escala maior, aguardava uma série mais ambiciosa de alegações que também se tornaram públicas em 1987. Giravam em torno de um pacote de documentos intitulado "Documentos atualizados: Operação Majestic-12", lançados na comunidade ufológica naquele ano pelos investigadores William Moore, Jaime Shandera e Stanton Friedman.[95] Datados de 18 de novembro de 1952, os documentos eram supostamente uma explicação preliminar para o presidente eleito Eisenhower a respeito de um projeto secreto iniciado pelo presidente Truman, após a queda de uma espaçonave extraterrestre em Roswell.

Segundo os escritos, uma equipe secreta de oficiais de inteligência e militares com o codinome de Majestic-12 – ou MJ-12 – foi montada por Truman para coordenar as pesquisas de dois discos voadores acidentados, um encontrado em Roswell em 1947 e outro recolhido

---

94. Para os eventos em Gulf Breeze, ver Conroy (1990), Overall (1990) e Walters e Walters (1990).
95. Ver Bishop (2005), Peebles (1994, p. 259-68), Sparks e Greenwood (2007) e Thompson (1991, p. 173-79).

em 1950 na fronteira entre o Texas e o México. Os membros originais do grupo eram o almirante Roscoe Hillenkoetter, o dr. Vannevar Bush, secretário de Defesa James Forrestal, general Nathan Twining, general Hoyt Vandenberg, o dr. Detlev Bronk, o dr. Jerome Huntsaker, Sidney Souers, Gordon Gray, o general Robert Montague, o dr. Lloyd Berkner e – um detalhe interessante – o dr. Donald Menzel, o decano dos detratores norte-americanos da ufologia. Esse grupo cuidava da resposta norte-americana ao fenômeno Ufo, que incluía contatos extensos com extraterrestres e uma série de operações secretas cujo objetivo era aprender os segredos da tecnologia alienígena e esconder do público a existência dos ETs.

A pré-história desses textos remonta ao início dos anos 1980, quando o ufólogo William Moore foi procurado por homens do Escritório de Investigações Especiais da Força Aérea (AFOSI – *Air Force Office of Special Investigations*), que lhe propuseram um negócio tentador.[96] Os oficiais do AFOSI afirmaram pertencer a um grupo dissidente que não apoiava a política de acobertamento em torno dos Ufos por parte da Força Aérea, e queriam divulgar o arcabouço de dados sobre visitas extraterrestres à Terra, que até então pertenciam àquela instituição. Eles ofereceram a Moore acesso a materiais secretos acerca dos Ufos. Em troca, desejavam que ele os mantivesse informados sobre as atividades de certos ufólogos, em especial um engenheiro eletrônico em Albuquerque, Novo México, chamado Paul Bennewitz.

Moore mordeu a isca, e, no decorrer daquela década, entregou vários relatórios a respeito de Bennewitz e outras pessoas nos círculos ufológicos aos seus contatos do AFOSI. O que ele ganhou em troca foi um vislumbre do Santo Graal da hipótese extraterrestre: documentos, aparentemente dos mais altos escalões do governo dos Estados Unidos, que afirmavam provar a existência de contatos frequentes entre as autoridades norte-americanas e seres de outro planeta.

O primeiro desses documentos foi passado a Moore por seu principal contato do AFOSI, o primeiro-sargento Richard Doty, em fevereiro de 1981. Veio na forma de um teletipo datado de 7 de novembro de 1980, endereçado ao escritório do AFOSI na Base da Força Aérea em Kirtlland, de uma alta autoridade em Washington D.C., acerca de fotos tiradas por Bennewitz. A mensagem se referia a um "Projeto Aquarius" secreto e algo chamado "MJ TWELVE" (ou MJ-DOZE). Quando Moore entregou o documento a uma emissora de televisão em 1982, e um funcionário desta contatou a Força Aérea, o AFOSI investigou e afirmou que era uma falsificação. Moore, claro, contradisse.

---

96. Bishop (2005) relata as interações entre Moore e o AFOSI em detalhes.

Outros documentos surgiram nos anos seguintes, quase todos trazidos por Doty. Em 1983, Doty permitiu que Linda Moulton Howe, ufóloga que ingressou nesse assunto por meio de sua pesquisa sobre mutilações de gado, lesse um documento que supostamente seria uma explicação enviada ao presidente, com mais detalhes do "Projeto Aquarius". O documento alegava que um extraterrestre sobrevivera ao acidente em Roswell e se mantinha em contato com o pessoal da Força Aérea. Descrevia vários outros contatos entre o governo dos Estados Unidos e seres extraterrestres, dava informações sobre seu mundo e afirmava que Jesus de Nazaré fora um extraterrestre. Uma versão um pouco diferente do mesmo texto chegou a Moore em 1986, logo encontrando leitores na comunidade ufológica.

A joia da coroa dessa coletânea de documentos, porém, foi o documento do MJ-12, que apareceu em um rolo de filme 35 milímetros enviado pelo correio ao aliado de Moore, Jaime Shandera, em dezembro de 1984. Por conta própria, Moore e Shandera passaram os dois anos seguintes tentando verificar a autenticidade dos documentos. Em 1985, enquanto vasculhavam os Arquivos Nacionais, encontraram um memorando de 1954 que se referia ao "Projeto de Estudos Especiais NSC/MJ-12". Este e o documento explicativo ao presidente finalmente convenceram Moore e Shandera a divulgar suas descobertas.

Assim como os avistamentos de Gulf Breeze, ou, aliás, a maioria dos principais casos de Ufos nos anos 1980, a controvérsia resultante seguiu um caminho parecido. A princípio, os documentos MJ-12 foram aclamados pela maioria dos ufólogos com uma descoberta avançadíssima capaz de finalmente acabar com o acobertamento do governo e forçar as pessoas a aceitar a realidade da presença de naves extraterrestres nos céus da Terra. Posteriormente, contudo, surgiam problemas com a "descoberta", e o entusiasmo inicial se dissolveu em querelas entre os defensores e os acusadores da autenticidade do documento.

Os partidários da hipótese nula afirmavam que os documentos continham palavras e expressões mais características de 1984 que de 1952, não condiziam com fatos conhecidos acerca dos supostos membros do MJ-12 ou as atividades de outras pessoas envolvidas e não tinham as características de todos os documentos secretos autênticos da época.[97] Com tantas contradições aparentes, a maioria dos ufólogos perdeu o interesse pelos documentos, embora uma minoria continuasse insistindo que o MJ-12 era uma realidade.

O que distingue o MJ-12 de Gulf Breeze e de outras falsificações ufológicas da época é o nível em que atraiu a atenção de ouvintes de

---
97. Ver, por exemplo, Peebles (1994, p. 266-68).

outra subcultura do período. Após as crises culturais dos anos 1970, um número crescente de norte-americanos começou a suspeitar o pior de seu governo. A sequência natural foi o surgimento de uma rede *underground* de oradores e livros de publicação independente a qual afirmava que a democracia norte-americana era uma mera fachada por trás de forças sinistras que arquitetavam a escravidão do planeta. O fenômeno Ufo, com seus tons de conspiração governamental e propósitos extraterrestres desconhecidos, encontrava um bom nicho dessa visão paranoica, e uma fusão das duas coisas ocorreu, também em 1987.

Em 27 de dezembro daquele ano, John Lear – filho do pioneiro da aviação William Lear, famoso pelo Lear Jet e ex-piloto contratado pela CIA – emitiu uma declaração acusando o governo dos Estados Unidos de vender a humanidade para uma raça de extraterrestres malignos.[98] Segundo Lear, o grupo MJ-12 conseguira fazer contato com extraterrestres no fim dos anos 1960, estabelecendo com eles um acordo no qual o governo norte-americano concordava em esconder a presença alienígena na Terra, bem como suas instalações subterrâneas secretas, além das abduções humanas e mutilações de gado, em troca de tecnologia extraterrestre. A primeira base alienígena foi estabelecida na base aérea de Groom Lake, em Nevada, seguida de outra em Dulce, Novo México.

No fim dos anos 1980, entretanto, o MJ-12 percebeu que seu tratado com os ETs fora o pior erro na história da humanidade. Em 1979, 67 tropas de força especial morreram em uma tentativa frustrada de resgatar prisioneiros humanos da base de Dulce. Mais hostilidades se seguiram, com os alienígenas sempre levando a melhor. Segundo Lear, eles praticamente já dominavam a Terra, e a humanidade podia esperar uma repetição do Holocausto, porém em escala maior.

Tudo isso era material para alimentar a crença em extraterrestres, bem como para aumentar o clima de paranoia dentro da comunidade ufológica. Com uma afirmação aterradora atrás de outra, poucas pessoas notaram, a princípio, que boa parte da retórica de Lear se concentrava em um lugar real, com seus próprios mistérios aéreos.

Dreamland

Até o fim da década de 1980, a base de Groom Lake, no deserto de Nevada, construída originalmente para realizar testes aéreos com o avião de observação U-2, tornara-se o recanto de muitas das mais exóticas

---
98. Ver Lear (1989).

aeronaves militares dos Estados Unidos e de seu arsenal de inteligência.[99] O primeiro voo do A-12/SR-71 Blackbird, ainda oficialmente o avião tripulado mais rápido na história, foi acima de Groom Lake; o mesmo aconteceu com o primeiro teste com uma aeronave Stealth, um avião exótico em forma de diamante, com o codinome estranhíssimo de HAVE BLUE, assim como o F-117 Nighthawk, o primeiro caça Stealth; e o B-2 Spirit, o primeiro bombardeiro Stealth. Na indústria da aviação da época, assim como atualmente, corriam rumores de aeronaves mais exóticas decolando de Groom Lake, entre as quais o TR-3 Black Manta, uma variante do caça Stealth F-117, redesenhado para reconhecimento tático; e o SR-91 Aurora, um avião de reconhecimento com tecnologia Stealth construído para substituir o envelhecido SR-71.

Em volta da base de Groom Lake encontrava-se o campo de teste Nellis, da Força Aérea, uma região vasta de sálvia e areia do tamanho de um pequeno país da Europa, onde a Força Aérea guardava secretamente sua coleção de aeronaves do Bloco Leste capturadas e realizava constantes exercícios de combate. Na segunda metade do século XX, se alguém quisesse observar objetos voadores que ninguém do governo norte-americano admitia existir, Groom Lake era o local para isso.

Como a maioria das instalações secretas, Groom Lake tinha muitos nomes. O pessoal da Lockheed lhe dera o rótulo irônico de Paradise Ranch;* um punhado de mapas desatualizados a chamava de Área 51; as aeronaves militares se referiam ao espaço restrito em volta da área como The Box;** e sua torre de controle usava o codinome Dreamland. Esse último nome seria o mais profético, pois seu surgimento como foco das crenças ufológicas demarcou o ponto em que estas finalmente deixavam para trás as evidências e mergulhavam em um mundo de sonhos repleto de sombras sinistras.

Apesar das ocasionais referências na mídia local, Dreamland ficou fora do radar da cultura contemporânea, assim como a tecnologia Stealth ficara até 1989. Foi o ano em que um técnico de computador chamado Bob Lazer apareceu em um programa de televisão sobre Ufos, afirmando que trabalhara em Groom Lake e fizera parte de um programa dos militares norte-americanos de engenharia reversa em um disco voador acidentado.

---

99. Para informações a respeito da Área 51 e as mitologias e subculturas formadas em torno dela, incluindo as afirmações de Lazar, ver Darlington (1997) e Patton (1998).
* N.R.: "Rancho paradisíaco", em português.
** N.R: Em português, "a caixa".

Lazar, colega de John Lear, afirmava ter mestrado pela Cal Tech e pelo MIT e que trabalhara algum tempo no Laboratório Nacional de Los Alamos. Após um encontro casual com o famoso físico Edward Teller, alegava Lazar, ele foi contratado em 1988 por meio de um programa de pesquisa confidencial e começou a trabalhar em uma instalação perto da Área 51, cujo codinome era S-4, onde várias espaçonaves extraterrestres eram guardadas. Seu emprego lá durou pouco por causa de sua má vontade para seguir regulamentos de segurança, mas Lazar afirmou que o governo dos Estados Unidos recolhera extraterrestres vivos, bem como naves acidentadas, e desvendara os elementos básicos da força motriz do campo gravitacional, impulsionada pelo Elemento 115, que a nave extraterrestre usava para viajar pelo espaço.

Vindo à tona em meio à controvérsia do MJ-12, essas declarações de Lazar atraíram um público imediato e ajudaram a fomentar o crescimento do sistema ufológico de crenças ligado às conspirações. O entusiasmo pelas palavras de Lazar foi tão grande que pouquíssimas pessoas se deram ao trabalho de descobrir que nem a Cal Tech nem o MIT tinham registro de sua passagem por essas instituições. Tampouco perguntavam os fãs de Lazar como, se ele dizia a verdade, suas afirmações públicas não o levaram à prisão por violar leis federais rigorosas que proibiam a divulgação de informações confidenciais.

Na onda do circo na mídia em torno de Lazar e suas declarações, a atenção da comunidade ufológica se voltava para a Área 51 e seus mistérios. Um dos resultados disso foi o surgimento de uma rede informal de investigadores amadores, "os Interceptadores", que rondavam o deserto de Nevada perto dos limites do campo de testes Nellis. O minúsculo vilarejo de Rachel, Nevada, a cidade mais próxima da Área 51, se tornou a sede dos Interceptadores. Rachel tinha dois estabelecimentos comerciais – um restaurante e um posto de combustíveis – e um punhado de casas móveis onde moravam os cento e poucos habitantes. Após as aparições públicas de Lazar, os donos do restaurante construíram quartos e instalações RV,* de olho no comércio ufológico, e mudaram o nome do restaurante para Little A-Le-Inn, a segunda palavra rimando como "alien" em inglês, ou *alienígena*, sendo que "inn" significa *pousada*.

Alguns dos Interceptadores iam ao deserto em torno de Rachel para aguardar a aparição de discos voadores; outros tinham mais interesse

---

* N.R.: Sigla para *recreational vehicle*, ou seja, veículo recreativo, também conhecido como residência móvel ou *trailer*. Trata-se de veículos muito utilizados para viagens, nos Estados Unidos.

nos aviões de espionagem que decolavam de Groom Lake desde 1955; outros ainda só queriam desafiar as políticas de acobertamento do governo norte-americano, não importava o que acobertavam. Por cerca de seis anos ou mais, até meados dos anos 1990, essas pessoas constituíram uma daquelas subculturas ilegais que periodicamente ocupam algum recôndito da imaginação norte-americana. Escapando dos *camo dudes* – guardas de segurança privada contratados pela Força Aérea para patrulhar as investidas de estranhos à base de Groom Lake – e procurando pontos de onde vissem as pistas de decolagem e os hangares em Dreamland, os Interceptadores deram ao cenário ufológico uma qualidade de aventura romântica que faltava desde o zênite da hipótese ultraterrestre nos anos 1970.

Em meados da década de 1970, a Área 51 se tornara parte tão integrante do cenário ufológico quanto Roswell e o céu sobre o Monte Rainier. A Bob Lazar se juntaram várias outras pessoas alegando ter conhecimento de programas secretos de engenharia reversa a partir de discos voadores acidentados. O mais ousado foi William Uhouse, que vendia pôsteres e cartas de baralho em convenções ufológicas, mas afirmava ser formado em engenharia mecânica pela Cornell – uma qualificação que se revelou tão falsa quanto os diplomas de Lazar. A história de Uhouse combinava com a de Lazar em muitos detalhes e tinha pontos em comum com a mitologia do MJ-12 e vários outros temas centrais no folclore ufológico do fim do século XX. Apesar da costumeira falta de evidências, as palavras de Uhouse foram recebidas com o mesmo entusiasmo que as de Lazar.

A cultura popular, sempre o árbitro final das crenças relacionadas aos Ufos, teve a palavra final em 1996, quando o estrondoso sucesso de bilheteria *Independence Day* apresentou uma Área 51 tirada diretamente das histórias de Lazar e Uhouse, incluindo discos voadores e extraterrestres conservados em gelo. De olho no dinheiro dos turistas, o governo estadual de Nevada comemorou o lançamento do filme mudando formalmente o nome da Rota 375, a rodovia que passava por Rachel, para Rodovia Extraterrestre. Um projeto de lei de mudança de nome entrara em assembleia no ano anterior; a solenidade da ocasião pode não ter sido totalmente levada a sério a princípio porque um dos defensores do projeto de lei, o congressista Bob Price (D-North Las Vegas), entrou na sessão usando uma máscara de Darth Vader.

O filme *Independence Day* combinava efeitos especiais arrojados com uma trama que trazia sentimentos nostálgicos a muitos espectadores da cultura ufológica, utilizando modelos explorados por séries antigas cujo tema era os discos voadores, nas décadas de 1960 e 1970, como *Os Invasores* e *UFO*. Assim como esses precursores, os extraterrestres de *Independence Day* vinham de um planeta em vias de extinção e queriam transformar a Terra em um mundo para a espécie deles, tendo seus planos frustrados por um punhado de terráqueos heroicos. O enorme sucesso financeiro dessa fórmula batida, porém confiável, completou o processo de expulsar da cultura popular os "ETs bonzinhos" das décadas de 1970 e 1980. Os monstros espaciais dos anos 1950 estavam de volta, com uma vingança.

A agenda reptiliana

Nos anos 1990, essas ideias permearam a comunidade ufológica e a cultura popular, alimentando uma versão paranoica da hipótese extraterrestre na qual os ETs e tudo a eles ligados se tornaram o foco de medos primais. Dois novos autores – Milton William Cooper e David Icke – ganharam proeminência.

Cooper, outro protegido de Lear, afirmava ter descoberto a horrível verdade por trás do fenômeno Ufo enquanto serviu na Inteligência da Marinha entre 1970 e 1973. Sua versão da hipótese extraterrestre, publicada em seu clássico *underground Behold a Pale Horse* (1991) e uma série de ensaios e manifestos circulados pela internet, levava as histórias contadas por Bennewitz, Lear e Lazar ao extremo.[100]

Segundo Cooper, nada menos que 16 acidentes com Ufos, entre 1947 e 1953, proporcionaram ao governo dos Estados Unidos uma quantidade suficiente para encher um caminhão de cadáveres alienígenas e destroços de discos voadores, além de um alienígena vivo e uma coleção de partes de corpos humanos guardados pelos ETs. As elites mundiais teriam, em retaliação, criado o MJ-12, um governo mundial secreto cujo intuito era lidar com a ameaça extraterrestre. Em 1954, o MJ-12 já tinha contatado nada menos que quatro raças extraterrestres diferentes – Cooper as chamava de Grays (os cinzas), Grays de Nariz Grande, Nórdicos e Laranja – e estabelecera um tratado com os Grays de Nariz Grande, permitindo que eles construíssem mais de uma dúzia de bases subterrâneas, abduzissem humanos e mutilassem gado em troca do conhecimento de tecnologias avançadas, incluindo os próprios discos voadores.

---

100. Ver Cooper (1991).

Quando surgiu a desconfiança de que os extraterrestres não estavam cumprindo sua parte do trato, o MJ-12 apertou seu domínio no mundo, em busca de armas secretas contra os Grays de Nariz Grande. Nesse ínterim, segundo Cooper, os cientistas humanos descobriram que a superpopulação e a poluição tornariam a Terra inabitável até o ano 2000; por isso, uma tecnologia de origem extraterrestre foi usada para construir uma nova série de bases subterrâneas para as elites governantes da Terra e a fim de montar colônias na Lua e em Marte, enquanto criavam pragas letais e outros instrumentos de genocídio para deter a explosão populacional.

Em sua ânsia para manter o controle, o MJ-12 assassinou John F. Kennedy, obrigou Richard Nixon a renunciar, controlou o comércio de drogas no mundo e começou a construir campos de concentração secretos em território norte-americano, para os quais seriam enviados dissidentes após a queda da Constituição; seria declarada Lei Marcial e imposta a Nova Ordem Mundial. Para explicar como funcionava toda essa conspiração, Cooper reimprimiu o texto completo dos *Protocolos dos Anciões do Sião*, uma farsa antissemita elaborada pela polícia secreta russa czarista na primeira década do século XX e adotada pela Alemanha nazista como justificativa para o Holocausto.[101] Uma difusão de cartas de fontes não identificadas, nenhuma convincente, e uma coletânea de documentos públicos vagamente relevante às suas acusações completaram o arsenal, oferecendo a única desculpa de evidência de Cooper para suas afirmações.

Com bom senso, a maior parte da comunidade ufológica rejeitou as alegações de Cooper, em debates muito inflamados. James Moseley, cujo excêntrico boletim *Saucer Smear* cresceu em popularidade nos anos 1980 e 1990 até se tornar o periódico ufológico mais influente desde a morte de Raymond Palmer, descarta as teorias de Cooper como "delírios loucos", enquanto Jacques Vallee, em seu livro *Revelações*, de 1991, apontava os grandes absurdos de toda aquela mitologia Lear-Lazar-Cooper.[102] Mesmo assim, Cooper encontrou seguidores em círculos nos quais a crença em Ufos se mesclava com retórica política irada, oriunda tanto da esquerda quanto da direita.

O próprio Cooper se afastou do centro das atenções, até se isolar em sua casa no Arizona com um verdadeiro arsenal de armas e munição, convencido de que agentes do governo logo estariam batendo à sua porta. Sua recusa em pagar impostos fez cumprir essa profecia; e

---
101. Cohn (1967) permanece até hoje o estudo clássico desse documento.
102. Ver Peebles (1994, p. 278), e Vallee (1991, p. 52-58).

quando ele atirou contra os assistentes do xerife que lhe traziam uma intimação, Cooper completou o processo de tornar suas fantasias reais. Bem antes de sua morte, em uma chuva de balas, em 5 de novembro de 2001, porém, seu lugar na ribalta fora tomado por outro teórico da paranoia cósmica, que contava uma história ainda mais colorida e extrema que a de Cooper.

Tratava-se de David Icke, ex-jogador de futebol, locutor de esportes e candidato pelo Partido Verde da Inglaterra, que entrou em cena em 1995 com o primeiro de uma série de livros anunciando a teoria da conspiração que acabaria com todas as outras teorias de conspiração.[103] Segundo Icke, as classes governantes do mundo não poderiam ser acusadas de vender a humanidade aos extraterrestres porque elas próprias são extraterrestres – particularmente, híbridos, metade extraterrestres, capazes de mudar de forma, sedentos por sangue, que descendiam de répteis alienígenas e malignos da constelação de Draco, os quais governam o mundo por meio de uma rede de sociedades secretas que aplica tecnologias de controle mental. A linhagem réptil inclui todas as famílias reais da Grã-Bretanha do passado e atual, todas as demais casas reais da Europa e todos os presidentes dos Estados Unidos, entre muitos outros.

As teorias de Icke fundiam a paranoia cósmica da narrativa ufológica/conspiratória com uma reação habilidosa às crenças da Nova Era dos anos 1970 e 1980. A "Revolução de Aquário", a grande mudança de consciência iminente, esperada nos anos de pico da Nova Era, nunca acontecera como queriam seus partidários; e Icke explicava o motivo para o fracasso: as atividades malignas e as tecnologias de controle mental dos reptilianos. Só eles, insistia Icke, são os responsáveis por fazer as pessoas acreditarem na suposta ilusão de um mundo com possibilidades e recursos limitados, onde os seres humanos não podem ter automaticamente o que querem.

Como mitologia de luta de classes, a essência da teoria de Icke, nada de igual existe. Nem mesmo o mais convicto marxista jamais acusou as classes governantes de serem répteis malignos do espaço, sedentos por sangue humano e responsáveis por tudo de ruim que acontece com as pessoas. É convite para uma paródia, mas ao mesmo tempo há uma dimensão perturbadora às afirmações de Icke. Menos de um século atrás, outra ideologia paranoica segundo a qual todos os problemas do mundo são causados por uma minoria rica que supostamente não seria totalmente humana, criada a partir das sarjetas da Europa Central para

---

103. O resumo que aqui apresento é de Icke (1995), Icke (1999) e Icke (2001).

iniciar a guerra mais destrutiva da história humana e enviar milhões de vítimas para as câmaras de gás. Não é exatamente reconfortante o fato de que Icke, assim como Cooper, tenha reimpresso os *Protocolos dos Anciões do Sião* – o documento usado para justificar essas atrocidades – em um de seus livros.

Se a ideologia de Icke tem paralelos desconfortáveis com esse horror mais antigo, também representa o triunfo final da cultura popular no campo da ufologia. Quase todos os elementos da teoria de Icke podem ser encontrados na série de televisão dos anos 1980 *V*, que apresentava répteis extraterrestres que mudavam de forma para se disfarçar de humanos e controlavam o mundo com tecnologia de controle mental. Da mesma forma, a narrativa do "mau ET", elaborada por John Lear, Robert Lazar e Milton William Cooper, se utilizou de todos os elementos da ficção científica da década anterior, com alienígenas que caçavam humanos e bases subterrâneas da série britânica dos anos 1970, *UFO*, uma das fontes mais óbvias.

Menos óbvia, porém mais penetrante, foi a influência da subcultura *pop* que imaginou primeiramente os discos voadores. Estudiosos do fenômeno tão diferentes entre si, como o teórico ultraterrestre John Keel e o detrator Curtis Peebles, observaram como as ideias de Raymond Palmer ainda permeavam a imaginação popular do fenômeno, levando as pessoas de todos os lados da controvérsia ufológica a buscar equivalentes a *deros* no mundo subterrâneo e Homens Verdes nos céus.[104] Com as ideias de Icke espalhadas através da obscuridade no fim do século e, além dele, o mundo imaginado pelos escritores de ficção científica *pulp* finalmente se tornara realidade – pelo menos na imaginação de um número crescente de crentes sinceros.

Crepúsculo dos discos

Em termos mais gerais, as teorias de conspiração e agendas secretas se apegaram ferrenhamente à imaginação coletiva durante os mesmos anos. Como sempre, a cultura popular era, ao mesmo tempo, um barômetro e uma espécie de retroalimentação, amplificando o fenômeno que ela própria revelava. A série *cult* da Fox, *Arquivo X*, de 1993 a 2002, retratava dois agentes do FBI – um crente no paranormal e uma cética – investigando mistérios nos quais os Ufos e seres extraterrestres tinham um papel de destaque. O *slogan* da série "A verdade está lá fora", tornou-se uma expressão de marca no movimento ufológico naqueles

---

104. Ver Keel (1989) e Peebles (1994, p. 281).

anos, embora a perspectiva de encontrar a verdade acerca dos Ufos dependesse de uma distância interestelar.

No início do século XXI, o cenário ufológico girava suas engrenagens montadas duas décadas antes. Os investigadores continuavam a compilar dados sobre avistamentos de Ufos, embora a profunda diminuição de avistamentos recentes os forçasse a retomar pesquisas antigas e tentar desvendar mais detalhes de casos que já estavam frios havia décadas. Os pesquisadores de abdução continuavam hipnotizando pessoas que acreditavam ter sido abduzidas por um disco voador e teciam argumentos infindáveis acerca da natureza e dos propósitos das visitas de extraterrestres, que, aliás, nunca tiveram sua existência comprovada. Controvérsias em torno dos documentos do MJ-12 e outras evidências de um acobertamento por parte da Força Aérea ainda chamavam atenção. A ala paranoica do movimento ufológico proclamava o iminente domínio do planeta por parte dos ETs sob a bandeira da Nova Ordem Mundial; os crentes continuavam acreditando, os detratores continuavam detratando e os mesmos argumentos se repetiam mês após mês, ano após ano.

Havia muitas causas para essa falta de progresso, porém a mais notável era o declínio acentuado dos avistamentos de Ufos – particularmente na América do Norte, antes o lar do fenômeno. Embora ondas de relatos ainda surgissem de vez em quando, os avistamentos em massa de discos prateados ou luzes dançantes, tão comuns nos anos 1950 e 1960, nunca voltaram, e os triângulos pretos que assombraram o vale do Rio Hudson e outros locais nos anos 1980 agora só existiam na memória. O fenômeno estava se apagando e, por conseguinte, o interesse público também caiu.

Esse crepúsculo dos discos voadores encontrou um reflexo horrendo na manhã de 26 de março de 1997, quando policiais descobriram os corpos de 39 homens e mulheres em um bairro de San Diego, todos mortos por autoenvenenamento.[105] Bilhetes deixados pelo grupo, que se chamava Heaven's Gate,* anunciavam que seus membros acreditavam que estavam deixando para trás seus "receptáculos físicos" para embarcar em um Ufo gigante que seguia o recém-descoberto cometa Hale-Bopp, o qual deveria se chocar com a Terra logo depois.

Por trás dessa tragédia se encontrava um histórico perturbador tecido a partir da matéria-prima do fenômeno Ufo. O líder do grupo, Marshall Herff Applewhite, e sua parceira, Bonnie Lu Nettles, se conheceram em

---
105. Ver Lewis (2001, p. 14-18 e p. 367-70).
* N.R.: Em português, "portal do paraíso".

1972 e começaram a pregar uma religião criada por eles próprios três anos depois. Baseados nas crenças dos contatados, bem como em uma espécie de Cristianismo marginal, os Dois (como seus seguidôres os chamavam) diziam que aqueles que fizessem a transição para o "Estágio Evolucionário Acima do Humano" com eles seriam apanhados por discos voadores e salvos do iminente fim do mundo.

Na crise cultural dos anos 1970, seus ensinamentos encontraram seguidores e permaneceram ativos na margem extrema da comunidade ufológica nas décadas seguintes. Jacques Vallee fala deles em seu bem pensado livro *Messengers of Deception* (1979), para citar um exemplo de como as crenças em Ufos se transformavam em ideologias religiosas com possibilidades perturbadoras de se tornarem ferramentas de manipulação e controle. Nettles morreu de câncer em 1985, mas os membros do Heaven's Gate, assim como os contatados descritos décadas antes em *When Prophecy Fails*, focavam sua vida na perspectiva do resgate iminente por parte de extraterrestres. Entretanto, diferentemente do grupo de Chicago liderado por Dorothy Martin, a fé mal dirigida de Applewhite e seus seguidores os encurralou a um ponto em que a morte em massa era a única saída.

Surpreendentemente, a tragédia do Heaven's Gate não impediu que outros partidários da fé nos contatados fizessem declarações semelhantes. No ano seguinte, um grupo de contatados de Taiwan chamado Chen Tao atraiu a atenção da mídia do mundo todo ao proclamar que Deus apareceria nas televisões do mundo inteiro em 25 de março de 1998 e aterrissaria em um disco voador dali a seis dias. Com o fim do milênio se aproximando, tais afirmações se tornaram comuns. O anúncio de que alguns computadores mais velhos parariam de funcionar em 1º de janeiro de 2000 porque seu *software* não fora feito para lidar com a virada desencadeou boatos aterradores do iminente fim da civilização.

Entre os contatados, a crença de que os discos voadores finalmente aterrissariam se espalhou como fogo no mato. Algumas dessas afirmações giravam em torno da Grande Pirâmide do Egito, onde os Nove – os deuses extraterrestres introduzidos ao movimento dos contatados por Andrija Puharich nos anos 1950, e canalizados por dezenas de médiuns desde então – deveriam aparecer à meia-noite de 31 de dezembro de 1999. Espalhavam-se rumores da iminente descoberta de uma câmara oculta repleta de sabedoria egípcia antiga, enterrada muito abaixo da Esfinge; e as velhas promessas de um mundo de paz e justiça chegando com os discos voadores encontraram novos ouvintes em toda a comunidade da Nova Era. Ironicamente, essas afirmações criaram um pânico novo entre os cidadãos da cultura alternativa mais voltados para a conspiração, que interpretavam a chegada dos Nove como a manipulação de um evento religioso e a imposição de uma teocracia dos contatados por elites sinistras apoiadas pela inteligência militar.[106]

Na manhã de 1º de janeiro de 2000, entretanto, o mundo estava no mesmo estado em que se encontrava na noite anterior. Os medos do apocalipse cibernético e a esperança de uma chegada em massa de Irmãos do Espaço se mostraram tão infundados quanto todas as afirmações divulgadas na comunidade dos contatados no meio século desde o avistamento original de Kenneth Arnold. Tampouco coisa alguma mudou no cenário ufológico desde o alvorecer do milênio; os mesmos debates improdutivos prosseguem, enquanto os avistamentos são poucos e espaçados e o fenômeno se desloca para as margens da cultura moderna. Contudo, a evidência da história pode permitir uma perspectiva diferente, que lance alguma luz sobre a controvérsia – e sobre todos nós.

---

106. Picknett e Prince (1999).

Parte II

Explorando as Possibilidades

Guiaremos a existência por seu número de rãs.

Os sábios tentaram outros caminhos. Tentaram compreender nosso estado de ser conhecendo as estrelas, ou as artes, ou a economia. Mas se uma unicidade subjaz todas as coisas, não importa de onde começamos, se das estrelas, das leis de oferta e procura, das rãs ou de Napoleão Bonaparte. Para se medir um círculo, pode-se começar de qualquer lugar.

– Charles Fort, *Lo!*

Nota-se claramente que a explicação oferecida não corresponde aos fatos. Entretanto, a exposição dos fatos não se dá mostrando que a explicação é falha.

– Dion Fortune, *Applied Magic*

Capítulo 5

Os Obstáculos ao Entendimento

Mais de 60 anos de história do fenômeno Ufo e uma solução definitiva para o enigma dos objetos voadores não identificados parece mais distante do que nunca. Milhares, talvez milhões de pessoas em todo o mundo já viram luzes estranhas no céu, bem como discos prateados, triângulos pretos, bolhas luminosas, pontos de luz colorida e uma coletânea de outras formas, diversas demais para catalogar. Um número muito menor de pessoas viu a mais vasta gama de criaturas associadas a esses objetos aéreos desconhecidos. Milhares de indivíduos afirmam que foram abduzidos por extraterrestres e uma quantidade parecia assumir o papel de contatados. Quase sem exceção, todos esses relatos mostram semelhanças detalhadas e extensas com ideias acerca de extraterrestres e contato com estes que apareciam na cultura popular décadas antes de o fenômeno Ufo vir a público, em 1947. Ao mesmo tempo, pelo menos em alguns casos, as testemunhas parecem ter visto algo genuinamente estranho.

Se sairmos do campo dos testemunhos e procurarmos evidências físicas, o caminho fica mais estreito. Algumas marcas no chão que podem ter sido causadas pelo trem de pouso de um Ufo foram encontradas e fotografadas. Pedaços de metal e outras substâncias, talvez oriundos de discos voadores, foram obtidos e testados, embora nenhum tenha revelado algum traço particular de origem desconhecida. Uma coleção modesta de fotografias foi obtida, embora a maioria delas não tenha passado em testes de autenticidade, enquanto o resto traz pouca informação. Uma coletânea igualmente modesta de supostos documentos governamentais veio à tona, nenhum muito convincente e, a maior parte, fraudes evidentes.

É útil levar em conta, também, o que *não* aconteceu nas últimas seis décadas. Enquanto os astronautas humanos, no mesmo período, deixaram boa quantidade de equipamento para trás, desde chaves inglesas e peças até pedaços grandes de suas espaçonaves, nenhum pedacinho de tecnologia inequivocamente extraterrestre foi deixado pelos tripulantes de um disco voador. Dos milhares de pessoas que afirmam ter conversado com seres de outros planetas, nenhuma delas obteve qualquer amostra de conhecimento científico genuíno ou sequer fez qualquer afirmação de algum fato até então desconhecido dos seres humanos; nem mesmo os ensinamentos espirituais e a filosofia moral passados aos contatados pelos Irmãos do Espaço parecem diferentes da espiritualidade popular alternativa de nossa cultura.

Ao menos uma coisa não aconteceu na história do fenômeno Ufo. Os lados adversários na disputa nunca encontraram um terreno comum do qual se pudesse iniciar uma investigação imparcial. Há décadas, os defensores de ambas as hipóteses batem na mesma tecla, repetindo investigações anteriores e reafirmando antigas posições. Não há nem sombra de uma solução clara para o mistério. Tal fato merece mais atenção do que recebeu até agora.

Os proponentes da hipótese extraterrestre argumentam exaustivamente que a solução deles não é aceita porque a Força Aérea ou algum outro órgão do governo suprime os dados que lhes permitiram comprovar sua posição. Os defensores da hipótese nula, por sua vez, afirmam com a mesma veemência que a solução deles não é aceita porque os seres humanos, e mais especificamente os norte-americanos sem conhecimento científico apropriado, são ignorantes e crédulos. Ambos os argumentos tentam explicar a falta de acordo, mas não explicam coisa alguma; e nem um nem outro convence aqueles indivíduos que já têm convicções contrárias. Um exame mais apurado das raízes dessa impossibilidade de resolver o enigma dos Ufos se faz, portanto, necessário.

Paradigmas problemáticos

É uma crença comum, embora errônea, que o conhecimento humano se constrói passo a passo, com as descobertas do presente simplesmente adicionadas às descobertas do passado para compreendermos o mundo. Em vez disso, como mostra Thomas Kuhn, em seu estudo pioneiro publicado em 1962, *The Structure of Scientific Revolutions*, as contribuições de cada geração para o conhecimento em determinado campo derivam de um conjunto básico de pressuposições – um paradigma, na terminologia de Kuhn – em torno da natureza do respectivo campo e do modo de abordá-lo. Cada paradigma surge em resposta ao conjunto de conhecimento disponível na época em que foi formulado.

À medida que a pesquisa prossegue, porém, acumulam-se dados que não se encaixam no paradigma. Como os cientistas são humanos, e a natureza humana é o que é, os dados desafiadores são descartados, ignorados ou considerados erros ou fraudes. Mesmo assim, enquanto o conjunto de conhecimentos no campo se expande cada vez mais, as anomalias aumentam. A crise chega quando a discrepância entre a base de conhecimentos e o paradigma se torna tão séria que já não é mais possível para os pesquisadores usar o paradigma na tentativa de compreender os dados. Nesse ponto, surge um novo paradigma, que parece explicar as anomalias mais graves; e o paradigma antigo entra para a pilha de lixo da história intelectual. Assim, recomeça todo o processo.

O exemplo clássico citado por Kuhn e muitos outros é a revolução de Copérnico, que substituiu a velha visão de que a Terra era o centro do sistema solar pela visão que temos atualmente, com o Sol no centro e a Terra e os outros planetas girando em torno dele.[107] Observe os céus de qualquer ponto na Terra e terá a impressão de que o chão sob seus pés está estacionário, e o Sol, a Lua, os planetas e as estrelas se movem em torno dele. O astrônomo e matemático grego Cláudio Ptolomeu, que viveu no século II d.C., elaborou um conjunto elegante de cálculos baseado no Cosmos centrado na Terra – um dos triunfos da ciência grega antiga –, o qual quase se encaixava perfeitamente nos movimentos dos planetas no firmamento.

"Quase perfeitamente", porém, foi mais problemático do que parecia. Com o passar dos anos, à medida que os astrônomos e matemáticos lutavam com a inconstância entre as evidências e os cálculos de Ptolomeu, as dificuldades se acumulavam. Da mesma forma, aumentavam as tentativas de lidar com a matemática de Ptolomeu e aproximá-la um pouco mais da exatidão. Bem antes da época de Copérnico, a maioria dos astrônomos já se convencera de que havia algo errado com o sistema de Ptolomeu, embora não soubessem o que era exatamente. O novo sistema copernicano, embora ameaçador para as ortodoxias religiosas, foi bem aceito por muitos astrônomos porque substituía o paradigma de Ptolomeu por um que englobava melhor os fatos.

O sinal clássico de um paradigma em crise é que ele não oferece mais soluções claras para problemas cruciais no campo de estudo. O estudo dos Ufos sofre desse problema desde o surgimento do fenômeno. Isso sugere que parte da dificuldade em compreender o fenômeno é que o paradigma usado para decifrá-lo é inapropriado para a tarefa.

---

107. Ver Kuhn (1970, p. 68-69).

Vários escritores de ufologia propuseram uma mudança de paradigmas como uma tentativa de compreender melhor os dados. Alguns dão sugestões como a de Don Donderi, em seu ensaio "Science, Law and War: Alternative Frameworks for the Ufo Evidence" (2000). Basicamente, Donderi argumenta que, como o raciocínio científico não sustenta a afirmação de que os Ufos vêm de outro planeta, os proponentes da hipótese extraterrestre deveriam buscar outra forma de pensar que sustentasse essa afirmação! Pela mesma lógica, os defensores da astronomia ptolomaica poderiam afirmar que a aritmética comum deveria ser substituída por algum sistema matemático novo que fizesse os números bater.

Propostas mais úteis foram apresentadas por Jacques Vallee em vários de seus livros, notadamente o *Passaporte para Magônia*, no qual argumenta que o fenômeno Ufo precisa ser compreendido no contexto maior do mito, folclore e aparições, em vez de ser tratado como um fenômeno exclusivo do século XX. Entretanto, a grande dificuldade na mudança de paradigma está em decifrar quais partes da visão atual do problema atrapalham o caminho da solução. Como mostrou o exemplo da revolução copernicana, podemos passar séculos tentando resolver as dificuldades em um sistema até alguém perceber onde se encontram, de fato, essas dificuldades. Antes da época de Copérnico, ninguém considerava a possibilidade de que o problema com Ptolomeu não eram seus cálculos nem suas geometrias, mas a pressuposição óbvia, do senso comum, que ele compartilhava com todas as pessoas: o Sol gira em torno da Terra.

Com isso em mente agora, examinemos os pontos em que a pesquisa do fenômeno Ufo estagnou de forma dramática e vejamos o que isso revela acerca dos problemas nesse estudo.

Hipóteses infalsificáveis

Um dos aspectos mais problemáticos da controvérsia em torno dos Ufos é a maneira como os proponentes das duas hipóteses principais tentam emprestar reputação pública da ciência para suas opiniões. De um modo geral, os defensores da hipótese nula são mais bem-sucedidos nessa tentativa, principalmente porque o cenário dos contatados dos anos 1950 e 1960 prejudicou a hipótese extraterrestre com sua aura de misticismo, despertando a indignação dos partidários da ortodoxia científica desde então. Entretanto, afirmar que uma ou outra opinião acerca das origens e natureza dos Ufos é "científica" ou "anticientífica" mostra grande ignorância a respeito da ciência.

Em suas fundações, a ciência é simplesmente um método para testar afirmações acerca da natureza do universo material; é um método, não um corpo de doutrinas. Qualquer proposição quanto a qualquer campo da experiência humana pode ser explorada de uma maneira científica. Pode ser mais fácil obter resultados em algumas áreas da experiência humana que em ouras, mas a única coisa que determina se uma crença é científica ou não é se ela foi testada pelo método científico.

Esse método segue um processo de quatro passos, simples, porém preciso. O primeiro passo é identificar o problema. No caso da revolução copernicana, era o fato de que o modelo do Cosmos proposto por Ptolomeu não fazia predições acuradas, por mais que se propusesse a tal. O segundo passo é escolher uma hipótese para explicar o que está acontecendo – de novo, no caso de Copérnico, a ideia revolucionária de que a Terra pudesse girar em torno do Sol, e não o contrário.

O terceiro passo é crucial e frequentemente mal compreendido nos debates populares sobre ciência. Tendo elaborado uma hipótese, o cientista não tenta comprová-la. Em vez disso, ele se empenha em *negá-la*, testando a hipótese em um experimento no qual as coisas tenderão para um lado se a hipótese for verdadeira, e para outro se estiver errada. No caso de Copérnico, o teste foi apurar se o Cosmos com o Sol no centro exigia uma matemática menos trabalhosa e contava com cálculos melhores de movimento planetário do que um Cosmos com a Terra no centro.

No jargão dos cientistas, uma hipótese que pode ser testada assim repetidas vezes é uma hipótese *falsificável*. Se quiser ser útil para a ciência, uma hipótese tem de ser falsificável – isto é, seus defensores precisam oferecer algumas condições sob as quais admitem que a hipótese não seja verdadeira. Uma hipótese *infalsificável* é inútil, no ponto de vista científico. Se não pode ser contestada, não há como saber se é verdadeira ou não.

O quarto passo, enfim, é publicar os resultados do experimento com detalhes, para que todos os interessados sejam capazes de tentar o mesmo experimento e checar os resultados, testando a hipótese uma segunda vez. Quando uma hipótese é testada repetidamente dessa maneira, torna-se aceita como base para mais pesquisas –, porém sempre poderá ser contestada depois, se alguém realizar um experimento diferente, mostrando que ela não corresponde aos fatos.

Tudo isso aponta para as dificuldades básicas na compreensão do fenômeno Ufo, porque as duas principais hipóteses na controvérsia atual são infalsificáveis. Nenhuma das duas pode ser negada, para a satisfação de seus defensores, com base nas evidências disponíveis. Em um estudo feito em 1997, Charles Ziegler explicou que as afirmações acerca do caso Roswell (1947) chegaram a esse *status* na comunidade ufológica muito tempo atrás: "Os ufólogos podem definir a natureza das evidências governamentais que eles estariam dispostos a aceitar como prova conclusiva de que não há acobertamento nem visita de extraterrestres? Creio que a resposta é não, pois qualquer evidência desse tipo seria considerada um elemento do acobertamento".[108]

Essa mesma observação pode se aplicar à hipótese extraterrestre como um todo. Nada no escopo geral do comportamento dos Ufos contribui para pôr em teste a hipótese extraterrestre e mostrar se os Ufos são espaçonaves alienígenas ou não. Isso se deve, em grande parte, ao fato de a hipótese extraterrestre ser aquilo que a teoria lógica de uma época passada chamava de argumento oriundo da ignorância. Já que nada sabemos acerca das capacidades de uma civilização extraterrestre viajar pelo espaço – aliás, apesar do imaginário da ficção científica, não sabemos com certeza nem se existem civilizações extraterrestres com a capacidade de viajar pelo espaço –, qualquer comportamento por parte dos Ufos pode ser compatível com a HET. Se eles se movem e agem como corpos físicos, isso sustenta a afirmação de que são espaçonaves; se aparecem, desaparecem e fazem manobras impossíveis para um corpo sólido, isso nos mostra como sua tecnologia é avançada; se são detectados em radares, é uma evidência de sua existência; se não são, devem possuir algum tipo de tecnologia de camuflagem muito além de nossa compreensão, e assim por diante. Quaisquer que sejam as evidências, a HET tem uma explicação para elas.

Essa espécie de não lógica é duramente criticada pelos defensores da hipótese nula.[109] A ironia aqui é que eles são tão culpados de defender uma hipótese infalsificável quanto seus adversários. O argumento comum da HN de que todos os Ufos são fraudes, alucinações ou erros de interpretação de objetos comuns até que se prove o contrário é o caso do que discutimos aqui. Se aplicarmos o mesmo padrão a quase todos os tipos de fenômenos, a falha da HN será a mesma. É impossível provar sem a menor dúvida, por exemplo, que as aterrissagens na Lua das naves Apollo, de fato, ocorreram. Uma grande quantidade de evidências corrobora a afirmação, claro, mas os descrentes sempre podem dizer que tudo não passou de uma fraude gigantesca, sustentada por alucinações e erros de interpretação. Tente provar que estão errados!

---

108. Saler, Ziegler, e Moore (1997, p. 70).
109. Sheaffer (1981) é um ótimo exemplo.

Da mesma forma, nada no escopo do comportamento dos Ufos permite passar a hipótese nula por um teste definitivo, porque qualquer coisa pode ser compatível com ela. Se alguém vê uma luz no céu, os defensores da HN podem dizer que deve ser um planeta ou uma estrela; se a luz não se comportou como planeta ou estrela, a testemunha devia estar bêbada ou alucinando; se a testemunha afirma que o objeto pousou em um terreno próximo, deve estar mentindo; se a investigação revelar marcas de pouso nesse terreno, essas marcas devem ter sido feitas por algum impostor, e assim por diante. Qualquer que seja evidência, a HN tem uma explicação.

Os defensores da hipótese nula afirmam, às vezes, que aceitariam a hipótese extraterrestre se o típico disco voador aterrissasse no gramado da Casa Branca e dele saísse sua tripulação de homenzinhos verdes de outro planeta. Esse é um passo na direção certa – a grande maioria dos partidários da HET não parece disposta a citar evidência alguma que os faria mudar de lado –, mas ainda não é científico. Se aprendemos algo definitivo acerca dos Ufos nos últimos 60 anos é que eles não fazem aparições públicas desse tipo; insistir, portanto, que a única evidência aceitável seria algo que o fenômeno não produz é nada mais que outra evasiva. Para ser científico, um estudo dos Ufos teria de fazer previsões testáveis quanto ao comportamento observado do fenômeno, em vez de exigir condições contrárias aos fatos observados e cantar vitória quando tais condições não ocorrem.

A decisão tomada pelos dois principais lados conflitantes na controvérsia dos Ufos de adotar hipóteses infalsificáveis só serve para afastar cada vez mais a solução do fenômeno. Em vez de abordar o fenômeno Ufo como um mistério a ser resolvido, ambos os lados pressupõem que sua solução preferida é a correta por suas autoevidências e se empenham em tentar comprová-la para o resto do mundo. Por trás desse esforço mal dirigido há outra fonte de confusão: a relação embaralhada entre conhecimento e autoridade em uma era de ciência institucionalizada.

Lutas pela legitimidade

Essa relação moldou de maneiras diversas os dois lados da controvérsia. No início dos anos 1950, como vimos na Parte I deste livro, muitos defensores da hipótese extraterrestre concentravam seus esforços para que o fenômeno Ufo fosse reconhecido como merecedor de um estudo científico sério.[110] As organizações ufológicas concorrentes tentavam

---
110. Ver Jacobs (1983).

atingir essa meta por caminhos diferentes. Para o NICAP, a legitimidade viria por meio de audiências no Congresso que removeriam o véu do acobertamento da Força Aérea e revelariam, de uma vez por todas, que os militares norte-americanos sabiam que os Ufos eram espaçonaves extraterrestres. Para a APRO, o reconhecimento viria por meio de investigações e divulgações dos avistamentos de Ufos até que o volume de provas tornasse impossível negar a origem extraterrestre desses objetos. Outros grupos ou pesquisadores individuais buscavam o graal da legitimidade por outros caminhos.

Havia, contudo, uma ironia dupla nessa busca por legitimidade. Em primeiro lugar, o movimento ufológico começou a distorcer seus próprios dados por questão de aceitabilidade. O NICAP, na vanguarda do movimento, por muitos anos usou uma política estrita de desconsiderar quaisquer relatos de Ufos que incluíssem pousos ou presença de ocupantes, por mais confiáveis que fossem as testemunhas. O motivo dessa política era o fato de esses relatos serem de mais difícil aceitação pelo público em geral, comprometendo assim a meta de tornar o fenômeno respeitável.[111] A APRO tinha padrões um pouco mais lenientes, um fator que ajudava a alimentar querelas dentro do movimentos. Ainda assim, as diferenças não passavam de uma questão de grau; durante os anos 1950 e 1960, por exemplo, o NICAP, a APRO e todas as outras organizações de pesquisa ufológica fora do meio dos contatados zombavam publicamente das histórias de contatos com extraterrestres e se preocupavam discretamente que os contatados deixassem a comunidade científica e o público em geral com um pé atrás contra os Ufos. O resultado foi um retrato do fenômeno apresentado pelos grupos de pesquisa moldado mais de acordo com o que lhes parecia plausível do que com as experiências que as pessoas estavam vivendo em relação aos avistamentos de Ufos.

A segunda ironia complementava a primeira, porque a busca por legitimidade sempre fora uma tarefa de tolo, desde o início. Um dos mitos mais duradouros da cultura ocidental contemporânea é o de que o conhecimento científico está por fora dos motivos e das pressões que moldam todas as instituições humanas. Isso é o que os cientistas gostariam que fosse verdade, mas nada tem a ver com as realidades de pesquisa e publicação no mundo altamente competitivo e politizado da comunidade científica da atualidade. Como apontam os sociólogos há décadas, as forças que dão forma ao que é aceitável ou não quanto a moral, boas maneiras e todo tipo de discurso público agem com a

---
111. Ibidem (p. 221).

mesma eficácia nas ciências. Essas forças, por sua vez, desempenham um papel importantíssimo no modo como a prática científica define o modelo convencional de realidade em nossa cultura.

Em seu livro *Deviant Science*, James McClenon explica que a comunidade científica – assim como qualquer outra comunidade – se define, em grande parte, por aquilo que ela exclui.[112] Uma igreja, um clube, um bairro ou uma nação salvaguarda sua identidade quando se distancia de pessoas que não se enquadram em suas qualificações e ideias contrárias às suas opiniões e valores; a comunidade científica age da mesma maneira. Pessoas sem doutorado, ou ao menos algumas publicações em periódicos de seu campo científico, são tão bem-vindas nas discussões científicas quanto os afro-americanos são bem-vindos em um clube de campo racista; em outra analogia, as ideias de forasteiros que desafiam teorias aceitas a respeito da natureza são tão malvistas nos círculos científicos quanto seria a veneração ao Diabo em uma igreja cristã conservadora.

O relacionamento entre uma comunidade e os indivíduos por ela excluídos tem um aspecto fascinante. Se a afiliação a tal comunidade possui valor reconhecido por quem está de fora, os *outsiders* (ou forasteiros) costumam copiar os costumes e crenças da comunidade, esperando ser aceitos por ela se adoram seus padrões. Como a comunidade se define por meio daquilo que ela exclui, porém, essas tentativas desencadeiam o que os sociólogos chamam de "pânico de *status*". Como resultado, quanto mais os forasteiros se empenham em se enquadrar, mais rápido se veem barrados e mais rígidas se tornam as fronteiras. Assim como o racismo no sul dos Estados Unidos se tornou cada vez mais extremo e violento na proporção em que os afro-americanos adotavam a cultura e os valores dos brancos na primeira metade do século XX, para depois diminuir novamente quando os afro-americanos passaram a afirmar sua identidade como grupo étnico e cultural distinto após os anos 1960, também a comunidade científica sempre reservou as palavras mais duras contra os grupos excluídos que tentavam, a todo custo, se enquadrar nas normas científicas.[113]

Essa foi a armadilha que se fechou em torno do movimento ufológico, quando este se embrenhou em uma campanha para tornar o

---

112. Ver McClenon (1984), principalmente p. 38-78.
113. Comparemos, por exemplo, a reação pública relativamente pacífica da comunidade científica ao Budismo e à magia cerimonial hermética – dois movimentos ativos e populares no mundo ocidental contemporâneo que promovem visões de mundo não científicas, mas não afirmam ser científicos – com a reação da mesma comunidade à parapsicologia, à ciência da criação e aos estudos dos Ufos, todos os quais afirmam ser científicos.

fenômeno um campo legítimo de pesquisa científica. Uma vez que os Ufos ficaram estigmatizados nos círculos científicos como assunto de loucos – processo que já se desenrolava nos anos 1950 e se completou no fim daquela década –, os esforços do movimento para mostrar que o tema satisfazia as exigências da comunidade científica simplesmente fez com que essa comunidade apertasse ainda mais as exigências e condenasse o tema com maior ferocidade.

Assim, enquanto os defensores da hipótese extraterrestre se embrenhavam em uma busca fútil por respeitabilidade, os partidários da hipótese nula se esforçavam para definir sua posição nos termos de uma das narrativas favoritas da comunidade científica. No fim do século XIX e começo do XX, escritores influentes como Andrew Dickson White abordavam a luta entre a teoria evolucionária de Darwin e o conservadorismo cristão como o *leitmotif* de toda a história da ciência.[114] Sua visão histórica descrevia cientistas visionários como os defensores da razão e da verdade contra as forças da ignorância e superstição – isto é, nos termos da narrativa, a Igreja Cristã. Enquanto historiadores da ciência descartaram essa abordagem há quase um século, uma história atraente foi criada, e desde meados do século XX tal história tornou-se fundamental para a autoimagem da comunidade científica.

Os defensores da hipótese nula descobriram as vantagens de tais argumentos e usaram a narrativa das forças da ignorância para denunciar seus antagonistas da hipótese extraterrestre, acusando-os de inimigos da ciência e da razão, ou ridicularizando-os como mentirosos ou tolos.[115] Esse hábito persuasivo contribuiu muito para o advento de uma cultura de intolerância mútua na controvérsia em torno dos Ufos, que ajudou os membros dos dois times a assumir posições cada vez mais extremas e, no processo, obscureceu ainda mais o próprio fenômeno. Ao mesmo tempo, levou muitos defensores das duas hipóteses a trocar uma abordagem científica dos Ufos por uma retórica.

As diferenças entre as duas não são pequenas. A retórica começa com uma hipótese e, em seguida, tenta prová-la, enfatizando seus pontos fortes e escondendo os fracos por meio de um habilidoso uso das palavras. Em contraste, como já vimos neste capítulo, a ciência começa com uma hipótese e tenta negá-la, fazendo previsões que podem ser testadas, deixando que os fatos, não as palavras, mostrem a conclusão final. Embora os partidários das duas principais hipóteses tentassem se revestir do prestígio da ciência, eles adotaram métodos de retórica;

---

114. White (1896).
115. Ver, por exemplo, o último capítulo de Sheaffer (1981) e tudo em Sagan (1995).

e os resultados foram anticientíficos em todos os sentidos. Quando os defensores da hipótese extraterrestre assumiram a missão de provar ao mundo descrente a origem extraterrestre dos Ufos, e os defensores da hipótese nula se encarregaram da tarefa de defender a ciência e a racionalidade da crescente onda de desilusão popular, as chances de uma solução sensata para o mistério dos Ufos se tornaram parcas.

Parcialidade de confirmação

A tática dos dois lados varia em grande parte porque utiliza diferentes métodos retóricos para defender uma teoria, em vez de atacá-la. Quando a hipótese extraterrestre se tornou a interpretação básica para avistamentos de objetos estranhos no ar – processo que, como vimos, se iniciou muito antes da primeira onda moderna de Ufos em 1947 e se completou em meados dos anos 1950 –, o debate em torno dos Ufos se assentou no molde familiar de um grupo "pró-Ufo", defendendo a origem extraterrestre de qualquer estranheza nos céus, e um grupo "anti-Ufo" que ataca essa visão, na esperança de substituí-la pela hipótese nula. Em grande parte, esses papéis determinaram o rumo dos argumentos que se seguiram.

Definindo o debate nesses termos, os proponentes da hipótese extraterrestre tinham duas vantagens retóricas enormes. A primeira é um lugar-comum na retórica: é muito mais fácil provar que algo é real que irreal. Os crentes da hipótese extraterrestre tinham apenas que afirmar categoricamente que pelo menos *um* Ufo veio de outro planeta, enquanto os crentes da hipótese nula teriam de provar que todos os Ufos eram qualquer coisa, exceto espaçonaves extraterrestres. Isso fez da controvérsia em torno dos Ufos uma série de debates em torno de um punhado de casos de alto perfil que pareciam corroborar a HET.

O problema dessa mudança de foco no debate é que ele acentuou um problema já sério com a parcialidade de confirmação. *Parcialidade de confirmação* é o que os psicólogos chamam de hábito humano de procurar evidências que sustentam as próprias crenças, em vez de evidências que as desafiam. O método científico é basicamente um método de confirmação em curto-circuito, fazendo com que os pesquisadores tentem desacreditar suas próprias teorias.

Quando os defensores da HET tentaram provar que estavam certos, em vez de testar sua teoria, eles abriram a porta para a parcialidade de confirmação; mas a busca do caso perfeito – o avistamento que provaria de maneira definitiva que a Terra é visitada por seres de outros planetas – tornou praticamente impossível evitar a parcialidade de confirmação.

Como os candidatos para o caso perfeito eram, por definição, aqueles que pareciam se encaixar melhor na HET, o debate ufológico se direcionou para os aspectos do fenômeno que corroboravam a origem alienígena dos Ufos, evitando os outros.

A segunda vantagem dos partidários da hipótese extraterrestre exacerbou o mesmo efeito. É mais fácil construir um argumento com base em pressuposições inquestionáveis de todos os envolvidos no debate do que questionar essas mesmas pressuposições. Por volta de 1955, a maioria dos norte-americanos não tinha mais noção de que a sigla *Ufo* indica "um objeto no ar que não foi identificado"; não é sinônimo de "espaçonave extraterrestre". Os devotos da hipótese nula caíram nessa lógica duvidosa tão facilmente quanto seus adversários do time extraterrestre; os defensores da HN simplesmente usaram a pressuposição anterior para afirmar que, uma vez que não existiam espaçonaves extraterrestres, os Ufos também não existiam.

Essa suposição, contudo, permitiu que os defensores da hipótese extraterrestre usassem qualquer evidência da realidade física dos Ufos ou a confiabilidade das testemunhas como munição para suas opiniões. Também puderam apontar as falhas nas explicações do adversário, levantar dúvidas quanto às alegações deles de que determinado avistamento seria fraude, alucinação ou erro de interpretação; afirmaram, enfim, que, sendo todas as outras opções excluídas, a única possibilidade restante era uma espaçonave de outro planeta. Claro que havia muitas outras possibilidades, mas qualquer exploração dessas opções teria de vencer a inércia de uma pressuposição que poucos participantes do debate questionariam. Novamente, a parcialidade de confirmação tomou conta e distorceu as evidências em favor de uma conclusão preconcebida.

As recentes brigas entre os defensores do "ET bom" e do "ET mau" na hipótese de abdução mostram com total clareza os problemas desse tipo de pensamento. Ambos os lados têm exatamente as mesmas evidências para suas crenças: os testemunhos não corroborados, quase sempre extraídos via hipnose, de pessoas que afirmam ter sido abduzidas por extraterrestres. Os dois lados afirmam que suas evidências são válidas, enquanto insistem que as do outro lado não o são; e que nenhuma das outras histórias extraídas pelo mesmo procedimento hipnótico, a saber, rituais satânicos, têm qualquer relevância. Em outras palavras, segundo os partidários dos dois lados, aquilo que torna a evidência confiável é o fato de que ela corrobora seu ponto de vista. Isso é parcialidade de confirmação com vingança e quase justifica os julgamentos duros feitos pelos defensores da hipótese nula contra a hipótese adversária.

A forma extrema de parcialidade de confirmação é a crença de que, se determinada afirmação for verdadeira, qualquer evidência que a corrobora também deve ser. Essa falta de lógica é constantemente usada pelos defensores da hipótese extraterrestre na trajetória da controvérsia em torno dos Ufos. Em muitos casos, informações gritantemente falsas são aceitas por ufólogos sem questionamento, simplesmente porque elas sustentam seu ponto de vista.

Um exemplo dentre tantos é o suposto acidente de um Ufo em Aztec, Novo México, em 1949. Divulgado pela primeira vez em 1950 por Frank Scully, em seu livro *Behind the Flying Saucers*, a história de Aztec foi desmascarada em 1953 como uma fraude elaborada por dois vigaristas profissionais e passadas a Scully em troca de dinheiro. Logo em seguida, o caso saiu do debate ufológico e ninguém mais, exceto os detratores da ufologia, voltou a mencioná-lo nas duas décadas seguintes.

No fim dos anos 1970, porém, o defensor da HET, Leonard Stringfield, ressuscitou a farsa de Aztec como um dos casos em meio à ladainha de Ufos acidentados e recolhidos pela Força Aérea. Desde então, a história é repetida por muitos defensores da hipótese extraterrestre. Ao mesmo tempo, muitos detalhes citados por Scully, em seu livro sobre o acidente em Aztec, ressurgiram, às vezes literalmente, em relatos do caso Roswell divulgados nos anos 1980. Em seu estudo do caso Roswell como mito moderno, Charles Ziegler argumenta que a história mostra como os contos populares crescem se apoderando de temas e detalhes de outras fontes.[116] Pode-se argumentar, também, que os detalhes passaram de uma história para outra com o intuito de ajudar na defesa da HET.

Falácias lógicas

O lado da hipótese nula cometeu muitas falhas de lógica. Seus críticos teriam somado muito mais forças se o lado deles, por sua vez, estivesse livre de raciocínio deturpado. No entanto, a realidade está desconfortavelmente longe desse ideal. Assim como os defensores da hipótese extraterrestre se tornaram vítimas da flagrante parcialidade de confirmação em seus esforços para provar que suas crenças eram verdadeiras, os partidários da hipótese nula se deixaram seduzir pelas

---

116. Ver Saler, Ziegler e Moore (1997).

eficientes armas retóricas contra seus oponentes, entregando-se, assim, à confiança nas falácias lógicas.

Uma falácia, na linguagem da lógica, é um argumento plausível que se baseia em um pensamento falso. A maioria das falácias conhecidas dos lógicos modernos foi analisada séculos atrás na Idade Média; até hoje, elas são chamados por seus nomes latinos medievais. As falácias da hipótese nula derivam desses estudiosos lógicos clássicos, mas se apresentam de modos altamente imaginativos para satisfazer as necessidades dos cavaleiros da detração. Os argumentos resultantes são distintos o suficiente para que ao menos três deles recebam um nome próprio.

A primeira dessas três falácias distintas foi definida pelas palavras "Afirmações extraordinárias exigem uma prova extraordinária". Não há um consenso quanto a quem formulou esse adágio em primeiro lugar, mas ele costuma aparecer nos escritos do falecido membro do CSICOP, o detrator Carl Sagan, daí o nome plausível de "falácia de Sagan".[117] Como a maioria das falácias, esta parece sensata à primeira vista, mas por trás dela há uma distorção drástica da lógica. O que esse adágio significa é que a evidência para um conjunto de afirmações – "afirmações extraordinárias" – deve ser julgada por um padrão diferente e mais restritivo de evidências que as outras afirmações.

Mas, afinal, o que é uma afirmação extraordinária? O avistamento de Ufo por Jimmy Carter, em 1969, é um bom exemplo. O que sabemos acerca do avistamento é que um grupo pequeno de empresários viu uma luz incomum no céu por alguns minutos. A declaração de Robert Sheaffer de que as testemunhas viram o planeta Vênus e sofreram uma espécie de alucinação coletiva, na qual o planeta parecia ficar vermelho e se aproximar a algumas centenas de metros deles, é tão extraordinária quanto a sugestão de que as pessoas avistaram algo diferente no céu e relataram o objeto conforme o viram. Se o mesmo grupo de homens tivesse visto um parélio ou um raio globular,[118] Sheaffer provavelmente teria aceito o depoimento deles como algo corriqueiro. A única coisa que torna o avistamento de Carter "extraordinário" é que os defensores da hipótese nula insistem em dizer que ele não aconteceu.

Essa questão pode ser explicada em termos mais gerais. As evidências citadas até hoje para a real existência dos Ufos – não de espaçonaves extraterrestres, mas simplesmente de coisas vistas nos céus

---

117. A autoria original dessa citação é discutível, mas seu primeiro surgimento documentado parece de fato ter sido em Sagan (1972, p. 62).
118. Ver Greenler (1980) e Walker (1980).

que não são devidamente identificadas por testemunhas ou investigadores, ou seja, o significado verdadeiro do termo – seriam aceitas pela maioria dos cientistas, se elas envolvessem algo aceito no escopo conhecido de fenômenos naturais. A falácia de Sagan tenta justificar essa divergência, mas com isso violam-se várias regras básicas da lógica. É uma das falácias clássicas, cujo nome latino é *petitio principii*, insistir que a evidência para um lado de uma disputa deve ser julgada por um padrão diferente da evidência do outro lado da disputa. Outra falácia clássica, *consensus gentium*, é a insistência de que, uma vez que uma comunidade de pessoas acredita em uma coisa, essa coisa é verdadeira. A falácia de Sagan mistura as duas em um triunfo de raciocínio circular. Quando determinada afirmação é rotulada de falsa pelos detratores, a evidência que a corrobora é automaticamente considerada menos válida que a evidência que a nega, porque os padrões de prova que se aplicam a todas as outras afirmações – e, em particular, às afirmações dos detratores – já não se aplicam a ela. Em outras palavras, como os Ufos não existem, qualquer evidência oferecida para provar sua existência deve ser invalidada; e a falta de evidências válidas mostra que eles não existem.

A segunda falácia básica subjacente à hipótese nula também deriva de *petitio principii*. Deveria ser chamada de falácia de Menzel, oriunda de Donald Menzel, que a usou e abusou em seus escritos a respeito dos Ufos. Essa falácia se fundamenta na pressuposição não dita de que o ônus da prova nunca recai sobre a hipótese nula. Ou seja, qualquer argumento que se oponha à HN é presumido como falso, a menos que o outro lado prove que é verdadeiro. Porém, qualquer argumento que favoreça a HN é presumido como verdadeiro, a menos que o outro lado prove que é falso – não para os observadores imparciais, claro, mas para a satisfação dos defensores dessa hipótese. Tal lógica duvidosa tem permitido aos detratores o uso leviano da boa arte da hipótese *ad hoc*.

No jargão da ciência, uma hipótese *ad hoc* é uma explicação postulada depois do fato, com o intuito de explicar os resultados de um experimento. Na ciência, uma hipótese *ad hoc* não testada tem apenas um pouco mais de sustentação que uma hipótese infalsificável, porque é possível explicar tudo usando uma ou outra. A hipótese *ad hoc* é potencialmente mais útil porque pode ser testada em outros experimentos, sendo comprovada ou desacreditada pelos resultados.

É exatamente isso que os defensores da hipótese nula não fazem. Pelo contrário, tratam qualquer hipótese *ad hoc* que sustenta suas posições como uma "solução", mesmo que não tenha passado por um teste experimental. Quando Robert Sheaffer anunciou que os detratores haviam resolvido todos os casos não explicados no relatório do Comitê Condon,[119] por exemplo, isso significa, na verdade, que eles simplesmente propuseram hipóteses *ad hoc* para explicar cada um dos avistamentos de acordo com sua satisfação. Isso em nada difere do que os defensores da hipótese extraterrestre fizeram com os mesmos avistamentos; a escolha de explicações foi a única diferença notável.

Um dos exemplos clássicos dessa falácia é a própria resposta de Menzel ao avistamento de Nash-Fortenberry, em 1952.[120] Nesse caso, descrito no Capítulo 2, o piloto e o copiloto de um avião comercial relataram ter visto uma série de discos vermelhos brilhantes se deslocando no ar em alta velocidade. Menzel imediatamente procurou a mídia e anunciou que os discos eram luzes da cidade refletidas em neblina, nuvens ou umidade. Quando a pesquisa mostrou que o céu estava completamente claro, e a umidade baixa, Menzel anunciou que o avistamento fora causado por vaga-lumes, que, de alguma forma, ficaram presos entre os vidros interno e o externo das janelas da cabine. Quando o defensor da HET, James McDonald, ressaltou que nenhum traço dos supostos vaga-lumes foi encontrado, Menzel apresentou uma terceira solução: Nash e Fortenberry tinham visto um planeta. Em nenhum momento ele ofereceu qualquer evidência de suas afirmações, muito menos propôs que fossem hipóteses falsificáveis sujeitas a comprovação ou negação por meio do método científico; eram simplesmente hipóteses *ad hoc* com o intuito de explicar um avistamento perturbador.

O próprio Sheaffer deu um bom exemplo da falácia de Menzel em sua tentativa de descartar o caso de Barney e Betty Hill como um avistamento do planeta Júpiter. Disse:

> *Para algumas pessoas, parece incrível que qualquer indivíduo são confundiria um planeta distante (se brilhante) com uma nave estruturada e próxima, com janelinhas e rostos de extraterrestres espiando por elas. Mas os exemplos de numerosos outros casos de Ufos provam de maneira conclusiva que foi exatamente o que aconteceu.*[121]

Claro que isso não prova coisa alguma do que ele diz, pois a afirmação de Sheaffer só indica que o mesmo tipo de hipótese *ad hoc* sem testes foi aplicado pelos detratores a outros casos ufológicos. Como

---
119. Sheaffer (1981, p. 15).
120. Ver Nash e Fortenberry (1952) e Tulien (2002).
121. Sheaffer (1981, p. 35).

é justamente a validade da hipótese que se questiona, não há garantia alguma de seu valor. Se Sheaffer tivesse apresentado evidências de que tamanhos desvios dos sentidos ocorrem em casos relacionados à controvérsia ufológica, toda a questão seria diferente, pois, como veremos, existem realmente fenômenos que podem causar experiências como a relatada pelo casal Hill. Entretanto, insistir que as testemunhas de Ufos veem planetas e que os detalhes não explicados por essa hipótese são provocados por algum fator que causa distorção visual enquanto alguém olha para um planeta é o pior tipo de lógica errônea.

A terceira falácia da hipótese nula vem de outro departamento de raciocínio errôneo, tão comum nos esforços dos detratores que deveria simplesmente ser chamada de Falácia do Detrator. Trata-se da insistência em afirmar que, se ninguém sabe a causa de um evento incomum, ou a causa não se encaixa nas teorias científicas atuais ou o evento nunca ocorreu.

No jargão do lógico, a Falácia do Detrator é uma falácia de composição, na qual duas questões são aglutinadas de modo que a resposta a uma parece uma resposta à outra também. Em termos de lógica, "X aconteceu?" não é a mesma pergunta que "O que causou X?". Ademais, alguém pode ter uma resposta errada, ou não ter resposta à segunda pergunta, mas, mesmo assim, dar uma resposta correta à primeira.

Esse hábito tem sido um problema perene nas pesquisas científicas nos últimos cento e poucos anos, em contextos que nada têm a ver com o fenômeno Ufo. Um dos erros mais embaraçosos nas ciências geológicas do século XX – a rejeição da deriva continental entre 1923 e 1969 – teve suas origens nessa falácia.[122]

Em 1923, o geólogo e explorador alemão Alfred Wegener propôs que os continentes da Terra estavam todos unidos em uma única massa e, aos poucos, se separaram até chegar às suas posições atuais ao redor do globo. Ele tinha dados importantes para sustentar tal afirmação: os contornos continentais se encaixam como peças de um quebra-cabeça, com formações rochosas no leste da América do Sul que continuavam sem interrupção nas áreas correspondentes do oeste da África; formas de vida fóssil encontradas somente em seções de Terra que deviam ter sido uma antes; e muito mais informações do mesmo gênero.

Apesar de todas essas evidências, duas dificuldades impediram que a teoria de Wegener fosse aceita, ou sequer levada a sério, pelos geólogos da época. Em primeiro lugar, ela contradizia as teorias geológicas em voga na época, segundo as quais os continentes se formaram à

---

122. Ver Oreskes (1999) para um bom estudo histórico da rejeição da deriva continental.

medida que a Terra recém-nascida esfriava e contraía a partir do magma original. A segunda dificuldade era que Wegener não tinha uma boa explicação para a força que causara a separação da massa única em continentes. Ele especulou que as massas continentais, feitas de rochas graníticas, mais leves, "flutuaram" sobre as rochas basálticas mais densas dos leitos oceânicos, mas nem ele nem seus poucos seguidores foram capazes de sugerir uma força impulsionadora que permitisse a deriva continental dessa maneira.

A controvérsia resultante na geologia dos anos 1920 tem paralelos incômodos com o debate ufológico das últimas seis décadas. Os geólogos convencionais declararam que as afirmações de Wegener acerca da deriva continental estavam incorretas e que, portanto, a deriva nunca existiu. Todas as evidências apontando para a deriva continental foram descartadas por hipóteses *ad hoc*, que, se vistas em retrospecto, tinham uma semelhança notável com os vaga-lumes imaginários de Menzel.

Isso prosseguiu por quase meio século, até que o equivalente geológico de um disco voador estacionou no gramado da Casa Branca: levantamentos magnéticos da Dorsal Mesoatlântica mostraram evidências inquestionáveis do leito oceânico se espalhando e revelaram qual era a força impulsionadora da deriva continental, comprovando assim a teoria de Wegener. De pseudociência, ela se transformou em um dos fundamentos da geologia moderna. Até então, contudo, vários ramos da geologia desperdiçaram meio século tentando entender a formação de continentes e oceanos com base em uma teoria imprecisa.

Esse processo não se restringe à história da deriva continental, tampouco à controvérsia em torno dos Ufos. O estudo do raio globular – uma forma incomum de descarga elétrica que ocorre de vez em quando durante tempestades – sofreu as mesmas dificuldades. Ninguém até hoje propôs uma teoria trabalhável que explique o comportamento observado do raio globular, e uma facção significativa entre os meteorologistas insiste em afirmar que ele não existe.[123]

Apesar de tudo, o mistério dos Ufos talvez ainda seja o exemplo mais extremo dessa falácia na ciência do século XX. Nas últimas seis décadas, milhares de pessoas no mundo inteiro viram luzes estranhas se movendo nos céus. Muitas dessas pessoas não foram capazes de explicar o que observaram e várias outras recorreram a explicações – em particular, a hipótese extraterrestre – que não podem ser justificadas pelas evidências, assim como os continentes de granito de Wegener flutuando sobre leitos oceânicos de basalto não podiam ser explicados

---

123. Stenhoff (1999) dá uma boa explicação da ciência do raio globular.

pelo conhecimento geológico dos anos 1920. Permanece o fato de que muita gente passou, realmente, pela experiência que afirma ter passado; e ao se fixar na explicação inaceitável em vez da experiência inexplicável, a ciência não fez seu trabalho.

O poder da narrativa

Embora, sem dúvida, muitas testemunhas de Ufos de fato viram alguma coisa, isso gera uma pergunta maior, porque o que elas viram e o que relataram varia de modo drástico entre um avistamento e outro e entre um contato imediato e outro. Uma das maiores perplexidades do mistério dos Ufos é que o fenômeno exibe pouquíssimas regularidades internas. Isso levanta uma possibilidade raramente considerada: um fenômeno que se comporta de maneira tão inconsistente pode, na verdade, não ser um fenômeno único.

Deixemos de lado as fontes óbvias de confusão: planetas, estrelas, aviões, meteoros e outras coisas que podem levar as pessoas a achar que viram algo estranho no céu. O que sobra? Se a hipótese extraterrestre estivesse correta, o restante dos avistamentos não explicados cairia em padrões distintos, repetidos, que nos diriam algo a respeito de naves alienígenas visitando os céus da Terra. Se a hipótese nula estivesse correta, esses avistamentos não seriam explicados simplesmente por falta de informação ou erros de interpretação, e eles se enquadrariam em padrões que refletem intimamente a visão de objetos comuns.

Entretanto, não é isso que as evidências ufológicas mostram. Por trás da narrativa ufológica atualmente aceita de discos prateados pilotados por Grays de olhos grandes, se encontra um fenômeno impossível de absorver integralmente – uma fantasmagoria que parece seguir a lógica do sonho e do mito, em vez da mecânica da viagem interestelar ou, nesse contexto, das crenças populares. Reflexões desse tipo levaram pesquisadores tão diferentes, como Carl Jung e John Keel, a explorar a possibilidade de que o fenômeno poderia ser mais bem explicado com as ferramentas do mitólogo do que do cientista, e tais explorações se revelaram valiosas. Ainda assim, é possível que muito mais esteja acontecendo do que os olhos miticamente literatos possam ver.

Em suas pesquisas diferentes sobre os Ufos como mito moderno, tanto Keith Thompson quanto Curtis Peebles identificaram o furor dos avistamentos e das histórias veiculadas na mídia após o avistamento de Kenneth Arnold como a fundação do mito, a "Primeira Vez" que tomaram forma as narrativas que regulariam todo o fenômeno. Se olharmos para o mistério dos Ufos como uma peça teatral, perceberemos que, em 1947, ele já tinha seus atores e personagens definidos: testemunhas perplexas de variado nível de credibilidade, investigadores atrás de suas próprias ideias da verdade, com mais entusiasmo que bom-senso, repórteres e a mídia em geral mais interessados em uma boa matéria que nos fatos, e o Corpo de Aviação do Exército, que logo se tornaria a Força Aérea Norte-americana, anunciando explicações para os avistamentos que só faziam sentido para eles mesmos.

É óbvio que essa peça continha mais um personagem: dos próprios objetos misteriosos que posteriormente seriam chamados de Ufos. Esse papel fora esboçado séculos antes pelos primeiros autores a especular a respeito da existência de seres inteligentes em outros mundos, e o esboço foi aprimorado por muitas mãos no fim do século XIX e começo do XX. Quando Kenneth Arnold viu nove objetos estranhos acima das montanhas Cascade, todos nos Estados Unidos sabiam, bem no fundo da mente, como deveria ser uma espaçonave de outro planeta. Depois do avistamento épico de Arnold, muitas dessas pessoas viram aquelas ideias assumir forma concreta nos céus como discos voadores prateados.

Mas não foi isso que Kenneth Arnold viu. Esse detalhe é tão ignorado em muitos debates ufológicos que merece uma ênfase maior aqui. O formato distinto de Lua Crescente que Arnold descreveu voando perto do Monte Rainier nunca mais foi visto. O que as pessoas viam nos céus no verão de 1947 eram pequenos pontos ou discos prateados, sozinhos ou em formação aleatória, a grande altitude. O que elas julgaram ter visto, por outro lado, foi o produto de séculos de cultura popular, filtrado por meio de lentes tão diversas quanto o evangelho etéreo de John Ballou Newbrough, as capas lúridas das revistas de Raymond Palmer e a rede de ocultistas de Meade Layne, perscrutando os céus à espera de naves etéreas.

À medida que o fenômeno Ufo foi se desenrolando a partir de 1947, a mesma diferença entre o que as pessoas viam e como interpretavam o que viam só aumentou. Globos de luz colorida atravessavam a camada mais baixa da atmosfera, luzes brilhantes voavam bem acima e um fluxo constante de contatos exóticos trazia um clima de conto de fadas ao fenômeno. A passagem das décadas trouxe animais mortos nos campos, movimentou triângulos pretos no céu noturno, colocou vigilantes nas montanhas do deserto de Nevada e enviou centenas de pessoas aos consultórios de hipnotizadores amadores, de onde saíam convictas de ter sido abduzidas pelos Grays.

Tudo isso, por sua vez, alimentou uma crescente narrativa cultural em torno de visitantes de outros planetas pairando nos céus da Terra.

Outras coisas também contribuíram, claro. Na excitação do momento e no poder emocional da narrativa, porém, um detalhe importante foi mal colocado: o único fio ligando essas experiências fortemente diversificadas era a narrativa em si. Tiremos a expectativa de que qualquer coisa estranha vista no céu deve pertencer à narrativa das visitas extraterrestres, e o que sobra é um conjunto de fenômenos sem relação entre si, exceto pelo fato de terem sido forçados a desempenhar personagens na peça ufológica – uma peça cujo texto original foi escrito nas páginas das revistas de ficção científica *pulp* e tem muito mais a ver com os medos, as fantasias e o futuro imaginado da sociedade industrial moderna do que com qualquer outro fator.

De todas as fontes de equívoco moldando o fenômeno Ufo, o erro de tratá-lo como um fenômeno único é, sem dúvida, o maior. Esse erro sendo reconhecido e removido, todo o mistério adquire um formato radicalmente diferente. A melhor maneira de compreender esse formato é olhar melhor para as outras opções – as hipóteses a respeito das origens e as naturezas dos Ufos que não são abordagens pela hipótese extraterrestre nem pela nula.

Capítulo 6

As Hipóteses Não Examinadas

Uma boa visão dos obstáculos ao entendimento, explorados no capítulo anterior, é vital para compreendermos o mistério dos Ufos, porque o raciocínio circular e a falsa lógica envolvidos no tema são justamente o que fazem dele um mistério. No centro da maioria dos argumentos a favor da hipótese extraterrestre, como vimos, reside uma lógica duvidosa afirmando que, se um objeto desconhecido visto no ar não é uma alucinação, uma fraude ou um erro de identificação de algo comum, deve necessariamente ser uma espaçonave pilotada por seres de outro planeta.[124] Os defensores da hipótese nula, longe de desafiarem a lógica questionável, simplesmente a adotaram, argumentando que, se um objeto no ar não pode ser uma espaçonave alienígena, deve necessariamente ser uma alucinação, ou fraude, ou erro de interpretação de algo comum. Nenhuma das versões faz uma abordagem lógica – detalhe que, no entanto, não enfraqueceu o poder delas sobre a imaginação coletiva do mundo moderno.

Esse poder foi tão completo que os problemas cruciais com ambas as hipóteses raramente são notados, muito menos recebem a atenção merecida. Há muitas e ótimas razões para se pensar que os Ufos não são espaçonaves de outros planetas;[125] entretanto, a falha mais importante da hipótese extraterrestre, como já observamos, é que os "alienígenas" simplesmente não parecem tão alienígenas; aliás, às vezes, nem um pouco. Como vimos nos quatro primeiros capítulos deste livro, os supostos extraterrestres relacionados à narrativa ufológica são cópias fiéis das ideias terrestres populares acerca da vida extraterrestre, inventadas por autores de ficção científica e aprimoradas em vários sentidos, a serviço de uma crença no progresso que supre necessidades emocionais

---

124. Ver, por exemplo, entre centenas de escritos, Hynek, Imbrogno e Pratt (1998, p. 244-52), que apresenta exatamente esse argumento.
125. Vallee (1990) dá um bom resumo delas.

importantes em nossa sociedade atual, mas não têm necessariamente relevância com a realidade maior de vida no Cosmos.

Os verdadeiros alienígenas, em contraste, seriam, de fato, *alienígenas*. Seres inteligentes de um sistema estelar distante, moldados por uma biologia totalmente diferente e pelas pressões evolucionárias de outro mundo, não se pareceriam nem se comportariam da maneira que gostamos de imaginar, muito menos copiariam em detalhe a ficção e a mídia de uma geração anterior. Eles seriam, isso sim, tão diferentes que nem somos capazes de antever. Portanto, quando um defensor da hipótese extraterrestre insiste que um "um conjunto grande e consistente de evidências ufológicas... praticamente grita 'tecnologia extraterrestre'",[126] essa afirmação – que seria como dizer que as evidências ufológicas correspondem às nossas fantasias de como seria a tecnologia extraterrestre –, na verdade, depõe *contra* a HET. O problema básico com a hipótese nula é um pouco diverso. Apesar de todas as habilidades retóricas e falácias lógicas empregadas para encobrir a questão, é impossível descartar o fato de que algumas pessoas realmente veem coisas muito estranhas no céu. Por mais inflamadas que sejam as tentativas dos detratores de negar isso, a hipótese mais provável no caso de Jimmy Carter e seus colegas do Lions Club, por exemplo, é que eles viram algo fora do comum no céu da Geórgia na noite de 6 de janeiro de 1969. Do mesmo modo, e em grau maior, esses avistamentos clássicos de múltiplas testemunhas, como, por exemplo, o bumerangue de Winchester de 1983 e 1984, ou mesmo a onda original de discos prateados no verão de 1947, não podem simplesmente desaparecer com um mero aceno de mão retórico. As testemunhas daqueles avistamentos viram algo incomum e, para eles, desconhecidos; o fato de não ter sido uma espaçonave de outro planeta não prova que o avistamento não ocorreu.

Outras opções precisam ser levadas em conta. Nas margens da controvérsia em torno dos Ufos, uma gama enorme de hipóteses alternativas foi proposta. A maioria dos livros de ufologia ignora-as completamente; entretanto, são hipóteses que merecem atenção, mesmo porque algumas explicam os fatos do fenômeno, ao menos tanto quanto o fazem as alternativas mais populares. Vejamos uma por uma.

A hipótese antropogênica

Essa alternativa é a crença de que os Ufos são feitos e pilotados por seres humanos aqui da Terra. Em termos históricos, a hipótese antropogênica

---

126. Donderi (2000, p. 56).

foi a primeira explicação grandemente aceita para o fenômeno Ufo. O próprio Kenneth Arnold, além de muitos daqueles que ouviram sua história ou avistaram "discos voadores" na onda de 1947, acreditavam, a princípio, que os objetos eram aeronaves experimentais secretas dos Estados Unidos ou da União Soviética.

Não era um palpite insensato. Os Estados Unidos haviam demonstrado, com o Projeto Manhattan, que eram perfeitamente capazes de desenvolver e usar sistemas avançados de armas em segredo total, e ninguém duvidava da habilidade da União Soviética para fazer a mesma coisa. As negações insistentes por parte da Força Aérea de que os Ufos fossem aeronaves norte-americanas ou ameaças à segurança nacional quase não tiveram efeito a princípio, pois essas negações haviam escondido fenômenos reais nos anos de guerra.

No fim dos anos 1950, porém, essa primeira versão da teoria se tornou cada vez mais difícil de ser apoiada, pois ambos os lados da Guerra Fria se empenhavam em uma cara corrida armamentista envolvendo sistemas de armas que teriam sido completamente supérfluas se um ou outro lado possuísse aeronaves capazes de fazer o que os Ufos faziam. Nesse ponto, a hipótese antropogênica foi resgatada e remodelada a partir de uma fonte inesperada.

O colapso derradeiro do Terceiro Reich, em 1945, quebrou o poder político da ideologia repelente de Adolf Hitler, mas deixou para trás muitos crentes dessa ideologia, que acalentavam esperanças de que seu *Führer* ressurgiria cedo ou tarde e retomaria a guerra contra "a conspiração mundial dos judeus", fantasiada pela propaganda nazista.[127] Um grupo que adotou essas ideias se reuniu em Viena nos anos imediatos após a guerra, em torno do seminal pensador neonazista Wilhelm Landig. Como os fundadores do próprio partido nazista, o círculo de Landig se baseava fortemente na Ariosofia, um sistema ocultista que misturava fantasias raciais arianas com ensinamentos ocultistas mais antigos.[128]

Como muitas pessoas nos Estados Unidos, Landig interpretou a primeira onda de avistamentos de Ufos em 1947 em termos ocultistas, mas o ocultismo de Landig incluía grande dose da ideologia nazista e a esperança de um Quarto Reich renascido. Tudo isso alimentava sua versão do mito do disco voador. No início dos anos 1950, Landig e seus seguidores afirmavam que os discos voadores eram armas secretas alemãs que decolavam a partir de uma base secreta no Ártico, a Ilha Azul,

---

127. Ver Goodrick-Clarke (2002) para uma discussão apropriada do círculo de Landig e sua influência, bem como boa parte do material descrito nesta seção.
128. A Ariosofia é abordada detalhadamente em Goodrick-Clarke (1992).

onde um núcleo interno de oficiais da SS lá se refugiou para preparar um contra-ataque sobre os Aliados vitoriosos. Posteriormente, foram emprestados detalhes de uma pequena expedição alemã antes da guerra à Antártida, e o "Último Batalhão" de tropas da SS tripulando discos foi relocado para uma base subterrânea em algum lugar abaixo das geleiras da Antártida. Nos anos 1960, essa crença se tornou parte de uma ideologia de nazismo esotérico adotado por grupos racistas e neonazistas do mundo todo.

Relatos de testes com discos voadores nazistas nos anos da guerra logo começaram a surgir. Os mais antigos destes incluíam detalhes precisos, ainda que fraudulentos, dos nomes e desenhos dos supostos discos, e alguns deles parecem ter se baseado em versões grandemente distorcidas de testes experimentais documentados com jatos e helicópteros nos últimos anos da guerra. Com o passar do tempo, essas histórias se fundiram com o acúmulo de conhecimentos rejeitados na sociedade industrial moderna, e esses detalhes infundados cederam espaço para relatos ainda mais coloridos de sociedades secretas e contatos com extraterrestres.

No fim do século XX, alguns grupos neonazistas afirmavam que os discos voadores foram construídos de acordo com instruções codificadas em documentos medievais pelos Cavaleiros Templários, que tinham contato com inteligências extraterrestres de Aldebarã; esses alienígenas loiros e de olhos azuis haviam sido contatados nos últimos dias do Terceiro Reich e lançado uma vasta frota invasora, prevista para chegar aos céus da Terra em 1998. Felizmente, como muitas outras previsões de iminentes aterrissagens alienígenas, nada disso aconteceu.

Muito antes que a mitologia chegasse a esse extremo, a afirmação de que os Ufos eram armas secretas alemãs saindo de uma base subterrânea já chegara à atenção do autor de ficção científica W. A. Harbinson. O primeiro volume da série *Projekt Saucer*, de Harbinson, intitulado Gênesis, foi impresso em 1980. Nesse e em outros romances que se seguiram, um gênio e psicopata norte-americano – pense em uma mistura de Thomas Edison e Charles Manson – passou para o regime nazista antes da Segunda Guerra Mundial e se tornou líder de um projeto para construir aeronaves avançadas, em formato discoide. Quando o Terceiro Reich chegou ao fim, ele e sua equipe fugiram para uma base na Antártida e começaram a traçar os planos para uma horrenda conquista do mundo usando discos voadores e tecnologia de controle mental. Embora nunca cometessem o erro de deixar que os fatos históricos interferissem no desenrolar de uma história excitante, os romances de Harbinson refletiam (e talvez tenham criado) o sabor cada vez mais paranoico das narrativas ufológicas dos anos 1980, e suas ideias emprestadas foram recicladas como fato por alguns dos maiores extremistas do cenário ufológico contemporâneo.

A ascensão da mitologia dos Ufos nazistas pode ter ajudado a hipótese antropomórfica a voltar à comunidade de pesquisa ufológica nos anos 1990, quando a atenção maior às aeronaves incomuns vistas na base de Groom Lake, em Nevada, funcionou como um lembrete de que os outros planetas não são as únicas fontes possíveis de naves voadoras misteriosas. O que, às vezes, se chama de "hipótese federal" – a de que os avistamentos de Ufos são causados por aeronaves experimentais operadas por algum órgão do governo norte-americano – vive ressurgindo nas discussões ufológicas na internet nas últimas duas décadas ou mais. Embora algumas informações esparsas divulgadas no fim dos anos 1990 tenham oferecido um apoio inesperado a essa hipótese, como veremos no Capítulo 8, a hipótese federal recebeu menos atenção do que merecia.

Uma versão final da hipótese antropogênica sem o elemento de ficção de horror vem circulando nos círculos afirmativos europeus e latino-americanos há algumas décadas. A história seria que o brilhante inventor italiano Guglielmo Marconi fingiu a própria morte em 1937 e se retirou, com um grupo seleto de cientistas e técnicos, em uma base secreta nas montanhas ao leste dos Andes, na América do Sul. Lá, ele e seus sucessores desenharam e construíram os primeiros discos voadores com base em princípios científicos mais avançados que qualquer coisa que os governos mundiais tivessem à sua disposição. Cedo ou tarde, diz a lenda, essa elite científica sairá de suas bases ocultas em seus discos voadores, neutralizará os exércitos mundiais com armas de alta tecnologia e dará início a uma nova era de paz e prosperidade para o planeta inteiro. Apesar do pequeno obstáculo que é a falta total de evidências, essa teoria ainda tem muitos seguidores, principalmente na comunidade ufológica latino-americana.

A hipótese intraterrestre

A hipótese antropogênica, com e sem seu colorido neonazista, se sobrepôs mais de uma vez com uma das teorias ainda mais esdrúxulas acerca dos Ufos, segundo as quais os discos voadores viriam de um reino hipotético no interior da Terra. A história da teoria da Terra oca foi contada muitas vezes, notadamente por Walter Kafton-Minkel e Joscelyn Godwin,[129] e pode ser resumida aqui. Sua noção central é que a

---

129. Ver Kafton-Minkel (1989) e Godwin (1993).

Terra é uma esfera oca com uma segunda superfície interior, de frente para um Sol interior e com aberturas pelos polos, através das quais os viajantes intrépidos podem encontrar um caminho – ou talvez já tenham encontrado.

Nos primeiros anos do século XX, a crença em uma Terra oca já se tornara uma dentre muitas opções disponíveis para aqueles com gosto pela heresia intelectual. O livro de William Reed, *The Phantom of the Poles* (1906), e o *opus* de Marshal B. Gardner, *A Journey to the Earth's Interior*, que apresentavam a interpretação clássica da Terra oca com diagramas coloridos, eram leitura obrigatória nos círculos alternativos em todos os países de língua inglesa, nas décadas antes do surgimento do fenômeno Ufo. Assim, o conceito terminou inevitavelmente nas mãos de Raymond Palmer, que imprimiu vários artigos a respeito da teoria da Terra oca antes de o Mistério de Shaver substituir nas páginas de *Amazing Stories* várias outras formas de conhecimento rejeitado.

Em 1957, quando os Ufos tomavam os céus das paisagens norte-americanas, uma nova revista de Palmer – *Flying Saucers from Other Worlds* – foi publicada além das duas já existentes, *FATE* e *Search*. Os primeiros exemplares insinuavam, de maneira provocante, que Palmer descobrira algum novo e estonteante segredo ligado aos discos. Mais tarde, naquele mesmo ano, ele revelou o segredo aos leitores: os discos voadores vinham da Terra oca! (E tirou "from Other Worlds" [de outros mundos] do título da revista naquele exemplar.) Coerência nunca foi problema para Palmer, e ele imprimiu muitas histórias de Ufos enfocando a hipótese extraterrestre após revelar as origens intraterrestres dos discos. Mas sua proclamação garantiu que a noção de uma Terra oca despertasse o interesse dos leitores no mundo pós-guerra.

Mesmo assim, a teoria da Terra oca reside na margem mais distante das crenças esdrúxulas, e mesmo entre os defensores entusiastas do conhecimento rejeitado não encontra muitos seguidores. A evolução de uma teoria plenamente intraterrestre dos Ufos ficou por conta dos mesmos teóricos neonazistas que encheram a teoria antropogênica com Cavaleiros Templários e arianos de Aldebarã.

Nos escritos de indivíduos como Miguel Serrano, diplomata chileno e ocultista neonazista, além de teórico do "Hitlerismo Esotérico", a Terra oca se tornou o último refúgio dos habitantes de Hyperborea, lar dos arianos pré-históricos. Serrano afirma que Hitler voou para lá em um disco voador nazista nos últimos dias do Terceiro Reich e ficou no interior da Terra oca, dirigindo uma guerra oculta contra os Aliados, antes de finalmente voltar à terra natal dos arianos, em uma galáxia distante.[130] É fácil imaginar Raymond Palmer imprimindo histórias desse tipo nas páginas de *Amazing Stories*; já é bem mais difícil crer que alguém as levasse a sério, mas Serrano e outros membros do atual submundo neonazista aparentemente levaram.

A hipótese criptoterrestre

Era inevitável, na sequência das hipóteses extraterrestre e intraterrestre, que alguém sugerisse que os Ufos eram o produto de entidades inteligentes não humanas invisíveis que habitam a superfície da Terra. Essa proposta parece ter surgido nos escritos do biólogo e pesquisador forteano Ivan Sanderson, que afirmou em seu livro de 1970, *Invisible Residents*, que os Ufos vinham de uma civilização muito mais avançada que a atual humanidade – talvez nativa desse planeta, talvez não.

Como evidência, ele apontou para uma série de fenômenos incomuns associados aos oceanos, bem como ao fato de algumas testemunhas de Ufos terem visto discos voadores saindo do mar ou entrando nele. Nada de mais até aí, uma vez que o Triângulo das Bermudas, um dos pilares desse argumento, foi fabricado a partir de distorções gritantes de evidências por parte de Vincent Gaddis e Charles Berlitz, em seus dois livros de pesquisa duvidosa escritos nos anos 1960. Entretanto, o material que corroborava tal premissa não era pior que as evidências usadas para defender a hipótese extraterrestre, e o fato de os oceanos serem muito mais perto de nós que as estrelas mais próximas dava certa plausibilidade à ideia. Diferentemente dos defensores da HET, ele não precisa perguntar se a viagem interestelar é possível.

A teoria de Sanderson também lembrava a ficção científica e, de fato, fora antevista pelo menos em um trabalho do gênero: *A Mirror for Observers* (1954), de Edgar Pangborn, que apresenta refugiados marcianos se escondendo dos olhos humanos, enquanto tentam guiar a evolução humana. O livro inspirou vários outros romances e, pelo menos, um filme, *O Segredo do Abismo*, de James Cameron (1989), quase totalmente esquecido. Como muitas outras tentativas imaginativas de reinterpretar o fenômeno Ufo nos anos 1960 e 1970, porém, não superou o poder da hipótese extraterrestre na imaginação popular e sumiu de cena quando os relatos de abdução dominaram a controvérsia em torno dos Ufos no fim da década de 1970.

---

130. Godwin (1993, p. 70-73 e 126-29).

A hipótese criptoterrestre foi recentemente revivida pelo escritor ufológico e colunista da internet Mac Tonnies, cujo livro sobre o tema – ainda não impresso enquanto este é escrito – sem dúvida merecerá ser lido. Mesmo assim, a menos que alguma evidência que sustente a afirmação de uma espécie não humana e tecnologicamente avançada habita o mundo junto à humanidade, a hipótese provavelmente ficará relegada à ficção científica.

A hipótese de viagem no tempo

A possibilidade de que os Ufos e seus ocupantes sejam viajantes no tempo, em vez de visitantes do espaço, surgiu pela primeira vez na ficção científica décadas antes ser proposta como uma teoria séria entre os ufólogos. O clássico *Lord Kalvan of Otherwhen* (1965), de H. Beam, é um dos exemplos. O livro de Bruce Goldberg, *Time Travelers from Our Future* (1998) parece ser a melhor obra até hoje escrita a qual defende a ideia de que os Ufos são máquinas do tempo de uma Terra futura. Assim como a maioria das rivais da hipótese extraterrestre, ela recebeu pouca atenção dos ufólogos e menos ainda dos detratores.

Assim como a HET, a hipótese de viagem no tempo parte da pressuposição de que o progresso tecnológico não tem limites, e seres com uma tecnologia suficientemente avançada podem vencer quaisquer limitações que possamos imaginar. Se isso for verdade, a viagem no tempo pode estar ao alcance de uma tecnologia avançadíssima, e o comportamento estranhíssimo dos discos voadores e seus tripulantes poderia ser explicado se eles viessem de milhares de anos no futuro, tanto quanto trilhões de milhas através do espaço. O lado negativo dessa premissa é, assim como a hipótese extraterrestre, o de que viagem no tempo é um argumento da ignorância. Por definição, não temos como conhecer as possibilidades e os limites de uma tecnologia mais avançada que a nossa; portanto, é possível argumentar que qualquer coisa poderia ser o produto de uma tecnologia futurista. Tampouco existem evidências de que a viagem no tempo é possível. O trabalho de Goldberg se baseia em regressão hipnótica de pessoas que acreditam ter sido abduzidas por discos voadores em encarnações passadas – uma fonte de informação menos que confiável, segundo a maioria dos padrões, além de nada sólido, que sustente essa crença. Assim como a hipótese criptoterrestre, ou até a própria extraterrestre, essa é uma teoria excelente e um tema fantástico para ficção científica; contudo, uma teoria excelente não é nada quando a evidência que a sustenta não é verdadeira.

A hipótese zoológica

As hipóteses que examinamos até agora presumem que os Ufos são algum tipo de máquina, semelhante em conceito aos nossos aviões e espaçonaves, embora com tecnologia mais avançada. Uma das primeiras teorias que circularam a respeito dos Ufos, porém, sugere que eles não são máquinas, e sim seres vivos, parte de um ecossistema ainda não reconhecido que habita a camada superior da atmosfera ou o espaço sideral. Essa teoria aparece nos escritos de Charles Fort, que a usou de um modo sarcástico para explicar os relatos curiosos de algumas pessoas que viram carne e sangue caírem do céu. Encontrou expressão em vários livros de ufologia nos anos 1950 e 1960, dos quais o de Trevor James, *They Live In The Sky!* (1958), foi, sem dúvida, o mais vibrante e provavelmente mais lido.

A hipótese zoológica cabia em uma época na qual os seres humanos ainda não tinham alcançado a camada superior da atmosfera, muito menos se aventurado no espaço; e quase tudo poderia ter sido encontrado pelas primeiras aeronaves de grande altitude ou pelos balões Skyhook. Meio século depois, isso já não se aplica mais e nenhum traço dos hipotéticos animais do céu foi encontrado. A hipótese zoológica cumpriu seu papel no processo científico; como hipótese falsificável, foi testada e se revelou incorreta. Pelo que sei, ela tem sido completamente ignorada nos últimos anos, exceto por alguns estudiosos forteanos e entusiastas do fenômeno Ufo com paixão por heresia intelectual.

A hipótese geofísica

A hipótese geofísica, a despeito de seus problemas, levanta a questão de que os Ufos podem ser naturais, em vez de mecânicos. Além disso, a possibilidade de que algum processo natural inanimado os cria também merece consideração. Tais afirmações têm sido feitas há muito tempo, desde a aurora da era dos Ufos, é óbvio. Antes que o fenômeno Ufo emergisse da obscuridade em 1947, luzes estranhas no céu eram frequentemente atribuídas a meteoros ou cometas, e a tentativa de associar os Ufos com o gás do pântano – apesar dos problemas que causou a J. Allen Hynek, em 1966 – apresentava uma explicação talvez plausível para alguns avistamentos. Entretanto, as décadas recentes têm enfocado outro conjunto de fenômenos naturais: a possibilidade de uma pressão ao longo das falhas geográficas poderia gerar fenômenos luminosos que explicariam, ao menos, alguns Ufos.

Há milhares de anos, as pessoas relatam luzes estranhas no céu pouco antes, durante ou depois de fortes terremotos. Embora esses relatos tenham sido descartados como superstição com base em argumentos muito parecidos com aqueles dos detratores do fenômeno Ufo, luzes de terremotos já foram fotografadas várias vezes e observadas por geólogos qualificados, e, enquanto a causa delas ainda seja passível de debate, a realidade básica do fenômeno é aceita por muitos geólogos atualmente.[131]

A existência dessas luzes de terremotos demonstra que algum fator, até hoje desconhecido, porém relacionado à pressão tectônica (pressão entre rochas que se movem em lados opostos de uma falha que provoca terremotos), pode causar fenômenos luminosos. Com base nisso, a hipótese geofísica argumenta que algum processo relacionado provoca a experiência de bolas de luzes brilhantes ("luzes da Terra"), em áreas tectonicamente ativas. Essas bolas brilhantes são interpretadas pelas testemunhas nos termos de suas expectativas culturais, sejam quais forem: bruxas voadoras, nas culturas da África Oriental; a Wild Hunt, na antiga Europa medieval; ou espaçonaves de outros planetas, nas sociedades industriais do século XX.

Essa análise é muito mais sutil que a maioria das outras teorias acerca dos Ufos. Ela abre espaço para os dois lados do enigma – a realidade de coisas estranhas vistas no céu e o modo como essa realidade se mescla com interpretações extraídas da cultura popular – em um grau que as outras hipóteses não o fazem. Diferentemente da maioria das demais hipóteses a respeito dos Ufos, essa também foi testada por meio de uma série de projetos de pesquisa inovadores em áreas onde luzes noturnas foram avistadas com frequência. Leicestershire, Inglaterra; Hessdalen, Noruega; a reserva indígena Yakima, perto de Yakima, Washington; as planícies Mitchell, perto de Marfa, Texas; e vários outros locais foram investigados por equipes munidas de câmeras de vídeo, magnetômetros, monitores sísmicos e outras ferramentas geológicas, além da observação comum.[132]

Os resultados dessas iniciativas de pesquisa são intrigantes, embora não conclusivos. Dezenas de luzes noturnas foram fotografadas, e as correlações entre fenômenos luminosos e mudanças locais no campo magnético da Terra foram medidas. A pesquisa histórica também mostrou algumas correlações notáveis entre fenômenos de luzes noturnas e terremotos, corroborando a hipótese geofísica. Outra linha de argumento a favor dela vem da hipótese neurológica, descrita mais adiante, a qual sugere que alguns elementos estranhos do fenômeno Ufo –

---

131. Ver, por exemplo, Derr (1973).
132. Ver o resumo em Devereux e Brookesmith (1997, p. 138-59).

experiências de contato imediato e abdução – podem ser gerados pelo impacto do campo magnético sobre a mente humana.

De um modo geral, a hipótese geofísica é uma das teorias mais fortes acerca das origens do fenômeno Ufo. Ironicamente, é também a menos popular. Rejeitada com o mesmo furor tanto pelos defensores da HET quanto da HN, e ignorada pela mídia e pelo público, ela só é apregoada por um número pequeno de pesquisadores, notadamente Paul Devereux, da Grã-Bretanha, e Michael Persinger, do Canadá. O trabalho dos dois sugere que parte do fenômeno Ufo pode ser explicada por pressão tectônica. O que ninguém conseguiu determinar é o tamanho da rede que essa hipótese conseguiria jogar sobre toda a questão.

A hipótese demoníaca

A vasta maioria das hipóteses em torno do fenômeno Ufo, incluindo todas as examinadas neste capítulo até agora, supõem que os Ufos são objetos físicos de alguma forma familiares ao moderno pensamento científico – máquinas, no caso das quatro primeiras hipóteses, e fenômenos naturais, na quinta e na sexta. Nem todas as hipóteses aceitam essa premissa; contudo, algumas pessoas afirmam que os fenômenos ufológicos são espirituais, e não físicos.

Um recurso tradicional oferecido pela cultura ocidental para descrever as entidades espirituais é a demonologia, o ramo da teologia cristã e judaica que trata da natureza e das atividades dos espíritos malignos; e um grupo de pesquisadores de Ufos usou esse recurso para identificar os Ufos como demônios. A hipótese demoníaca foi proposta, pela primeira vez, por alguns escritores cristãos no início dos anos 1950 e permanece até hoje um tema significativo nos círculos cristãos. No fim da década de 1960, a hipótese foi adotada também por Gordon Creighton, editor da revista ufológica britânica *Flying Saucer Review (FSR)* e vários outros proeminentes ufólogos britânicos.

Em sua forma clássica, a hipótese demoníaca argumenta que os Ufos exibem todas as características da atividade demoníaca definida em textos bíblicos e na teologia cristã. A aparente habilidade dos Ufos de violar as leis da Física, segundo essa interpretação, pode ser explicada pela teoria de que são entidades sobrenaturais e, portanto, não limitadas por leis materiais. A Teologia Cristã afirma que todas as criaturas espirituais são servos de Deus (ou seja, anjos) ou oponentes dele (isto é, demônios). Não há meio-termo, e o *status* de qualquer ser espiritual específico pode ser identificado por três testes principais. O primeiro é que os anjos sempre dizem a verdade, enquanto os demônios só a dizem se servir a seus propósitos, embora prefiram mentir; o segundo é que os anjos só realizam boas obras, enquanto os demônios podem fazer obras do bem e do mal; o terceiro é que os anjos ensinam e sustentam os dogmas cristãos, como a divindade de Cristo, enquanto os demônios se opõem a esses dogmas.

De acordo com esses três testes, dizem os defensores da hipótese demoníaca, os Ufos certamente são de natureza demoníaca. Em primeiro lugar, seus ocupantes mentem; por exemplo, predizem aterrissagens em massa e catástrofes globais que nunca acontecem. Em segundo lugar, a literatura ufológica está repleta de relatos de Ufos e seus ocupantes realizando obras do mal, como mutilações de animais, abduções e abuso sexual de seres humanos. Em terceiro lugar, os contatados e abduzidos relatam que foram encorajados a adotar determinadas crenças que o demonólogo e ufólogo David Ritchie caracteriza como "coletivismo; a unificação da sociedade humana em uma espécie de regime global; veneração, quase adoração, da natureza e dos objetos naturais; fé em princípios e práticas ocultistas, como mediunidade ou 'canalização'; o afastamento de crenças religiosas judaico-cristãs tradicionais, como a doutrina da divindade, a crucificação e ressurreição de Cristo; e um sincretismo religioso com paralelos no Budismo, Hinduísmo e xamanismo".[133] Como tudo isso é incompatível com os ensinamentos tradicionais cristãos, as entidades espirituais por trás do fenômeno Ufo devem ser demoníacas, e não angelicais.

Esses argumentos ganham força a partir do ponto de vista teológico por trás dos dogmas e só convencem aqueles que creem na verdade essencial da fé cristã. Também exige a aceitação de uma dimensão da realidade – a espiritual – cuja existência é fortemente rejeitada por muitas pessoas hoje em dia, ou reduzida em termos psicológicos e neurológicos por outras. Ainda assim, a hipótese demoníaca aponta detalhes do fenômeno Ufo que outras hipóteses ignoram, notadamente o comportamento físico improvável atribuído aos Ufos e sua curiosa relação com um conjunto próprio de crenças religiosas, opostas ao Cristianismo tradicional. Seja válida ou não a interpretação especificamente cristã desses fatores, ela merece ser incluída na visão completa do fenômeno.

A hipótese dos Mestres Ascensionados (ou Mestres Ascensos)

As mesmas perspectivas que levam alguns cristãos tradicionalistas a identificar os Ufos como seres demoníacos encorajam muitos

---
133. Citado em Lewis (2000, p. 105).

seguidores de movimentos religiosos alternativos a propor o que seria, em essência, uma interpretação oposta, associando os Ufos a entidades espirituais positivas. Os sistemas de crenças mais diversificados do cenário espiritualista alternativo comportam um vasto escopo de identificações desse tipo. Alguns autores que se guiam pelo imaginário cristão já sugeriram que os ocupantes dos discos voadores seriam anjos; outros se basearam em conceitos de outras culturas e tradições espirituais para identificar os tripulantes dos Ufos como espíritos guardiões xamânicos, antigos deuses egípcios e outros seres do gênero. Porém, a afirmação mais popular, sustentada pelo contatados dos anos 1950 e defendida hoje no cenário da Nova Era, considera os ocupantes dos Ufos Mestres Ascencionados.

O conceito dos Mestres Ascensionados vem da Teosofia, o movimento ocultista mais influente do século XIX no mundo ocidental, divulgado por grupos religiosos alternativos populares no início do século XX como o I Am Activity e o Soulcraft. Segundo esses ensinamentos, toda alma no Cosmos inteiro passa por um lento processo de evolução espiritual, e os Mestres Ascensos são aquelas almas que alcançaram níveis muito superiores ao humano por meio do processo de ascensão, uma transformação espiritual que liberta a alma do ciclo comum de nascimento e morte. Para muitos seguidores desse ensinamento, Jesus de Nazaré é um desses Mestres, além de Buda, o conde de St.-Germain e muitos outros.

Os Mestres Ascencionados, ou Ascensos, nesse sistema de crenças, são os guardiões espirituais dos Cosmos, e aqueles que cuidam da Terra são responsáveis por fomentar o avanço espiritual e a ascensão final de todos os seres em nosso planeta. O desenvolvimento de armas nucleares nos anos 1940 marcou a chegada de uma era de crise para a Terra que poderia terminar em uma transformação planetária utópica ou na destruição total da humanidade e do próprio planeta. A chegada dos primeiros Ufos em 1947, segundo essa visão, foi a reação dos Mestres Ascensionados a essa crise – uma demonstração à maioria materialista de que também existem no universo seres com uma tecnologia imensuravelmente mais avançada e uma maneira de passar ensinamentos metafísicos importantes à minoria espiritualmente avançada.

Todos os pontos levantados pelos cristãos tradicionalistas a favor da hipótese demoníaca têm seus números opostos na hipótese dos mestres ascensos. Assim como os proponentes da hipótese demoníaca, os defensores da segunda ressaltam a aparente habilidade dos Ufos de violar as leis da Física, usando isso como evidência de poderes espirituais em vez de mera tecnologia material. As alegações de que as informações passadas pelos ocupantes dos Ufos são mentiras e que os Ufos cometem atos malignos são contraditas de várias maneiras. Algumas versões da hipótese dos Mestres Ascensionados sugerem, por exemplo, que há também poderes espirituais negativos que tentam desacreditar os Mestres Ascensionados, passando informação enganosa e realizando atos vis em nome deles. Enfim, os seguidores dos Mestres Ascensionados concordam que os Ufos transmitem uma série de ensinamentos espirituais, mas como esses ensinamentos são, em essência, os mesmos dos contatados e da comunidade da Nova Era, esse é um ponto positivo.

Como a hipótese demoníaca, a dos Mestres Ascensionados só faz sentido nos termos das tradições e ensinamentos que a sustentam, e qualquer um que a veja de fora não deverá lhe dar grande valor. Essa limitação ajudou a criar outra hipótese acerca dos Ufos, que vê o fenômeno pelo mesmo ângulo das hipóteses demoníaca e dos Mestres Ascensionados, mas evita pressuposições sobre o fenômeno, exceto aquelas que derivam das próprias evidências.

A hipótese ultraterrestre

Essa abordagem, a ultraterrestre, é a única teoria da origem dos Ufos que realmente abalou o domínio das hipóteses extraterrestre e nula. Presente em forma embriônica nos escritos de Charles Fort, ela se tornou muito popular depois que os pesquisadores John Keel e Jacques Vallee a apresentaram em uma série de livros e artigos influentes entre 1969 e 1979. O ponto de partida da teoria ultraterrestre é que os Ufos e seus ocupantes não se comportam como espaçonaves ou seres físicos. Eles aparecem e desaparecem como fantasmas; e, às vezes, podem ser vistos por algumas testemunhas e não por outras, em uma situação na qual um objeto físico seria visível para todos. Eles têm uma semelhança notável com temas da cultura popular contemporânea, mas também lembram profundamente seres lendários, narrados no folclore das culturas do mundo todo. Portanto, segundo a hipótese extraterrestre, a resposta ao enigma dos Ufos deve ser encontrada em algum lugar no complexo campo da experiência humana que se estende a partir da mente, através do terreno controvertido dos fenômenos psíquicos, até o mundo do mito, da magia e da espiritualidade.

Essa sugestão, sem dúvida, foi atacada com artilharia pesada pelas duas posições enraizadas na controvérsia em torno dos Ufos. Os defensores das origens extraterrestres desses objetos simplesmente a descartaram. O outro lado da contenda reagiu de maneira ainda menos paciente. Robert Sheaffer, cujo livro *The Ufo Verdict* foi impresso bem no auge da influência da hipótese ultraterrestre, deu uma resposta à altura: dispensou Vallee e Keel como "doidos varridos" e insistiu que o raciocínio dos dois poderia justificar a crença no Coelhinho da Páscoa.[134]

Essa atitude mostrava, no mínimo, como Sheaffer dava pouca atenção à história de seu tema. Charles Fort enfrentou e rechaçou o mesmo argumento meio século antes, apontando para a diferença entre os fenômenos que ele estudava e o Papai Noel: "conto com dados, ou ao menos dados supostos. Nunca encontrei registro algum, ou sequer registros supostos, de pegadas misteriosas na neve, nos telhados das casas até a chaminé, feitas na véspera de Natal".[135] Entretanto, apesar da flagrante ausência de milhares de relatos de testemunhas fidedignas de "objetos fofinhos não identificados" deixando ovos coloridos nos jardins na manhã de Páscoa, o argumento de Sheaffer tem sido repetido numerosas vezes por outros detratores.

Apesar de tudo, enfim, a teoria ultraterrestre também tem alguns problemas sérios. Em certo sentido, é um argumento da ignorância muito mais impenetrável que aquele que cerca a hipótese extraterrestre, pois – pelo menos em teoria – sabemos ao menos um pouco como seriam outros planetas e seus habitantes, mas nada sabemos do "superespectro" de Keel, exceto as conclusões limitadas a que podemos chegar a partir das ações dos próprios ultraterrestres.

Em contrapartida, a hipótese extraterrestre tem duas grandes vantagens. A primeira é que permite que o fenômeno Ufo seja considerado como um todo, incluindo todos os seus detalhes bizarros intactos, em vez de ignorar coisas que não se encaixam nos limites de uma hipótese mais restritiva; a segunda vantagem é a atenção à possibilidade de que os Ufos possam representar um espectro da experiência humana não bem estudado dentro da visão de mundo das culturas industriais modernas. Se a ideia do superespectro de Keel é mais útil como explicação do que a doutrina cristã do inferno ou os ensinamentos dos contatados a respeito de outros planos de existência, isso já é outra questão, difícil de decidir com base em evidências muito limitadas.

A hipótese neurológica

As hipóteses que examinamos partem do princípio que os Ufos, sejam o que forem, estão, de fato, presentes nos céus de nosso planeta e as

---
134. Sheaffer (1981, p. 172-73).
135. Fort (1974, p. 643).

pessoas que os veem são meros observadores passivos. Essa ideia aparentemente sensata foi desafiada pela hipótese neurológica, uma teoria de que as experiências com Ufos não são produzidas por espaçonaves extraterrestres nos céus da Terra, mas, sim, por eventos neuroquímicos no cérebro humano.

O principal proponente dessa tese é o neurologista canadense Michael A. Persinger, que já a defendeu calorosamente em vários textos e em um livro do qual foi coautor. Persinger afirma que a maioria das experiências com o fenômeno Ufo pode ser encontrada na literatura clínica e experimental sobre epilepsia do lobo temporal (ELT), uma síndrome mal compreendida que pode ser desencadeada por campos magnéticos. Em uma série de experimentos elegantemente desenvolvidos, Persinger expôs os pacientes a campos magnéticos pulsantes e produziu alucinações que mostravam fortes semelhanças com os contatos imediatos com Ufos.[136] Uma vez que centenas de tecnologias modernas produzem campos magnéticos e o próprio campo magnético da Terra possui seus fluxos e refluxos, Persinger afirma que eles podem causar experiências ufológicas em pessoas que relatam honestamente aquilo que viram.

Outros nomes que, às vezes, vêm à tona quando são mencionadas as dimensões neurológicas do fenômeno Ufo é o de Julian Jaynes. Em seu livro publicado em 1976, *The Origin of Consciousness in the Breakdown of the Bicameral Mind*, Jaynes argumentava que a consciência humana moderna é algo recente, surgida por volta de 1250 a.C. com o colapso da "mente bicameral". Naquela forma antiga de consciência, a personalidade existia em uma metade do cérebro, enquanto a outra forma era percebida como um ser separado, um deus ou espírito guardião, que se comunicava com a personalidade por meio de alucinações auditivas e visuais. Ele afirmava que os místicos e visionários atuais estavam simplesmente vivendo um retrocesso a esse modo antigo de funcionamento do cérebro. As pessoas que passavam pela experiência de contatos com Ufos e abduções poderiam se encaixar nessa categoria.

Diferente da maioria das teorias ufológicas, a hipótese neurológica oferece uma explicação razoável para as qualidades alucinatórias do fenômeno Ufo e das maneiras como o fenômeno se molda para poder se enquadrar na cultura popular e nas expectativas das testemunhas, sem rejeitar o testemunho honesto de pessoas que vivenciaram coisas muito estranhas. Também combina bem com a hipótese geofísica, sugerida

---

136. Persinger (2000).

antes, para produzir uma teoria geral do fenômeno Ufo radicalmente diferente da maioria das hipóteses rivais.

A hipótese combinada começa pelo fato de o tipo de pressão tectônica que parece criar luzes da terra também poder afetar o campo magnético terrestre local. Se esses efeitos produzirem campos pulsantes da espécie usada nos experimentos de Persinger – e os estudos mencionados anteriormente oferecem evidências de que isso acontece –, o resultado provável seriam alucinações como aquelas vivenciadas pelos pacientes de Persinger. Combinemos luzes reais se movendo no céu com uma tendência para a alucinação sensorial das testemunhas e teremos a fórmula perfeita para as experiências ufológicas. Como as alucinações sempre dependem do conteúdo da mente do indivíduo, o papel potente das histórias da mídia e da cultura popular no fenômeno Ufo poderia ser explicado por essa teoria.

Assim como a teoria ultraterrestre, essa versão expandida da teoria neurológica consegue abranger o espectro inteiro das experiências com Ufos, ou pelo menos uma parte bem maior que suas rivais. Diferentemente da teoria ultraterrestre, ela também se utilizou de muitas afirmações falsificáveis a respeito do fenômeno, algumas já testadas e aprovadas. Traga ela ou não a explicação final para o mistério dos Ufos, pelo menos abre as portas fechadas pelo domínio das hipóteses extraterrestres e nula nos últimos 60 anos.

Um resumo das hipóteses

A flagrante diversidade das explicações propostas para o fenômeno Ufo nas últimas seis décadas nos dá uma boa medida da complexidade do tema. Poucos são os fenômenos existentes que atraíram uma variedade tão grande de explicações. Ainda assim, essa diversidade é, em alguns sentidos, mais aparente que real.

Cada uma dessas posições variadas na controvérsia se desdobra a partir de implicações de uma desarmonia fundamental quanto àquilo que as testemunhas de Ufos observam. Das 12 hipóteses discutidas neste capítulo, sete – extraterrestre, antropogênica, intraterrestre, criptoterrestre, viagem no tempo, zoológica e geofísica – identificam os Ufos como objetos materiais, percebidos mais ou menos corretamente pelas testemunhas; sem muita irreverência, elas podem ser chamadas de "hipóteses *hardware*" ou físicas. As cinco restantes – nula, demoníaca, Mestres Ascensionados, ultraterrestre e neurológica – rejeitam tal premissa e sugerem que os Ufos são aparições.

Esse termo requer atenção. Sugerir que os Ufos são aparições não é o mesmo que dizer que eles não existem. Significa que a experiência de ver um Ufo não reflete diretamente a causa da experiência, como a experiência de ver uma xícara de café reflete a xícara de café. A teoria geomagnética de Persinger proporciona um bom exemplo. Se ele estiver certo, algo real – um campo magnético pulsante dentro de determinado espectro de frequências – faz as pessoas verem Ufos. Ao mesmo tempo, as testemunhas não vivenciam o campo magnético em si, mas sim a alucinação causada no cérebro por esse campo.

Do mesmo modo, se a hipótese nula estiver correta, as testemunhas não vivenciam diretamente os erros de interpretação e as ilusões que as fazem pensar que viram algo desconhecido no céu. Interessante é que a mesma distinção funciona até para as três hipóteses que identificam os Ufos como obra de inteligências sem corpo. A teologia tradicional cristã, por exemplo, prega que o que os seres humanos experimentam quando encontram um demônio não é o Demônio em si, mas uma forma ou imagem criada pelo Demônio para fins próprios.[137] A maioria das tradições religiosas alternativas modernas também vê uma relação entre aparições espirituais e as realidades por trás delas; e é óbvio que as afirmações de Keel sobre o superespectro implicam a mesma consciência do abismo entre o que as testemunhas veem e o que de fato acontece.[138]

As possibilidades reconhecidas atualmente a respeito do fenômeno Ufo se dispõem, portanto, em torno da distinção básica entre objetos físicos e aparições. Se os Ufos são objetos físicos, podem ser artificiais ou naturais; se forem artificiais, poderiam ser criados por seres humanos ou outros seres e poderiam vir de algum local na Terra ou de outros lugares. Se forem naturais, podem ser vivos ou não vivos. Se forem aparições, eles poderiam ser entidades reais objetivas – demônios, Mestres Ascensionados ou ultraterrestres – ou experiências meramente subjetivas; no segundo caso, seriam produzidas pelo sistema nervoso humano ou por padrões perceptuais e psicológicos que moldam nossa experiência depois que o sistema nervoso a enfrenta. Se colocarmos essas opções em ordem, como mostra a tabela 2, veremos um esboço das hipóteses expostas neste capítulo.

Tudo isso pode parecer abstrato, mas possui implicações cruciais para nossa investigação. Na maioria dos casos, não é difícil perceber a diferença entre um objeto físico e uma aparição, mesmo em segunda

---

137. Ver, por exemplo, o alerta do apóstolo Paulo em 2 Coríntios 11:14, de que o Diabo pode aparecer na forma de um anjo de luz.
138. Ver Keel (1991, p. 163-68).

ou terceira mãos. Se um objeto material aparece em determinado local e hora, qualquer pessoa com seus sentidos normais o verá mais ou menos da mesma maneira. Os efeitos psicológicos que fazem as testemunhas de acidentes automotivos contar versões diferentes sempre são levados em conta, obviamente; mas, mesmo assim, essas testemunhas geralmente concordam com os fatos básicos – quantos carros estavam envolvidos, por exemplo, sem mencionar o fato de que os objetos colididos eram veículos e não dragões, dirigíveis, ou espaçonaves de Zeta Reticuli.

Portanto, um objeto material incomum em um contexto público atrairia uma quantidade considerável de avistamentos, a maioria dos quais concordando quanto à natureza geral do que foi visto. Se o objeto reaparecer em local e horário diferentes, ou se existirem mais objetos como ele, os avistamentos podem ser comparados e, da comparação, serem extraídos detalhes de semelhança. Além disso, observações de objetos materiais costumam seguir leis conhecidas da natureza.

As aparições são diferentes. É perfeitamente possível que duas ou mais pessoas vivenciem a mesma aparição – os psicólogos reconhecem, há muito tempo, uma síndrome chamada *folie à deux*, na qual duas pessoas entram em uma ilusão comum que pode incluir fortes experiências alucinatórias – mas isso só acontece quando todas as testemunhas são afetadas por um fato comum que perturba a função normal de seus sentidos, sistema nervoso, ou mente. Se uma aparição é vista em determinado lugar e horário, somente aquelas pessoas afetadas por esse fator em comum a verão. Algum indício de um estado alterado de consciência geralmente será relatado pelas testemunhas, quer reconheçam isso quer não; e os relatos da mesma aparição podem variar muito entre uma testemunha e outra, tendo, às vezes, pouquíssimo em comum com relatos de indivíduos que observaram outras aparições em locais e momentos diferentes. Ademais, as aparições não obedecem às mesmas leis naturais que os objetos físicos e costumam se comportar de uma maneira que os objetos não conseguem.

É possível, portanto, e útil, perguntar qual dessas hipóteses corresponde mais apuradamente ao fenômeno Ufo – ou melhor, como sugerido no Capítulo 5, com os vários fenômenos aglutinados sob o nome de Ufo.

Tabela 2

Ufos são...

I. Objetos materiais e são ou...

A. Artificiais e são ou...

1. Feitos por seres humanos...
   a. Na Terra...
      1. No momento presente – *hipótese antropogênica*
      2. No futuro distante – *hipótese da viagem no tempo*
   b. Ou em outro lugar – *hipótese intraterrestre*
2. Ou feitos por seres não humanos...
   a. Na Terra – *hipótese criptoterrestre*
   b. Ou em outro lugar – *hipótese extraterrestre*

B. Ou naturais e são ou...

1. Seres vivos – *hipótese zoological*
2. Fenômenos naturais não vivos – *hipótese geofísica*

II. Ou aparições e são ou...

A. Objetivamente reais e são ou...

1. Mais bem compreendidos por meio da teologia cristã – *hipótese demoníaca*
2. Ou mais bem compreendidos por meio de fés alternativas – *hipótese dos Mestres Ascensionados*
3. Ou mais bem compreendidos fora dessas duas opções – *hipótese extraterrestre*

B. Ou apenas subjetivamente reais e são ou...

1. Produzidos pelo sistema nervoso – *hipótese neurológica*
2. Ou produzidos por fatores perceptuais e psicológicos – *hipótese nula*

A resposta, obviamente, é que alguns Ufos se encaixam em determinada categoria, e alguns, em outra. Os fenômenos ufológicos que se comportam como objetos materiais incluem um pequeno número de tipos bem definidos normalmente vistos por múltiplas testemunhas: os discos prateados da onda original de 1947 e suas sequências em meados dos anos 1950; luzes brilhantes e coloridas em grande altitude, que se tornaram comuns nos anos 1950 e continuaram assim desde então; triângulos pretos do tipo do Bumerangue de Westchester, vistos principalmente nos anos 1980; e luzes relativamente pequenas se movendo em áreas sob pressão tectônica, que foram observados e fotografados desde tempos imemoriais.

A maioria dos avistamentos de Ufos, por outro lado, se comporta como as aparições. Isso se aplica a quase todas as experiências ufológicas que corroboraram e deram forma à hipótese extraterrestre, definindo o fenômeno Ufo nos últimos 60 anos, incluindo muitos contatos imediatos e todas as experiências de abdução. Identificando o papel das aparições no cenário ufológico de nossos dias, chegamos perto do centro dos fatos que permeiam seis décadas de confusão e controvérsia.

Parte III

Solucionando o Mistério

É por blasfêmia que surgem as novas religiões.

Porque pensam coisas, os jovens em idade sabem muito bem que as descobertas não são simplesmente feitas. É porque nossas visões não são delírios, nem são suficientemente absurdas, que não somos profetas.

– Charles Fort, *Wild Talents*

Minha velha máxima é que, quando excluímos o impossível, aquilo que sobrar, ainda que improvável, deve ser a verdade.

– Arthur Conan Doyle, *O Roubo da Coroa de Berilos*

Capítulo 7

História Natural das Aparições

A hipótese de que um grande número de testemunhas do fenômeno Ufo vivenciou aparições, em vez de avistar objetos materiais, com certeza provocará irritação entre a maioria dos membros da comunidade de pesquisadores de Ufos. Aqueles que dedicaram horas incontáveis de trabalho duro à árdua tarefa de provar que os Ufos são naves espaciais vindas de planetas distantes dificilmente aceitarão a possibilidade de que basearam suas teorias em sonhos, visões e estados alterados da consciência. Contudo, essa proposta explica muitas coisas a respeito do fenômeno; coisas para as quais a hipótese extraterrestre, e outras mais radicais, não apresentam nenhuma explicação significativa.

O primeiro ponto que devemos abordar aqui é um que já foi mencionado repetidas vezes neste livro – os paralelos extraordinários entre os relatos de experiências com Ufos e as imagens de alienígenas e suas espaçonaves na literatura de ficção e na mídia, começando muito antes do surgimento do fenômeno em 1947, até o presente. Tais paralelos cortam pela raiz quase todas as afirmações de que os Ufos são objetos materiais reais e apresentam um desafio particularmente ousado à hipótese extraterrestre. Seria uma história inteligente de ficção científica alegar que seres alienígenas de um planeta distante pousaram na Terra, em segredo, na década de 1930, passaram horas lendo edições antigas de *Amazing Stories*, modelaram suas naves e atividades de acordo com as histórias criadas por Raymond Palmer e seus amigos, e atualizaram a si mesmos e a sua tecnologia para acompanhar por décadas nossos filmes de ficção científica e programas de TV. Mesmo assim, como uma proposta séria a respeito da origem e natureza dos Ufos, ela é a bisavó de todos os argumentos correntes – e, contudo, tal suposição seria necessária para explicar algo que é, afinal de contas, um dos fatos mais significativos no que diz respeito à experiência com o fenômeno Ufo.

Esse mesmo problema remonta ao primeiro paralelo moderno ao fenômeno Ufo atual – os avistamentos de dirigíveis fantasmas, ocorridos em 1896 e 1897. Talvez o ponto mais crucial sobre esses avistamentos seja também o mais esquecido: os dirigíveis vistos nos céus dos Estados Unidos naqueles anos não teriam sido capazes de voar se alguém os tivesse, de fato, construído. No lugar de hélices eficazes e motores a gasolina – a tecnologia que, na realidade, tornou possível o funcionamento dos dirigíveis –, os dirigíveis fantasmas eram equipados com asas que batiam e outras tecnologias que foram utilizadas na tentativa de tornar viáveis as viagens aéreas, e que fracassaram. Por outro lado, os dirigíveis fantasmas eram cópias exatas daquilo que as pessoas naquela época *acreditavam* que seria a aparência de um dirigível.

Alguns estudos históricos feitos pela comunidade ufológica, em especial *Solving the 1897 Airship Mystery* (2004), de Michael Busby, tentaram heroicamente argumentar que os dirigíveis fantasmas eram objetos físicos reais criados por algum programa secreto. Entretanto, todas as evidências apontam para a conclusão contrária: que os dirigíveis de 1896 e 1897 eram aparições, refletindo as expectativas e suposições das testemunhas, e não naves reais. Isso sugere fortemente que a mesma conclusão se aplica às espaçonaves extraterrestres avistadas desde 1947 até os dias de hoje, que têm a mesma relação com as noções populares a respeito de vida extraterrestre no século XX que os dirigíveis tinham com as ideias populares a respeito de viagens aéreas no século XIX.

O segundo ponto que encontra uma explicação fácil se os Ufos forem aparições e enfrenta desafios muito mais difíceis se eles forem naves reais é a surpreendente diversidade de experiências com Ufos relatadas por testemunhas fidedignas. Isso raras vezes foi levado em consideração nos debates envolvendo o fenômeno Ufo, mas é um fator de extrema importância. Comecemos com a pergunta mais básica: quando as pessoas avistam um objeto voador não identificado, como é a aparência dele? Embora a imagem do disco voador metálico ainda monopolize grande parte da discussão nos círculos ufológicos, discos de qualquer tipo representam uma porcentagem modesta de todos os avistamentos de objetos. Entre os Ufos que chegam perto o suficiente dos observadores para que suas formas sejam distinguidas com clareza, formas esféricas, ovoides, cilíndricas, triangulares, de foguetes e de bolas de futebol americano são, na literatura ufológica, tão comuns quanto os discos; e bolhas de luz, sem formas definidas, são ainda mais comuns.

A mesma diversidade aparece quando examinamos testemunhos acerca dos ocupantes dos Ufos. Nesses relatos, encontramos uma variedade surpreendente de criaturas, variando da forma humana comum até "Grays", répteis, robôs, gigantes com garras, formas geométricas animadas e homenzinhos verdes, entre outras. Se os Ufos forem, de fato, naves de outros mundos que pousam na Terra, seus ocupantes incluem milhares de espécies diferentes, que utilizam muitos tipos distintos de naves. Parece difícil dar crédito à afirmação que nosso planeta afastado, situado em um canto fora de mão de uma galáxia comum, interessaria a tantas civilizações alienígenas; e é ainda mais difícil ignorar a grande semelhança entre muitos desses avistamentos e as imagens de seres extraterrestres na literatura e nos filmes de ficção científica do século XX. A grande maioria dos livros escritos para defender a hipótese extraterrestre "resolve" o problema dando mais atenção a certa quantidade de tipos de alienígenas – principalmente os "Grays" – e descartando ou ignorando o resto. Porém, isso não resolve nada; se o fenômeno é real, todas as evidências – não apenas uma parte delas que apoia uma hipótese preferida – devem ser levadas em consideração.

O terceiro ponto de apoio à hipótese segundo a qual os Ufos são aparições diz respeito à notável escassez de qualquer evidência relacionada a esses objetos além dos relatos de testemunhas. Em particular, as tecnologias que deveriam fornecer evidências claras da presença de naves de outros planetas nos céus da Terra, se essa for de fato a causa do fenômeno Ufo, não fazem isso de maneira alguma. Enquanto eu escrevo essas palavras, dezenas de milhares de *webcams* conectadas diretamente à internet exibem cenas de todos os lugares do mundo e milhões de pessoas levam consigo para qualquer lugar telefones celulares equipados com câmeras digitais. Se os Ufos são objetos materiais que viajam pelos céus da Terra, uma quantidade significativa deles deveria aparecer em *webcams* e fotos tiradas por testemunhas surpresas em todo o mundo. Isso, no entanto, não acontece, o que representa um grande desafio à hipótese extraterrestre, e também a todas as outras hipóteses radicais.

A falta de marcas físicas dos Ufos é outra evidência que aponta na mesma direção. Todo tipo de tecnologia que os seres humanos usaram ou usam, não importa o quão simples ou complexa, deixa marcas de sua presença. Quanto mais avançada for a tecnologia, na verdade, maior a probabilidade de deixar marcas distintas, porque os materiais envolvidos em um dispositivo tecnológico avançado e os processos que o fazem funcionar estão muito mais além das operações comuns da natureza do que os materiais e processos de um aparelho mais simples.

Se um avião a jato e uma canoa se acidentarem na mesma ilha deserta, por exemplo, qual deles deixaria uma evidência mais definitiva de sua presença? A mesma questão é ainda mais verdadeira no que se refere a tecnologias extraterrestres muito mais avançadas que nossa ciência. Talvez não sejamos capazes de entender os sinais, mas uma evidência física, sólida, de que alguma coisa estranha aconteceu não seria difícil de encontrar.

Além disso, não é necessário algo tão impactante quanto uma queda para deixar sinais definitivos da presença alienígena na Terra. Vejamos o modo como as marcas físicas da presença humana no espaço sideral proliferaram, desde o lançamento da Sputnik até os mais recentes ônibus espaciais. Os astronautas deixam partes de equipamento no espaço em seus "passeios", as naves expelem dúzias de diferentes tipos de combustível de foguete; e peças de equipamento, desde ferramentas perdidas até grandes *boosters*, são deixados em órbita. Se seres de outros planetas visitam a Terra, então eles são menos descuidados que nossos astronautas. Contudo, sabemos que toda exploração gera bagunça. Entre as centenas de ocupantes de Ufos que, durante anos, foram vistos concertando suas naves no solo, é notável que nenhum deles aparentemente nunca tenha deixado cair algo equivalente ao nosso parafuso, nem deixado respingar um pouco de combustível no chão.

É evidente que é totalmente possível apresentar uma série de hipóteses *ad hoc* infalsificáveis para explicar a falta de evidências fotográficas, em vídeo e físicas da realidade material dos Ufos; e, de fato, isso aconteceu. Alegou-se, por exemplo, que os extraterrestres possuem uma tecnologia tão avançada que conseguem interferir em nossas câmeras e influenciar a mente das pessoas para que elas não pensem em tirar fotos quando há um Ufo que possa ser visto. Também existiram alegações no sentido de que o governo dos Estados Unidos conseguiu localizar e esconder qualquer evidência, por menor que seja, da presença alienígena nos céus da Terra. Argumentos desse tipo, no entanto, se incluem no mesmo tipo de lógica circular apresentada no Capítulo 5: eles pressupõem o que alegam que podem provar e ignoram as evidências que causam conflitos, em vez de explicá-las.

Esse último ponto foi repetido várias vezes pelos defensores da hipótese nula, e por uma boa razão. É com o próximo passo desse raciocínio – a afirmação de que, como não existe nenhuma evidência física séria da realidade material dos Ufos, ninguém está, na verdade, vivenciando nada incomum – que eles se desviam da rota. Provar que os Ufos são aparições não é a mesma coisa que provar que eles são o único tipo de aparição que a hipótese nula abraça, ou seja, o tipo causado pela interpretação errada de objetos comuns.

Sem dúvida, é verdade que alguns avistamentos de Ufos são causados por objetos comuns, como aviões e miragens; ou são o produto de fraudes ou rumores para causar pânico. No entanto, há muitos casos que não podem ser incluídos à força nessa explicação sem causar prejuízo aos fatos. Um grande número de avistamentos de Ufos envolve experiências que estão claramente além daquilo que pode ser explicado pelo modo como a mente e os sentidos humanos funcionam sob condições comuns. Mais uma vez, isso não significa que essas experiências foram provocadas por naves espaciais vindas de outros mundos; significa, com certeza, que algum fator externo à hipótese nula deve ser levado em consideração.

O fator Oz

Examinemos o caso ocorrido em Rochdale, Inglaterra, estudado e publicado pelo pesquisador britânico Joseph Dormer.[139] A testemunha, uma mulher adulta, e sua mãe, uma senhora idosa, estavam em casa, perto da hora do pôr do sol, em um dia de novembro. Quando a mãe foi fechar as cortinas, viu um objeto incomum flutuando no céu e chamou a filha. As duas observaram um grande objeto cilíndrico, com aproximadamente 30,5 metros de comprimento, com escotilhas. Seres usando "trajes espaciais prateados" se moviam em seu interior. A testemunha e sua mãe observaram o objeto durante alguns minutos, pelo menos assim lhes pareceu, e as duas não conseguiram falar nem se mover durante esse tempo. De maneira abrupta, o objeto "sumiu no ar". A testemunha percebeu que havia passado uma hora durante o aparentemente curto período de tempo em que ela e a mãe observaram o objeto. Nenhuma outra testemunha se apresentou para relatar avistamentos do mesmo objeto.

Os defensores da hipótese extraterrestre talvez afirmem que uma nave de um mundo distante visitou Rochdale naquela noite e usou uma tecnologia avançada para se mostrar apenas àquelas duas mulheres. Do mesmo modo, alguns defensores da hipótese nula dirão que a testemunha e a mãe viram o planeta Vênus, ou outro objeto convencional, e o confundiram com um Ufo cilíndrico de 30,5 metros de comprimento. Porém, três pontos referentes a esse avistamento sugerem que a testemunha observou uma aparição em vez de um objeto material.

---

139. Barclay e Barclay (1993, p. 130-32).

O primeiro ponto, e o mais óbvio deles, é que objetos materiais com 30,5 metros de comprimento, feitos de metal e vidro, não desaparecem instantaneamente no ar, enquanto no folclore e nas crenças populares as aparições o fazem com frequência. Em segundo lugar, ninguém mais na cidade de Rochdale relatou ter visto uma nave que, ao que parece, ficou flutuando sobre as casas. Quando um dirigível com 30,5 metros de comprimento, por exemplo, sobrevoa uma cidade durante o dia, muitas pessoas o veem. Por que apenas as duas testemunhas em questão viram esse objeto tão notável, se ele estava fisicamente presente? No caso de uma aparição, por outro lado, o relato inteiro faz sentido.

O terceiro ponto, contudo, é o crucial. A testemunha e a mãe ficaram, sem dúvida, em um estado alterado de consciência durante o ocorrido – fato demonstrado pela inabilidade de se mover ou falar e a distorção da percepção do tempo que fez com que uma hora parecesse apenas alguns minutos. Evidências de mudanças na consciência como essa são muito comuns em testemunhos de contatos imediatos com Ufos, mesmo naqueles reunidos pelos mais dogmáticos crentes nas naves espaciais vindas de mundos distantes.

O ufólogo Jenny Randles cunhou a expressão "o fator de Oz", a partir dos relatos comuns de testemunhas de Ufos, segundo as quais elas parecem ter entrado em outra realidade um pouco antes de avistar um objeto misterioso no céu.[140] Muitas testemunhas sofreram a mesma inabilidade de falar ou se mover relatada pelas duas mulheres do caso Rochdale; e distorções subjetivas de tempo são ainda mais comuns em contatos imediatos. Outros sinais de estados alterados de consciência relatados repetidas vezes por testemunhas de Ufos incluem um inexplicável silêncio total, mesmo em situações em que sons seriam ouvidos, e ver outras pessoas que parecem estar paralisadas ou passam pela cena do contato imediato sem perceber coisa alguma.

Esses pontos foram levantados pelos proponentes da hipótese neurológica, e é bem possível que em alguns casos – talvez em um número significativo deles – campos magnéticos pulsantes, do tipo explorado pelos testes de Persinger, estejam envolvidos na geração dos estados alterados dos quais falamos. Porém, não é necessário apontar fatores físicos exóticos quando já foi demonstrado que o sistema nervoso humano pode prontamente entrar em estados alterados de consciência por si mesmo.

Sob essa luz, por exemplo, não fica difícil explicar os milhares de avistamentos de Ufos dos quais as únicas testemunhas são os

---

140. Em Randles (1983).

passageiros de um único carro passando por uma estrada vazia, à noite. A "hipnose da estrada", induzida nos motoristas pela monotonia e a privação dos sentidos das viagens em rodovias, é um perigo comum enfrentado por motoristas de caminhão e outras pessoas que dirigem por longas distâncias, principalmente à noite. Muitas pessoas tiveram a experiência de, subitamente, perceber que estavam a quilômetros de distância de onde pensavam estar, sem nenhuma lembrança da estrada por onde passaram; em alguns casos, imagens de sonho se misturam ao processo e resquícios de memórias de acontecimentos improváveis preenchem o espaço vazio. A relevância desse fenômeno em casos semelhantes ao ocorrido com Barney e Betty Hill deveria ser óbvia.

Pelo menos outro método para entrar em estados alterados de consciência tem uma importância ainda mais precisa no que se refere ao fenômeno Ufo, embora você tenha de conhecer literatura ocultista para encontrá-lo nos dias de hoje. Os ocultistas passam um grande período de tempo aprendendo a evocar aparições quando desejarem, por diferentes razões; bolas de cristal, espelhos mágicos e outros instrumentos semelhantes têm sido a espinha dorsal do ocultismo durante séculos, pois provocam estados alterados de consciência nos quais é mais fácil ver aparições. Mas há ainda outro método muito praticado para se alcançar o mesmo estado: *olhar para o céu*.

Os ensinamentos da Ordem Hermética da Aurora Dourada, a mais prestigiosa ordem ocultista do fim do século XIX, incluem instruções detalhadas dessa prática. Para obter "visão astral" – o termo utilizado pela Aurora Dourada para o avistamento de aparições –, o iniciado olhava para o céu sem piscar por longos períodos de tempo, até que começasse a ver aparições.[141] A mesma técnica era de conhecimento público na Idade Média e na Renascença, quando as tradições ocultistas eram muito mais amplamente estudadas do que hoje; e clássicos da literatura, como *A Anatomia da Melancolia*, de Richard Burton, a apresentam como algo natural.[142] O slogan popular "Olhe para os céus!" assume um significado muito diferente nesse contexto.

Muitos outros fatores podem provocar estados alterados de consciência nos quais aparições são vistas. O ponto central que devemos entender, todavia, é que as aparições de Ufos podem ser produzidas por *qualquer* método de entrada em um estado alterado de consciência. Como as aparições têm em seu conteúdo muitos detalhes vindos da mente das pessoas que as veem, a presença de imagens relacionadas a

---
141. Regardie (1971, vol. 4, p. 104).
142. Burton (2001, p. 183).

Ufos, coloridas e carregadas de emoções, oriundas da cultura popular inserida na mente da maioria das pessoas atualmente, garante que sempre que alguém entrar em um estado alterado da consciência, um dos resultados mais frequentes é uma experiência visionária ou alucinatória que se baseia no rico filão das imagens de Ufos.

Contudo, o fator mais significativo no que diz respeito ao fenômeno Ufo moderno, que faz com que as testemunhas vejam aparições, é aquele que muitos pesquisadores de Ufos aplicam às pessoas que acreditam ter interagido com alienígenas de outros mundos. Esse fator é, sem dúvida, a hipnose; e o papel dela na criação da experiência de abduções por Ufos nas últimas três décadas oferece uma boa visão dos mecanismos subjacentes ao fenômeno como um todo.

Hipnose, memória e fantasia

Embora uma minoria de pessoas que relata ter sido abduzida afirme se lembrar da experiência sem ajuda, a maioria dos casos se apoia em memórias recobradas por meio de hipnose. A teoria afirma que os abduzidos têm suas memórias quase completamente bloqueadas por uma tecnologia extraterrestre, mas que a hipnose permite que essas memórias sejam recuperadas por completo e com precisão. Essas histórias repetem incessantemente temas na cultura popular, mas existem pelo menos dois problemas evidentes com elas. Por um lado, elas subestimam uma série de perguntas a respeito da suposta tecnologia alienígena que a hipnose, acredita-se, responde. Por outro lado, elas são baseadas em uma imagem completamente falsa do que é realmente a hipnose e o que ela pode fazer.

Segundo a interpretação extraterrestre dos relatos de abdução, alienígenas de algum planeta distante estão abduzindo em segredo milhões de seres humanos por motivos que só eles conhecem, e, depois, utilizando tecnologias que estão séculos ou milênios à frente da nossa para apagar das mentes das vítimas as lembranças dessas abduções. Esse bloqueio da memória, contudo, é tão fraco e temporário que um hipnotizador amador, sem nenhum treinamento profissional ou experiência relevante, pode anulá-lo em uma questão de minutos e revelar todos os detalhes que os extraterrestres parecem tentar esconder. Embora a hipnose tenha um registro misto em alguns contextos legais e terapêuticos – como qualquer outra técnica, ela tem suas falhas e seus sucessos –, parece ser onipotente diante de uma tecnologia extraterrestre que está muito além de qualquer coisa que nós possamos sequer começar a reproduzir. Se acreditarmos na literatura sobre abduções, sempre que alguém que teve uma experiência de "tempo perdido" se submete à hipnose com um pesquisador do assunto, um relato detalhado de tal experiência vem à tona logo nas primeiras sessões.

Mais uma vez, é possível levantar uma hipótese *ad hoc* infalsificável para explicar tudo isso. Pode-se argumentar, por exemplo, que os extraterrestres conhecem todos os nossos métodos de hipnose, sabem que algumas de suas vítimas procurarão um hipnotizador e revelarão a verdade, e incluíram esses fatos em seus planos antecipadamente. Porém, assim como vimos anteriormente, trata-se da lógica circular que presume aquilo que está tentando provar.

De um modo mais geral, é uma concepção errada pensar que a hipnose seja um meio para produzir um tipo de "reprise instantânea" de memórias suprimidas. Uma pesquisa, ainda que breve, da literatura profissional referente à hipnose revela um cenário bem diferente. A hipnose pode ser um meio eficaz para reduzir a ansiedade, e os terapeutas têm recorrido a ela com sucesso por mais de um século para ajudar os pacientes a lidar com memórias muito estressantes de serem relembradas. Todavia, as memórias relembradas pelos pacientes em sessões de hipnose regressiva são, em geral, mescladas com doses generosas de distorções e fantasias.[143] Isso não diminui o valor clínico dessas lembranças – uma fantasia pode ser um veículo poderoso para liberar emoções reprimidas e catalisar uma mudança positiva –, mas limita o valor como evidência de algo que esteja fora do cenário terapêutico. Tal dificuldade não é simplesmente produto de uma hipnoterapia incompetente. Ela existe no próprio mecanismo da hipnose, porque os mesmos processos na mente e no cérebro que permitem que a hipnose acalme a ansiedade e aumente a sugestionabilidade também enfraquecem a habilidade da mente de distinguir a memória da imaginação. Pior ainda, essa confusão continua depois que a hipnose acaba. A literatura profissional discute esse problema em detalhes.

Pesquisando os usos e as dificuldades da recuperação da memória por hipnose em casos criminais, por exemplo, a obra clássica de Roy Udolf, *Handbook of Hypnosis for Professionals*, alerta: "A precisão das informações obtidas dessa maneira (ou seja, hipnose regressiva) está, é óbvio, aberta a sérios questionamentos. Tais informações não seriam adequadas para uso como evidência, pois é possível que sejam uma mistura de proporções indeterminadas de fato e fantasia. O valor real do método é sua habilidade em criar um caminho que possa, por fim,

---

143. Ver, por exemplo, Udolf (1981, p. 131-33).

ajudar a descobrir uma evidência independente".[144] O dr. Martin Orne, professor de psiquiatria e hipnotizador, que trabalhou em famosos casos criminais, como o julgamento do "Estrangulador de Hillside", Kenneth Bianchi, também previne: "no atual estágio do conhecimento científico, não podemos distinguir entre recordação verídica e pseudomemórias trazidas à tona durante a hipnose sem um conhecimento prévio ou uma prova verdadeiramente independente".[145]

O pânico do "Abuso dos rituais satânicos", das décadas de 1980 e 1990, mostra como esse fenômeno pode alimentar a si mesmo e se transformar em um fenômeno internacional.[146] No início dos anos 1980, vários indivíduos foram a público alegando que foram vítimas de cultos satanistas que geravam bebês para sacrifícios. Muitas dessas alegações surgiram diretamente da cultura popular – de modo especial, do bem-sucedido filme *O Bebê de Rosemary*, de 1968, que continha quase todos os temas envolvidos no pânico emergente –, mas elas foram levadas a sério pelas redes de assistentes sociais e cristãos evangélicos, que tinham suas próprias razões para acreditar. Os hipnotizadores desempenharam um papel central em tudo isso, recuperando supostas memórias de abusos cometidos em rituais satânicos. O resultado foi um rumor que gerou um pânico clássico, no qual centenas de famílias foram destruídas e dúzias de pessoas foram presas e condenadas por acusações apoiadas apenas nos testemunhos de suas supostas vítimas, obtidos por meio de hipnose.

Os pesquisadores de abduções negaram várias vezes que o fenômeno que estudam apresenta qualquer elemento comum ao frenesi do pânico dos rituais satânicos. Um dos principais pesquisadores do tema, Budd Hopkins, por exemplo, abordou as semelhanças entre as abduções por Ufos e o abuso dos rituais satânicos em um ensaio de 2000 e descartou os paralelos, considerando-os "falácias".[147] Porém, em outras perspectivas que não a de Hopkins, os dois fenômenos são efetivamente idênticos.

Ambos levantam o espectro de uma vasta epidemia não vista de violações físicas e sexuais, praticadas em segredo, envolvendo o abuso repetido de indivíduos selecionados que sofrem perda de memória como resultado da experiência. Nos dois casos, o fenômeno é centrado na reprodução – mulheres abduzidas que alegam ter gerado híbridos

---

144. Ibidem (p. 243).
145. Orne, *et al*., (1988, p. 55).
146. Ver Victor (1993) e Ellis (2000) para relatos sobre o furor causado pelo abuso dos rituais satânicos.
147. Hopkins (2000, p. 236).

de humanos e alienígenas têm seu paralelo exato em sobreviventes do abuso satânico as quais afirmam ter sido usadas como "reprodutoras" para gerar bebês que seriam sacrificados ao Demônio. Nos dois casos, o fenômeno copia cada detalhe das narrativas ficcionais exploradas ao máximo pela cultura popular por muitas décadas – se compararmos as alegações feitas durante o furor do abuso satânico na década de 1980 à trama do filme *O Bebê de Rosemary*, por exemplo, veremos um equivalente exato dos paralelos entre as alegações de abdução por Ufos e a ficção científica das décadas anteriores. Nos dois casos, a única evidência sem ambiguidade consiste no testemunho das supostas vítimas, das quais a maioria teve a memória recuperada por hipnose.

Os pesquisadores de abduções argumentam que, diferentemente dos terapeutas das vítimas dos rituais satânicos, eles não fazem perguntas que conduzem a certas respostas, embora tal afirmação tenha sido contestada por testemunhas externas. Eles também ressaltam que os abduzidos cujas memórias são recuperadas simplesmente não podem ser forçados a se lembrar do que o terapeuta deseja que recordem. Os terapeutas de abduzidos costumam usar "dicas falsas" – ou seja, perguntas influenciadoras que contradizem alguns dos padrões consistentes na experiência da abdução – e relatam que indivíduos que foram, de fato, abduzidos rejeitam tais perguntas. Um exemplo citado por Budd Hopkins é típico: o terapeuta pergunta ao abduzido que está revivendo a experiência se ele ou ela pode ver os pés da mesa de exames. Em quase todos os relatos de abdução, a mesa de exames não tem pés – ou é uma mesa em forma de pedestal, um bloco sólido, ou um bloco flutuante – e os abduzidos com frequência corrigem a sugestão errada, em vez de imaginar uma mesa com pés.[148]

Embora o papel das expectativas dos hipnotizadores em moldar a experiência hipnótica talvez envolva sugestões muito mais sutis do que essa, o argumento levantado por Hopkins é válido. Uma pesquisa em dois volumes feita por Thomas Bullard a respeito da experiência de abdução argumenta, de maneira semelhante, que os relatos contêm uma riqueza de características consistentes, que permanecem constantes de investigador para investigador, mais uma vez sugerindo que o que está acontecendo não é apenas o caso de um investigador fazendo perguntas influenciadoras e obtendo a resposta esperada.[149] Com certeza, a experiência dos abduzidos se refere a outra coisa que não suas próprias fantasias e as expectativas dos investigadores. Os defensores

---
148. Hopkins (2000, p. 220).
149. Bullard (1987).

da hipótese extraterrestre argumentam que essa "coisa" deve ser o comportamento da nave alienígena e sua tripulação, mas existe outra fonte muito mais próxima – a cultura popular do século XX.

Abduzidos pela cultura popular?

Cada detalhe do fenômeno como um todo nos leva diretamente às modernas representações de abduções extraterrestres feitas pela mídia. É possível constatar isso tanto nos números quanto em demonstrações mais sutis. Relatos de abdução eram quase desconhecidos antes que *The Interrupted Journey*, de John Fuller, desse ao fenômeno sua narrativa central. Depois de 1966, quando o livro de Fuller foi publicado pela primeira vez, poucos relatos de abdução chegaram aos investigadores; o dr. Leo Sprikle, um dos mais ativos (e controversos) pesquisadores do fenômeno, encontrou apenas seis casos na década posterior ao lançamento do livro de Fuller. O filme de TV *The Ufo Incident* (1975), um documentário dramático baseado no livro de Fuller, provocou um fluxo modesto de novos relatos, e Sprinkle descobriu mais seis casos nos dois anos seguintes. Em 1977, o sucesso fenomenal de *Contatos Imediatos do Terceiro Grau* deixou o processo em polvorosa; nos dois anos que se seguiram ao lançamento do filme, Sprinkle investigou mais 18 casos. Outro estudo encontrou um total de apenas 50 casos de abdução citados na literatura ufológica entre 1947 a 1976, enquanto mais cem foram relatados apenas em 1977 e 1978.[150]

Os mesmos acontecimentos da mídia produziram efeitos igualmente chocantes no modo como o contato com extraterrestres foi vivenciado por abduzidos e outras pessoas. *The Ufo Incident* retratou os alienígenas que sequestraram os Hill como seres muito baixos, com a pele cinza, sem cabelos ou pelos no corpo, e com grandes olhos oblíquos. Esses não foram os seres que Betty Hill descreveu – tinham 1,52 metro de altura, cabelos negros e narizes longos "como Jimmy Durante" –, mas, depois que *Contatos Imediatos do Terceiro Grau* tomou emprestado a mesma imagem para os extraterrestres do filme, ela se tornou um ícone americano. E, no início dos anos 1980, a grande maioria dos relatos de abdução incluía pequenos alienígenas cinzas com grandes olhos negros e oblíquos.

A possibilidade de a cultura popular funcionar como uma fonte para as experiências de abdução foi, é claro, contestada pelos pesquisadores do fenômeno. Assim, em *A Ameaça* (1988), um dos livros mais

---

150. Peebles (1994, p. 234-35).

escandalosos acerca de "extraterrestres maus" publicados até hoje, o historiador e pesquisador de Ufos David Jacobs argumenta que seu cenário de filme de terror – uma iminente conquista da Terra por seres alienígenas usando os abduzidos e seus filhos híbridos como quinta coluna – não pode ser simplesmente categorizado como um reflexo da cultura popular. "Minha conclusão de que a integração extraterrestre logo provocará uma mudança social dramática não tem nenhuma relação com outras visões apocalípticas mais conhecidas", ele insiste. "Tenho consciência das semelhanças superficiais entre minha conclusão e a ficção científica ou o milenismo, mas as evidências não confirmam tal ligação".[151]

O problema aqui é que a relação descartada por Jacobs pode ser encontrada em todo o material que ele apresenta, e as semelhanças desprezadas por ele não são superficiais. Cada detalhe da teoria de Jacobs, na verdade, apareceu na literatura e no cinema de ficção científica do século XX muito antes de começar a ser relatado pelos abduzidos. Em primeiro lugar, a ideia de que os extraterrestres podem se procriar com os seres humanos – embora seja uma grande improbabilidade biológica[152] – tem sido o elemento principal da ficção científica desde o início desse gênero, presente em tudo, desde histórias sérias de ficção, como o clássico de Roger Zelazny, "A Rose for Ecclesiastes", de 1963, até filmes B *kitsch* clássicos, como *Devil Girls from Mars* (1954) e *Mars Needs Women* (1967). A ideia de que seres de outros planetas podem conquistar a Terra usando humanos com implantes como seus agentes é, pelo menos, quase tão antiga quanto o próprio gênero – a popular trilogia para jovens adultos, *Tripods*, de John Christopher, era um dos livros que tínhamos de ler nas aulas de inglês na década de 1970. O papel dos híbridos alienígenas-humanos como quinta coluna nos faz lembrar *The Midwich Cuckoos,* de John Wyndham, e outras obras do gênero.

Além disso, não faltam relatos detalhados de abduções alienígenas clássicas na cultura popular desde o início do século XX. Para citar apenas um entre centenas, a sequência de tirinhas *Buck Rogers no Século*

---

151. Jacobs (1998, p. 255).
152. É inevitável que as formas de vida alienígenas tenham uma bioquímica radicalmente diferente da nossa; portanto, a criação de um híbrido humano-alienígena seria algo mais complexo do que cruzar um ser humano com uma petúnia. Para uma civilização com tecnologia genética avançada o suficiente para fazer isso, seria muito mais fácil sintetizar o material genético de que necessitam, sem ter de abduzir doadores de espermas e óvulos de uma espécie totalmente alienígena (para eles).

XXV, publicada em 1930, traz um personagem abduzido por uma nave esférica e mantido em um "transe eletro-hipnótico", sobre uma clássica mesa de exames extraterrestre, sem pés visíveis, enquanto a tripulação alienígena testa sua mente e memórias.[153] (Observe as mesas de exame nos filmes e programas de TV de ficção científica e verá que poucas têm pés.) Como a única evidência para a teoria de Jacobs consiste em abduzidos cujas memórias se encaixam no modelo "extraterrestres maus" – quase todas extraídas sob hipnose, e todas, sem exceção, sujeitas à influência cultural –, a evidência reafirma exatamente a ligação que ele rejeita.

Também é relevante o fato de que a separação entre "extraterrestres bons" e "extraterrestres maus", presente na comunidade de pesquisa, reflete a divisão no pensamento contemporâneo apocalíptico discutido exaustivamente por estudiosos como Philip Lamy.[154] Lamy ressalta que, nos tempos modernos, o discurso cristão clássico do apocalipse deu lugar a formas "fracionadas" que enfatizam ou a esperança da Nova Jerusalém, ou o medo do advento do Anticristo, mas em ambos os casos substituem as imagens do mito tradicional religioso por imagens oriundas de várias mitologias seculares modernas. As profecias da iminente salvação ou destruição por meio dos Ufos, que surgiram do movimento dos abduzidos, compartilham outra característica com as tradições apocalípticas modernas: a "Grande Mudança" que elas preveem é tão inevitável na teoria quanto infinitamente adiada na prática.

O papel da cultura popular como uma fonte de relatos de Ufos obtidos por meio de hipnose foi bem demonstrado em um estudo realizado em 1977 por Alvin Lawson, professor da Universidade Estadual da Califórnia, em Long Beach. Lawson utilizou pesquisas para selecionar um grupo de alunos voluntários que não tinham nenhum interesse em Ufos, cuja única exposição ao tema se devia à mídia de massa. Ele os hipnotizou, disse-lhes que estavam sendo abduzidos por um Ufo e pediu que relatassem as experiências durante a abdução imaginária. Os alunos produziram uma série de narrativas muito semelhantes às relatadas por abduzidos "de verdade", e, embora Lawson não tenha percebido ou mencionado, igualmente similar às abduções presentes na ficção científica já citadas.[155]

Os pesquisadores de abduções insistem que há diferenças importantes entre os resultados obtidos por eles e os de Lawson, mas

---

153. Ver as tiras reimpressas em Lewis (2000, p. 57).
154. Lamy (1998).
155. Lawson (1980).

diferenças tão grandes quanto essas também existem entre o que os pesquisadores da atualidade consideram relatos-padrão de abduções e casos mais antigos como o dos Hill e Hickson-Parker.[156] Seria elucidativo verificar se as diferenças encontradas por Lawson ainda existiriam caso o estudo fosse repetido hoje, agora que a narrativa-padrão dos abduzidos se tornou um tema muito conhecido na cultura popular.

Além do mais, nem todos os relatos de abdução fazem sentido dentro da hipótese extraterrestre. O contato imediato do policial Alan Godfrey é um exemplo.[157] Na madrugada de 29 de novembro de 1980, Godfrey estava fazendo a ronda em seu carro, perto da pequena cidade de Todmorden, na Inglaterra, procurando vacas perdidas, quando viu um disco luminoso no céu e o observou por tempo suficiente para fazer um desenho. De repente, percebeu que estava a certa distância, ainda dentro do carro de polícia, e o disco havia sumido. Sob hipnose, Godfrey relatou uma clássica abdução por Ufo – exceto pelo fato de o capitão da nave ser um judeu chamado Yoseph, vestido como os antigos israelitas, e a tripulação, formada por um grupo de anões e um grande cão preto. Anômalo no que se refere ao mito Ufo, esse último membro da tripulação não está, de modo algum, fora de contexto no folclore britânico, no qual cães pretos espectrais estão entre as aparições mais relatadas nas lendas e também na experiência contemporânea.[158]

Outro exemplo extraído dos relatos das abduções por extraterrestres reafirma o mesmo ponto. Em 22 de agosto de 1952, Cecil Michael, de Bakersfield, Califórnia, teve um contato imediato com um disco voador e foi abduzido por ocupantes de aparência estranha.[159] Isso aconteceu logo no início do movimento dos contatados, quando viagens com guias pelo espaço eram aparentemente uma experiência comum entre as pessoas capturadas por discos voadores, mas Michael foi levado a um local nunca visitado por George Adamski. O disco o deixou no inferno, onde ele teve uma conversa com o próprio Satanás, antes de ser resgatado e levado de volta para casa por Jesus Cristo. Nesse caso, um conjunto antigo do imaginário culturalmente poderoso – o da fé cristã – preencheu o espaço que, em geral, é ocupado pela ficção científica.

---

156. Em vez dos onipresentes "Grays" das narrativas atuais de abdução, para citar apenas uma diferença, Betty Hill descreveu seres com cabelos pretos e "narizes como Jimmy Durante", enquanto Charles Hickson e Calvin Parker descreveram criaturas enrugadas, sem pescoço, com garras no lugar das mãos, e narizes e orelhas pontudos.
157. Barclay e Barclay (1993, p. 155-56).
158. Ver, por exemplo, Bord (1980).
159. Michael (1971).

Os anais do fenômeno Ufo contêm milhares de casos anômalos. Do ponto de vista da maioria das hipóteses populares acerca do fenômeno, eles representam um profundo embaraço e são, portanto, deixados de fora na maior parte das discussões do tema. Sob uma perspectiva mais ampla, no entanto, eles oferecem uma chave crucial para o entendimento.

A lógica circular argumenta que um conjunto de imagens – ou seja, aquelas derivadas da ficção científica do século XX, que define as abduções como a ação de astronautas de outros planetas – deve ser aceito automaticamente como verdadeiro, enquanto todos os outros devem ser descartados como enganos ou ilusões. Aqueles que acreditam na hipótese demonológica argumentam de modo idêntico que experiências como a de Cecil Michael representam a forma verdadeira do fenômeno Ufo, enquanto outros relatos apenas refletem ilusões satânicas; e seus argumentos são reprovados no teste de lógica tanto quanto aqueles da hipótese extraterrestre.

Viagens a outros mundos

Tudo isso fornece muita munição para os defensores da hipótese nula, que argumentam, conforme vimos, que o fenômeno da abdução como um todo é um artefato das limitações da hipnoterapia e da influência da histeria em massa. O único problema com essa posição é que o mesmo fenômeno tem paralelos tão surpreendentes quanto outro de ampla presença na história registrada.

Considere o seguinte relato de uma abdução registrada em Dakota do Sul, no começo do século XX. O abduzido, um menino de 9 anos de idade à época, desenvolveu uma doença repentina e inexplicável que o deixou muito fraco para andar. Um dia, quando estava de cama, viu duas figuras humanas descendo do céu em sua direção, cada uma segurando o que parecia uma vara com fagulhas elétricas saindo da extremidade. Os dois seres disseram ao garoto que os acompanhasse, e ele sentiu que estava levantando da cama; sentiu-se "muito leve". Algo que "parecia uma nuvem pequena" desceu para pegar os três. O menino disse que, quando estava a bordo, olhou para baixo e viu sua casa. O resto da história é bem diferente das abduções de hoje, porque o garoto cresceu e se tornou o santo de Lakota, Black Elk, e os seres do trovão que apareceram para ele o levaram em uma viagem de cura, que se tornou a fonte de seus poderes.[160]

---

160. Para o relato completo da "abdução" de Black Elk, ver Neihardt (1988, p. 20-47).

Esse tipo de viagem a outros mundos pode ser encontrado em todos os folclores, teologias e tradições ocultistas. Certos temas presentes nessas viagens também desempenham um papel importante no fenômeno das abduções. Inúmeros xamãs, santos e visionários, assim como abduzidos, relatam que suas experiências começam com a chegada de uma ou mais entidades, não humanas, mas em geral humanoides, que os tiram de suas circunstâncias comuns e os levam a um lugar onde as leis comuns não mais se aplicam. O "fator de Oz", com o forte senso de entrar em uma realidade alternativa, também aparece em todos os tipos de viagens a outros mundos.

A relação entre as aparições e abduções aparece ainda com mais detalhes nos casos em que a "abdução" ocorreu, sem dúvida, no reino da mente. Em um famoso caso de abdução, a de Maureen Puddy, em 1973,[161] o corpo físico da abduzida permaneceu na realidade comum sob a observação de dois pesquisadores de Ufos, enquanto ela sofria a abdução. Isso tem um paralelo com um dos temas mais comuns da experiência xamânica e visionária, na qual o corpo do xamã fica inerte ao mesmo tempo em que ele ou ela passa por estranhas experiências em um local não totalmente físico.

A modificação do corpo é outra característica comum. Nas experiências de iniciação em transe, os xamãs siberianos têm seus órgãos removidos e substituídos por órgãos novos e mágicos, assim como os abduzidos passam por procedimentos médicos bizarros e recebem implantes no corpo. Do mesmo modo que os visionários por todo o mundo alegam ter recebido dons espirituais por meio das experiências vividas, um número razoável de abduzidos acredita que desenvolveu poderes psíquicos como resultado das abduções.

No entanto, essas características interculturais são apenas metade da história. Temas e expectativas oriundos da própria cultura do abduzido desempenham um papel igualmente importante na criação das viagens a outros mundos. Na Europa medieval, visionários descreviam visitas ao céu, purgatório e inferno, e relatavam encontros com Deus, anjos e demônios;[162] no Japão tradicional, o mesmo acontecia com figuras e locais das mitologias budista e xintoísta;[163] na visão de Black Elk, esse papel foi preenchido pelos seres do trovão e as montanhas sagradas de Lakota; e relatos de abduzidos estão repletos de espaçonaves e extraterrestres presentes na atual crença nos Ufos.

---

161. Magee (1978).
162. Zaleski (1987) apresenta um resumo muito útil.
163. Ver Blacker (1975).

Em seu estudo a respeito dos discos voadores como mito moderno, Carl Jung chamou a atenção exatamente para esses pontos, em uma discussão sobre Orfeo Angelucci, um dos contatados mais populares da década de 1950.[164] Segundo Angelucci, a primeira vez que ele viu um Ufo foi em 1946, quase um ano antes de o fenômeno atrair a imaginação pública. No ano de 1952, viu outro objeto, um disco vermelho brilhante que ninguém mais viu, e manteve uma conversa telepática com seus ocupantes, dois seres humanos de beleza e sabedoria sobrenaturais, que o ensinaram a respeito do lugar da humanidade no Cosmos.

Angelucci teve mais dois contatos no mesmo ano e recebeu mais ensinamentos místicos profundamente baseados na Teosofia e outras formas de ocultismo popular.[165] Em 1953, ele permaneceu uma semana em transe de sonambulismo, depois do qual relatou ter viajado em espírito ao planetoide de origem de seus professores Orion e Lyra. Na sequência dessas experiências, Angelucci deixou o emprego de mecânico, tornou-se professor de ocultismo popular, publicou um livro intitulado *The Secret of the Saucers* (1955) e permaneceu como uma das figuras principais do circuito de contatados até meados da década de 1960.

Jung ressaltou que cada detalhe da narrativa de Angelucci encontra um paralelo exato em toda a literatura de experiências espirituais. Desde o primeiro aparecimento dos poderes sobrenaturais em sua vida, passando pelo contato inicial, o período de ensinamentos e a viagem em transe para o mundo sobrenatural, a história de Angelucci é um relato clássico do processo de iniciação xamânica. O único detalhe que a diferencia das quase idênticas histórias dos xamãs siberianos e dos indígenas norte-americanos é que o mundo sobrenatural está no espaço sideral.

É tradicional usar evidências dessas experiências visionárias para apoiar as alegações de realidade das formas culturais que elas ecoam – os pregadores na Europa medieval, por exemplo, se utilizavam muito dos relatos contemporâneos de viagens a um mundo sobrenatural para defender a existência de céu, inferno, Satanás, etc. – e os pesquisadores de Ufos que usam os relatos de abduções para apoiar a hipótese extraterrestre estão, portanto, bem acompanhados. Porém, muitas das culturas que dão atenção especial a essas experiências retiram delas

---

164. Jung (1978, p. 112-20). Ver também Reeve e Reeve (1957, p. 222-32).
165. É interessante o fato de Jung, que tinha um conhecimento considerável das tradições ocultistas, não ter percebido o ocultismo popular envolvendo a narrativa de Angelucci – por exemplo, a identificação de Jesus como o "Senhor da Chama", um termo retirado diretamente do livro *A Doutrina Secreta*, de Blavatsky.

muito mais do que a confirmação de uma existente visão de mundo. Assim, o povo de Black Elk, por exemplo, aceitou sua visão e a de outros visionários do mesmo período em um esforço para dar sentido às mudanças catastróficas que se seguiram após a invasão das Grandes Planícies pelo homem branco.

Eles não foram insensatos ao fazer isso. O ensaio de Jung a respeito de discos voadores ressalta o papel da experiência visionária em apontar questões não resolvidas e lutas culturais de uma época. Por isso, pode não ser acidental o fato de que, durante um período em que a questão do aborto chegou ao ponto de ebulição por toda a cultura norte-americana, centenas de pessoas sofreram cirurgias brutais reprodutivas nas mãos de seres muito parecidos com fetos humanos.

Portanto, a epidemia de experiências de abdução dá um apoio dúbio, na melhor das hipóteses, à afirmação de que extraterrestres de carne e osso, vindos de um mundo distante, estão visitando a Terra. Em vez disso, ela encontra seu significado na crise cultural do presente; uma crise que viu o declínio ou o colapso total da maioria das formas tradicionais de espiritualidade junto ao fracasso da tentativa do materialismo racionalista de tomar o lugar da religião. Em outros tempos, a desintegração das formas religiosas familiares provocou a ascensão de novas formas de espiritualidade nas mãos de indivíduos cujas vidas e experiências têm paralelos muito próximos às dos xamãs, profetas e místicos por todo o mundo. Os contatados, abduzidos e testemunhas de contatos imediatos podem muito bem se encaixar no mesmo grupo.

A dimensão xamânica

Essa sugestão ganha um reforço poderoso com a pesquisa realizada pelos drs. Alex Keul e Ken Phillips sobre o histórico das testemunhas de Ufos. O Protocolo de Anamnese, um questionário sistemático entregue a testemunhas de objetos voadores não identificados, pessoas que vivenciaram outras ocorrências estranhas e grupos de controle que nunca tiveram experiências incomuns, revelou diferenças psicológicas consistentes e estatisticamente significativas entre as pessoas que passaram por experiências estranhas e as que nada vivenciaram.[166]

Apesar das afirmações dos defensores da hipótese nula, as testemunhas de Ufos não estão mais propensas a acreditar que os objetos vistos são do espaço sideral, nem a se tornar membros de grupos religiosos, tampouco a se interessar por fenômenos paranormais. Em

---

166. Ver, por exemplo, Barclay e Barclay (1993, p. 46-49).

vez disso, comparadas aos grupos de controle, as pessoas que relatam contatos imediatos com um Ufo estão, de modo significativo, mais propensas a sentir insatisfação com suas vidas, a ter problemas nervosos, lembrar-se dos sonhos, sonhar que estão voando ou com Ufos, e a relatar experiências de PES, em particular depois do encontro com o Ufo. Isso pode parecer um amontoado de traços psicológicos sem relação entre si, mas trata-se de algo bem diferente. Em todas as culturas do mundo, essas características são reconhecidas como fortes indicações de um xamã em potencial.

Durante a maior parte dos últimos 2 mil anos, as pessoas com um talento distinto para esse tipo de experiência tiveram pouquíssimas opções no mundo ocidental. Desde o início da Idade Média até as primeiras comoções do mundo moderno, aqueles cujas visões coincidiam muito bem com as ortodoxias religiosas de época acabavam em mosteiros ou conventos, onde tais experiências eram tratadas como sinais de santidade, enquanto outros corriam o risco de ser executados como hereges e bruxos. Nos tempos mais recentes, com o endurecimento do preconceito contra qualquer forma de estado alterado da consciência, as pessoas que vivenciaram essas experiências aprenderam a escondê-las dos outros ou foram enviadas a instituições mentais, onde receberam medicações e eletrochoques para voltarem a uma aparente normalidade.

Em sociedades menos hostis ao talento humano para experiências visionárias, essas pessoas são valorizadas como xamãs, curandeiros, místicos, etc. A maioria das culturas fora do Ocidente moderno industrializado possui uma riqueza em sabedoria popular e técnicas tradicionais que pode ser usada pelos visionários para direcionar seus dons por canais construtivos. As aparições que se repetem em sonhos e pesadelos de uma sociedade podem ser um tipo de sistema de alerta do estresse social. Assim como os psicoterapeutas estudam os sonhos dos pacientes para abrir caminhos a visões não acessíveis de outro modo à mente consciente, os sonhos acordados dos visionários de uma sociedade podem lançar uma luz inesperada sobre a imaginação popular e a consciência coletiva da época.

É por essa razão que, em muitas outras sociedades – Roma antiga e China imperial, por exemplo –, relatos de ocorrências estranhas, aparições e visões eram coletados com assiduidade como um meio de acompanhar mudanças sutis na opinião pública e no relacionamento entre o povo e os governantes. Nenhum profeta romano ou mandarim chinês teria virado as costas às mensagens de 60 anos de aparições relacionadas a Ufos, pois elas refletem esperanças passadas de paz mundial, medo do holocausto nuclear, ambivalências profundas referentes a tecnologia e progresso científico e, mais recentemente, uma significativa perda da confiança nas instituições governamentais e a sensação de que um abismo cada vez maior se abre entre os políticos e seus constituintes. Até o ponto em que as disputas intermináveis entre os defensores das hipóteses extraterrestre e nula impediram que tais mensagens fossem ouvidas, nós é que saímos perdendo.

No moderno mundo industrial, a tarefa de observar as flutuações das imagens na imaginação coletiva foi deixada por engano nas mãos das sociedades secretas e ocultistas. As disciplinas para vivenciar aparições, como mencionamos antes neste capítulo, são uma parte importante do ocultismo.[167] Outro exemplo, raramente discutido na literatura ocultista moderna, mas presente nos escritos de autores ocultistas clássicos como Giordano Bruno e Cornélio Agrippa, consiste em usar vários meios sutis para dar forma à dimensão visionária da experiência humana. O Historiador Ioan Couliano ressaltou que a publicidade moderna, vista sob as lentes da filosofia ocultista tradicional, é um tipo de magia que se utiliza de imagens carregadas de emoção para dar forma aos pensamentos e comportamento das pessoas[168] – e a história do fenômeno Ufo mostra sinais claros do mesmo processo.

Portanto, o fato de ocultistas como Meade Layne e Harold Sherman parecerem ter previsto o início do fenômeno Ufo e desempenhado um papel tão significativo em seus primórdios, pode ser mais importante do que parece. Por um lado, talvez eles tenham reagido a décadas de imaginário da ficção científica um pouco antes de seus companheiros; por outro lado, é possível que tenham utilizado esse imaginário para alcançar objetivos próprios.

Essa última possibilidade ganha crédito porque pelo menos outro grupo organizado pode ter usado o fenômeno Ufo de maneira deliberada para influenciar a opinião pública. A existência desse grupo e seu envolvimento com a controvérsia em relação aos Ufos são uma questão de registro público, e o uso deliberado dos relatos de Ufos para criar enganos foi tornado público mais de uma vez. A organização a que nos referimos são as instituições militares dos Estados Unidos.

---

167. Ver Greer (2007, p. 215-35), por exemplo.
168. Couliano (1984).

Capítulo 8

O Último Segredo da Guerra Fria

Como Jung ressaltou, prescientemente em 1958, existe um mundo de diferença entre a base física dos avistamentos de Ufos e a riqueza extraordinária do imaginário mítico e da especulação que se acumulou em uma profusão de luzes que se movem no céu.[169] Essa distinção é raramente compreendida, mesmo porque tanto a hipótese extraterrestre quanto a nula acumulam as experiências ufológicas com uma única coisa proveniente de uma única causa, mas é crucial para o verdadeiro entendimento do fenômeno Ufo.

Uma grande porcentagem de todos os avistamentos de Ufos, como vimos no Capítulo 7, tem as características distintas de aparições. Eles aparecem para pessoas que estão sozinhas, ou em grupos pequenos de indivíduos em estados alterados de consciência, violam as leis da natureza que governam os objetos materiais, desaparecem sem deixar traços materiais e refletem um imaginário psicologicamente poderoso da cultura popular de sua época. Formam uma espécie de *looping* que converte as imagens da cultura popular na matéria-prima da experiência, representando os extraterrestres imaginários da ficção científica na imaginação coletiva e permitindo que três gerações de ufólogos convençam a si mesmos de que os Ufos devem ser espaçonaves de outros mundos, porque sua aparência e suas ações funcionam para nós como retroalimentação, isto é, nos mostram o que esperamos de uma espaçonave extraterrestre.

É importante, porém, lembrarmos que nem todos os Ufos se encaixam nesses parênteses. Alguns são vistos ao mesmo tempo por muitas

---

169. Jung (1978, p. 107-9).

pessoas, que não mostram sinal de estar em estado alterado de consciência e concordam quanto aos detalhes do que viram; alguns Ufos se comportam como objetos materiais, são fotografados e detectados em radar e deixam algum tipo de marca física. Estes não podem ser classificados como aparições sem que usemos o mesmo tipo de lógica circular que criticamos neste livro. Eles representam o outro lado do enigma dos Ufos, a base física em volta da qual tanta mitologia e imaginário se desenvolveram com o passar dos anos.

Muito provavelmente, essa base física é muito diversa. Parte dela consiste em fenômenos naturais incomuns, porém compreendidos pela ciência como parélio, meteoros e raios globulares; enquanto outra parte se deve, sem dúvida, a aeronaves e espaçonaves convencionais, erroneamente interpretadas sob vários aspectos. Ainda assim, pelo menos duas outras coisas devem ser acrescentadas à lista.

A primeira consiste quase certamente de um fenômeno natural ainda não conhecido pela ciência, talvez associado à pressão tectônica nas falhas geográficas, que produz bolhas iridescentes de luz que podem ser fotografadas e vistas por múltiplas testemunhas. Pesquisadores da hipótese geofísica, como Michael Persinger e Paul Devereux, trabalhando com orçamento apertado e com pouquíssima ajuda da comunidade científica, coletaram uma quantidade impressionante de evidências que devem ser levadas em conta em qualquer explicação do fenômeno Ufo. Não importava o que fossem aquelas luzes, há todos os motivos para pensarmos que um programa de pesquisas com boa verba poderia trazer resultados de significativo interesse científico, além de uma explicação sólida para ao menos alguns avistamentos de Ufos.

Uma segunda coisa que deve ser acrescida à lista tem muito menos a nos ensinar, sob o ponto de vista científico, embora talvez redefinisse partes dos últimos 60 anos de história, e só é segredo porque a maioria das pessoas dos lados da controvérsia tem olhado para o lado errado. Veio à luz em 1997, com a publicação de um estudo interior confidencial do envolvimento da CIA na controvérsia em torno dos Ufos, feito pelo historiador do Escritório de Reconhecimento Nacional, Gerald K. Haines.

Por trás do véu

A maior parte do estudo de Haines cobria um terreno familiar para aqueles que conheciam o histórico do envolvimento do governo norte-americano no fenômeno. No meio do artigo, porém, Haines soltou uma bomba:

> *Segundo estimativas posteriores de funcionários da CIA que trabalharam no projeto U-2 e no projeto OXCART (A-12/SR-71 Blackbird), mais da metade dos relatos de Ufos do fim dos anos 1950 até os anos 1960 podiam ser explicados por voos tripulados de reconhecimento (isto é, o U-2) nos céus dos Estados Unidos. Isso levou a Força Aérea a fazer declarações falsas e enganosas ao público para acalmar os temores do público e proteger um projeto sensível de segurança nacional.*[170]

Um estudo detalhado do programa U-2 publicado no ano seguinte repetiu tais afirmações e incluiu mais detalhes.[171] O Lockheed U-2 era um avião de espionagem de alta tecnologia com altitude de cruzeiro acima de 18.288 metros. Os aviões comerciais nos anos 1950 voavam entre 3.048 e 6.096 metros, enquanto os militares conhecidos chegavam à altitude máxima bem abaixo dos 15.240 metros; ninguém, exceto quem estava por dentro do programa ultrassecreto U-2, sabia que existiam aeronaves que voavam acima de 3.048 metros de altura. Portanto, um dos primeiros resultados do programa U-2 foi um aumento no número de avistamentos de Ufos.

As aeronaves de reconhecimento norte-americanas atuais são pintadas de preto, mas os U-2 originais não eram pintados, e suas asas e corpo de alumínio refletiam fortemente a luz do Sol. Foi por isso que muitos tripulantes de aviões comerciais voando de Oeste para Leste antes do amanhecer, ou do Leste para Oeste após o pôr do sol, viam a forte luz solar refletida em algo a 12.192 metros de altura ou mais. Muitos relataram os avistamentos como objetos voadores não identificados – o que, de certa forma, eram, pelo menos para quem estava por fora do programa U-2. Quando esses avistamentos foram informados à Força Aérea, segundo as fontes da CIA, o pessoal do projeto Blue Book contatou a Agência para verificar os diários de bordo do U-2. Como o programa U-2 era, nas palavras de Haines, "um projeto extraordinariamente sensível de segurança nacional", a Força Aérea ofereceu explicações falsas para os avistamentos, com o intuito de encobrir o que estava acontecendo de fato.

O mais interessante de tudo isso é que estes não foram os únicos avistamentos de Ufo que envolviam um programa militar secreto e seu acobertamento. Pelo menos um dos avistamentos clássicos, o caso Mantell de 1948, cai na mesma categoria. O Ufo seguido por Mantell,

---

170. Haines (1997, p. 73).
171. Pendlow e Welzenbach (1998).

em forma de casquinha de sorvete e com uma cúpula vermelha, era um balão Skyhook, na época uma tecnologia secreta testada para espionagem e fins de reconhecimento aéreo.[172] A declaração inicial da Força Aérea foi que o piloto perseguira o planeta Vênus. Só vários anos depois, quando o programa Skyhook veio a público, a natureza real do objeto que causou a morte de Mantell foi revelada.

Tampouco foram os Estados Unidos os únicos participantes desses esquemas de acobertamento. Um artigo elucidativo do cientista espacial e defensor da hipótese nula, James Oberg, documenta o uso do mesmo estratagema por parte da antiga União Soviética.[173] Em mais de dez ocasiões em 1976, testemunhas – em grande parte da região sudoeste da URSS – observaram uma enorme nave desconhecida, com o formato de uma Lua Crescente luminosa e quase um quilômetro de largura, deslocando-se no céu no sentido oeste-leste. Esses avistamentos foram listados como desconhecidos em um relatório de 1979 sobre Ufos, com a sanção oficial da Academia Soviética de Ciências.

Na verdade, como informa Oberg, esses "Ufos" correspondiam exatamente aos testes do Sistema de Bombardeio Orbital Fracional (FOBS), um programa soviético de armas nucleares cujo objetivo era soltar ogivas em alvos a partir de órbita terrestre baixa. A forma crescente foi causada pela onda de choque gerada quando o FOBS adentrou novamente na atmosfera da Terra, e o governo soviético classificou-o com avistamento de Ufos, na tentativa de desviar atenção do público. Foi um truque inteligente, usado por ambos os lados da Guerra Fria.

"Alguma coisa é vista, mas não se sabe o que é."[174] Com essas palavras, Jung definiu o fenômeno Ufo; e a definição serve até hoje. Um ponto frequentemente ignorado, porém, é que pode haver mais de uma razão para que algo desconhecido continue desconhecido. Algumas verdades são ocultas por serem naturalmente difíceis de acessar, outras porque as ferramentas e ideias usadas para acessá-las se mostram insuficientes para a tarefa. Outras, por sua vez, são escondidas intencionalmente. O pesquisador Jacques Vallee ressaltou numerosas vezes que o fenômeno Ufo é deliberadamente enganoso e, nesse caso, as conclusões óbvias podem estar muito longe da verdade.[175]

No entanto, a estratégia do acobertamento própria de campanhas de desinformação é mal compreendida por todos os lados envolvidos no

---

172. Ver Stehling e Beller (1962).
173. Oberg (1982).
174. Jung (1978, p. 6).
175. Vallee (1979, p. 196-201).

debate sobre os Ufos; e sem o sentido de como funciona essa estratégia, o fenômeno segue como enigma insolúvel. Desde os primeiros dias do fenômeno, a imprensa popular se fartou de acusações de que a Força Aérea ou algum outro órgão oficial sabia mais acerca do mistério dos Ufos do que admitia saber. Hoje, depois de seis décadas de especulação, o mito ufológico contemporâneo envolve tanto o acobertamento governamental quanto a noção de espaçonaves de outros mundos.

É difícil contestar a sugestão de que houve, de fato, uma campanha de acobertamento governamental em torno do fenômeno Ufo. As evidências coletadas por numerosos pesquisadores em meio século de livros publicados, notadamente a obra muito bem documentada, embora carregada de parcialidade, *Ufos and the National Security State*, de Richard Dolan, apresentam provas inegáveis de que a Força Aérea e a Inteligência dos Estados Unidos tiveram envolvimento contínuo no fenômeno desde seu início e deliberadamente moldaram a opinião pública a respeito dele. A pergunta que quase nunca se faz é se o acobertamento se estende para alguma coisa além das espaçonaves alienígenas. Muitas coisas podem ser ocultadas sob o véu do acobertamento: uma lição ensinada pelas campanhas militares clássicas da história, que envolvem engodo e confidencialidade.

Guarda-costas de mentiras

Em 1943, quando a maré da Segunda Guerra Mundial virou contra o Eixo, todos os olhos – inclusive do alto comando alemão – se voltaram para a inevitável invasão dos Aliados à Europa ocupada pelos nazistas. O norte da França, do lado oposto do Canal da Mancha, onde se encontravam reunidos os exércitos da Grã-Bretanha e Estados Unidos, era o alvo lógico. O *Wehrmacht* não possuía os recursos para fortificar toda a costa do canal. Se os alemães pudessem prever onde se daria a entrada dos Aliados, a tentativa de invasão provavelmente fracassaria e a Alemanha se beneficiaria grandemente; os comandantes dos dois lados sabiam disso. Se os Aliados conseguissem invadir por um local inesperado, porém, se fortaleceriam, e o *Wehrmacht* sofreria uma perda desastrosa, espremido entre os exércitos anglo-saxões e o poderio russo avançando lentamente a partir do leste. A enorme e competente máquina de espionagem alemã recorreu aos recursos disponíveis para deduzir como seria a invasão.

Os comandantes dos Aliados sabiam disso muito bem. Também sabiam que, por melhor que fosse sua segurança, alguma informação acabaria vazando. Bolaram, então, a Operação Guarda-costas, uma das campanhas mais audaciosas de trucagem na história das guerras.[176] Sob o comando do general George Patton, uma força militar massiva – Primeiro Grupo do Exército Norte-americano – estacionou nos condados na região sudeste da Inglaterra, bem de frente ao ponto mais estreito do Canal, desde Calais, na França. Dezenas de novos acampamentos foram montados na área, com tanques, artilharia, caminhões e depósitos de munição. Tudo isso foi feito secretamente, em preparação para o maior ataque anfíbio da guerra. Aeronaves aliadas também sobrevoavam as praias como abelhas ativas, enquanto agentes da Resistência Francesa sondavam as trincheiras alemãs na mesma área e outras preparações eram feitas para a iminente invasão.

O mais notável nessas preparações era que não existia nenhum Primeiro Grupo do Exército Norte-americano. O quartel-general de Patton era uma divisão menor, remodelada para parecer mais importante do que era. Os acampamentos que abrigavam suas tropas tinham pequenos grupos de atores instruídos para dar a melhor impressão possível de serem numerosos e ocupados; os tanques, a artilharia e os caminhões eram montagens especialmente fabricadas para parecerem convincentes a distância; os depósitos de munição estavam vazios. Toda a campanha de mentiras foi orquestrada por uma força-tarefa especial que se reportava diretamente ao alto comando Aliado e se camuflava com o mesmo véu que encobrira o programa aliado de bombas atômicas, na mesma época.

O engodo foi perfeito porque o exército fantasma de Patton era apenas a história mais plausível de uma série de histórias falsas espalhadas por todos os canais disponíveis. Dados falsos sugerindo a entrada dos Aliados pela costa da Europa ocupada chegaram aos ouvidos alemães. A Operação Fortitude criou um Quarto Exército Britânico imaginário na Escócia, preparando uma invasão da Noruega, enquanto a Operação Zeppelin conjurava forças igualmente fictícias na África do Norte, preparando uma invasão dos Bálcãs. Enquanto isso, a verdadeira força invasora se infiltrou nos acampamentos dispersos, mais de cem milhas a Oeste, do outro lado do alvo real da invasão: as praias da Normandia. Como mostra a história, a Operação Guarda-costas foi um sucesso. O alto comando alemão juntou os dados disponíveis, separou o joio do trigo e chegou à conclusão lógica de que a invasão seria perto de Calais. Descartaram os rumores de invasões planejadas na Noruega, nos Bálcãs e em outros lugares porque todas as evidências corroboravam uma invasão na França, mas nunca lhes ocorreu que a evidência

---

176. O relato seguinte da Operação se baseia em Brown (1976).

apontando para Calais como alvo também seria falsa. Mesmo depois que os informes de desembarque de tropas na Normandia chegaram a Berlim, o alto comando alemão presumiu que eram falsos, com o intuito de afastar as forças do desembarque real perto de Calais; por isso, os alemães não enviaram reforços. Seu erro fatal fez do Dia D uma vitória tremenda para os Aliados, marcando a derrota da Alemanha.

A Operação Guarda-costas é citada várias vezes na literatura ufológica, mas raramente alguém prestou atenção à principal lição que ela ensina: uma campanha eficaz de engodo exige *duas histórias* por baixo da versão pública. No caso da Operação Guarda-costas, a história pública foi "Sem comentários", a segurança rígida normal para qualquer operação militar importante. Por baixo dela, havia a história falsa representada pelo Primeiro Grupo do Exército Norte-americano de Patton, com seus tanques falsos e depósitos vazios. A história falsa não teria funcionado se viesse a público; tinha de ser mantida em segredo e precisava ser protegida por uma nuvem de desinformação que desafiasse a visão do inimigo. Com tudo isso, ela parecia um segredo real e convenceu o alto comando alemão de que era o verdadeiro plano dos Aliados.

Por baixo da história falsa encontra-se a verdadeira, suficientemente semelhante à falsa, de modo que qualquer evidência que aponte para ela pode ser confundida como evidência da história falsa. A Operação Guarda-costas nunca teria dado certo se a história falsa tivesse negado o plano de invasão ou enfocado afirmações de que a invasão seria em outro lugar, longe do norte da França. Deu certo porque os alemães tiveram a possibilidade de descobrir quase tudo acerca da invasão, exceto o local exato das praias onde os Aliados desembarcariam. Cada informação desvendada por seus espiões, apontando para uma iminente invasão no norte da França, reforçava a crença do alto comando alemão de que o ataque seria perto de Calais. Como ressalta Jacques Vallee, eles tinham 95% das informações necessárias para descobrir o plano dos Aliados, mas eram os 95% errados.[177]

Um guarda-costas alienígena?

Um projeto semelhante para desviar a atenção de outro conjunto de segredos militares importantes faria perfeito sentido no contexto da Guerra Fria. Os anos seguintes ao fim da Segunda Guerra Mundial viram o segredo em torno da invasão da Normandia e a gênese da bomba atômica ganharem as alturas, à medida que as campanhas contra a Alemanha

---
177. Vallee (1979, p. 68).

nazista e o Japão imperial cediam lugar à luta contra a União Soviética. Enquanto a Guerra Fria se formava, toda uma economia secreta centrada em tecnologia aeroespacial crescia nos Estados Unidos e em seus aliados, oculta aos olhos do público pelos mesmos salvaguardas que a mantiveram longe dos agentes de inteligência soviéticos.[178]

A maioria dos avanços importantes na tecnologia aeroespacial norte-americana nesse período nasceu nessa economia oculta e só saiu da confidencialidade anos ou décadas mais tarde. O Bell X-1, a primeira aeronave mais rápida que a velocidade do som, é um exemplo oportuno, pois voou pela primeira vez em 1947, quando o fenômeno Ufo começava se formar. Em seu primeiro teste, o X-1 era um projeto secreto; e o voo supersônico pioneiro de Chuck Yeager, em 14 de outubro de 1947, se deu sob sigilo estrito. Quando a *Aviation Week* publicou uma matéria sobre o voo dali a dois meses, a Força Aérea pensou em processar a revista por questão de segurança nacional.[179]

Muitos outros programas foram protegidos pelo mesmo tipo de acobertamento. Estreando em 1946, os balões norte-americanos de alta altitude foram testados para realizar missões de reconhecimento na camada superior da atmosfera. Os projetos Helios e Skyhook testaram muitas gôndolas tripuladas que deveriam alcançar 100 mil pés de altitude, enquanto o projeto Mogul usava balões não tripulados para espionar testes nucleares soviéticos. Também estreando em 1946, os Estados Unidos puseram no ar aviões "ferret" carregados de equipamentos eletrônicos em missões secretas acima de território estrangeiro, a fim de espionar as comunicações e os radares de seus inimigos, bem como de seus aliados. O U-2 entrou no campo de aviões de espionagem em 1955, e o A-12/SR-71 Blackbird voou pela primeira vez em 1962. Mais ou menos nessa época, os primeiros teleguiados (*drones*) norte-americanos, sem piloto, entraram em ação; e aviões de reconhecimento tático, como o Lockheed YO-3ª, uma aeronave de observação de um único assento e quase silenciosa, entraram em serviço mais adiante na mesma década. As décadas seguintes também contaram com suas aeronaves secretas, e todas as evidências sugerem que programas secretos semelhantes continuam até hoje.

Os voos do U-2 e dos balões de teste Skyhook não foram os únicos projetos secretos que culminaram em relatos de Ufos nesse período. Em 1954, por exemplo, a Força Aérea conduziu testes de lançamento de

---

178. Ver Burrows (2001) e Taubman (2003), entre outros, a respeito das atividades secretas norte-americanas durante a Guerra Fria.
179. Miller (2001, p. 28-29).

bombas para a ogiva de hidrogênio EC-14, a primeira arma termonuclear no arsenal norte-americano, acima do campo de testes, em Nellis, Nevada, não muito longe de Groom Lake. As bombas, cobertas de luzes fortes e multicoloridas para fins de rastreamento, foram lançadas de um B-36 que sobrevoava o deserto de Nevada a 13.716,00 metros de altura, às 4 horas. O resultado previsível foi uma enxurrada de relatos de Ufos na região de Las Vegas, que foram desconsiderados pela Força Aérea e pelos detratores nos termos de sempre.[180]

Portanto, é digno de registro o fato de que o fenômeno Ufo serviu como acobertamento para atividades aeroespaciais norte-americanas. A possibilidade raramente vista é que essa pode ter sido uma política deliberada. Se colocarmos o fenômeno Ufo ao lado da Operação Guarda-costas, os paralelos despontam imediatamente. A história pública era a negação de que algo extraordinário estava acontecendo nos céus dos Estados Unidos, equivalente aos segredos operacionais normais em torno da invasão no Dia D. Essa história pública seria sustentada por uma campanha de desinformação que enchia a mídia de declarações oficiais dizendo que qualquer nave incomum era, na verdade, um avistamento de estrelas, gás do pântano ou algum outro fenômeno natural.

A história falsa por baixo da pública seria a afirmação de que espaçonaves extraterrestres visitavam a Terra. A Força Aérea rejeitava essa noção publicamente. Ao mesmo tempo, suas ações encorajavam muitas pessoas a crer que a história falsa devia ser verdadeira, assim como o alto comando dos Aliados fez de tudo para convencer o alto comando alemão de que a invasão seria pelas praias perto de Calais. É totalmente possível que a Força Aérea e a CIA deliberadamente forjassem alguns dos avistamentos mais espetaculares para ajudar a espalhar a história errônea, criando falsos Ufos e aterrissagens, assim como os idealizadores da Operação Guarda-costas criaram falsos tanques, depósitos de munição e unidades do exército.

Além dessa história falsa primária, existiriam teorias alternativas a respeito da natureza do fenômeno Ufo, com paralelos à invasão na Noruega, nos Bálcãs e em outros lugares que a Operação Guarda-costas gerou como publicidade adicional. Por baixo dessa enxurrada de histórias falsas, por fim, havia a história real: aeronaves secretas e missões de espionagem tinham de ser escondidas da espionagem soviética, assim como o desembarque dos Aliados nas praias da Normandia não podia ser revelado ao *Wehrmacht*.

Reconsideremos a onda de Ufos em 1947 por essa perspectiva, e surgirá uma nova possibilidade. Nos dias seguintes ao avistamento

---

180. Peebles (1994, p. 322).

de Keneth Arnold, muitas testemunhas no Noroeste Pacífico viram o que pareciam ser pontos, discos ou esferas prateadas no ar. Não eram simplesmente aparições; foram fotografados, como mencionamos no Capítulo 2, e avistados por grandes números de testemunhas ao mesmo tempo. Os avistamentos se espalharam pelo país nos dias seguintes, até que gradualmente cessaram. Enquanto isso, corriam rumores por todo o país de que as naves misteriosas eram alguma espécie de arma secreta.

Ignoremos a mitologia criada, e o que temos parece uma boa descrição de um lançamento de testes de múltiplos balões de grande altitude sobre o território norte-americano. É óbvio que em 1947 já havia tecnologia para isso. Durante a Segunda Guerra Mundial, os japoneses lançaram milhares de balões carregando bombas nas florestas ocidentais da América do Norte, em um projeto chamado Operação Fugo. Foi tão bem-sucedido que os Estados Unidos precisaram obrigar a imprensa a se calar e colocaram batalhões de bombeiros de prontidão nas estações de verão em 1944 e 1945. A ocupação do Japão pelos Estados Unidos, depois da guerra, se apoderou de todos os registros da tecnologia da Operação Fugo, e a possibilidade de fazer algo semelhante com a União Soviética – talvez com algo muito mais letal que as bombas incendiárias – deve ter passado pela cabeça dos planejadores militares norte-americanos.

Se um teste secreto com balões ocorreu no verão de 1947, estes teriam sido lançados no noroeste do Pacífico ou de navios no Pacífico e flutuado em sentido Leste pelo território norte-americano, seguindo os ventos de grande altitude. Os Estados Unidos usaram a mesma abordagem em um projeto de 1955, a Operação Genetrix, que enviou mais 500 balões de observação à União Soviética. Portanto, não podemos descartar a possibilidade de que a mesma tecnologia fora testada antes, no espaço aéreo norte-americano. Ao menos um livro solidamente documentado a respeito do serviço de inteligência norte-americano na Guerra Fria diz, com base em entrevistas confidenciais, que testes com balões em 1947 causaram onda de Ufos naquele ano.[181] Se foi isso que aconteceu, explicaria muitos avistamentos múltiplos de objetos estranhos prateados nos céus; objetos estes cuja existência a Força Aérea e os funcionários do governo negavam veementemente.

Os avistamentos de 1947 foram os precursores, mas o nascimento da "Operação Guarda-costas Alienígena" parece ter ocorrido depois, em resposta a um conjunto diferente de realidades não mencionáveis nos céus norte-americanos. A enorme onda de Ufos de 1952 provavelmente

---

181. Volkman (1985, p. 140-41).

foi o cadinho para o projeto; e é um fato digno de nota que suas causas não foram explicadas pelas revelações da CIA em 1997. Em seu contexto histórico, contudo, 1952 foi um bom ano para planos secretos. Os mísseis balísticos intercontinentais só seriam inventados anos mais tarde, mas muitos líderes militares norte-americanos, notadamente o chefe do Comando Estratégico do Ar, Curtis LeMay, acreditavam que a União Soviética tinha uma vantagem tão grande em seus bombardeios que um primeiro ataque nuclear russo era uma possibilidade real.

Teriam os Estados Unidos preparado e testado alguma arma de emergência tão arriscada ou tão moralmente repelente que os testes permanecem secretos até hoje? Ou será que a arma em si permanece em uma prateleira do Pentágono, uma última opção guardada a sete chaves?

Em 1952, não era preciso alguém ser um gênio para usar o fenômeno Ufo como camuflagem. A crença de que os Ufos eram espaçonaves alienígenas estava enraizada na imaginação norte-americana; a primeira onda de contatados proclamava a chegada iminente dos Irmãos do Espaço, e os rumores de 1947 de que os Ufos eram um projeto militar secreto já estavam esquecidos. Nesse ínterim, as agências militares e de inteligência contavam centenas de homens que haviam participado da Operação Guarda-costas durante a guerra e sabiam que o engodo era uma boa arma militar.

Muitos projetos secretos dos anos 1950 já não são mais secretos desde então, é óbvio; e vale perguntarmos por que a "Operação Guarda-costas Alienígena" ainda seria um segredo. A resposta está no modo como o mesmo estratagema foi usado para diversos projetos secretos. O que foi testado em 1952 foi apenas um dos muitos programas ocultos por trás da conveniente camuflagem do fenômeno Ufo. De 1954 a 1960, período em que um U-2 foi derrubado do espaço aéreo soviético, o U-2 era a tecnologia de reconhecimento mais secreta dos Estados Unidos. Em 1962, o SR-71 começou seus testes de voo e continuou em serviço até os anos 1980. Os Estados Unidos lançaram seu primeiro e bem-sucedido satélite espião em 1960, mas foi só em 1974, quando uma nova geração de satélites espiões entrou em ação, que o reconhecimento orbital se tornou crucial para o serviço de reconhecimento estratégico norte-americano. Esse detalhe pode ter mais relevância para a história dos Ufos do que a maioria dos pesquisadores imagina, porque a época em que os aviões adquiriram essa importância e os satélites espiões consistiam na nova tecnologia capaz de sair de órbita foi também o período em que um grande número de testemunhas estava vendo Ufos nos céus norte-americanos.

Quando os satélites assumiram a liderança, porém, a prática de culpar os extraterrestres por qualquer avistamento aéreo incomum encontrara outras utilidades nos labirintos das atividades da inteligência norte-americana e dos testes com tecnologia aeroespacial. A antiga campanha de acobertamento também teria um impacto poderoso na crescente mitologia ufológica, convencendo inúmeras multidões de sua existência, enquanto levava os defensores da hipótese extraterrestre a um confronto constante com o governo dos Estados Unidos. Quando as agências do governo começaram a vazar informações relevantes à história por trás do fenômeno Ufo durante a abertura relativa dos anos 1990, perceberam que nem os partidários da HET nem seus adversários com HN queriam saber delas.

O ressurgimento do estado norte-americano de segurança nacional no começo do novo século pôs fim a essas iniciativas, mas provavelmente elas já estavam fadadas a não dar certo desde o início. O mito dos Ufos desenvolvera um *momentum* próprio e, entre aqueles que o aceitavam, já se tornara infalsificável. Meio século depois do início da era dos Ufos, nada que alguém fizesse ou dissesse comprometeria seu poder sobre a imaginação popular, nem enfraqueceria a convicção dos partidários da HET de que estavam no encalço de espaçonaves de outros mundos.

A fonte de desinformação

Assim como um truque mágico, a desinformação conta com a atenção do espectador voltada para algo irrelevante, enquanto a verdadeira ação ocorre em outro lugar. Se você olha para a mão que segura a varinha, vê aquilo que o mágico quer que você veja. Se olhar para a outra mão, terá uma chance de perceber o truque e entender o que, de fato, está acontecendo.

Uma das ironias mais interessantes nas campanhas de desinformação e engodo é que, embora elas existam para proteger um segredo, manifestam-se em ações públicas. Se a evidência apontando para uma invasão perto de Calais não tivesse chamado a atenção dos espiões nazistas, afinal, os esforços da Operação Guarda-costas teriam sido em vão. Do mesmo modo, se um programa de enganação visando esconder alguns dos segredos militares mais importantes da Guerra Fria quer exercer importante papel no desenvolvimento do fenômeno Ufo, as histórias enganosas e as pistas falsas engendradas pela máquina de desinformação têm de atingir o público. Procuremos os pontos em que o engodo entra na esfera pública e teremos o equivalente da outra mão do mágico, um ponto de acesso ao que se passa por trás das cenas.

No caso do fenômeno Ufo, os lugares que devem ser olhados são as organizações e pessoas que exerceram papel crucial na condução de investigações civis sérias pelo caminho falso da hipótese extraterrestre; e um ponto de partida essencial é procurar pessoas nesses contextos que teriam ligações íntimas com a comunidade de inteligência norte-americana. Ironicamente, boa parte desse trabalho já foi feita por pesquisadores convencidos de que o objetivo do acobertamento era esconder a origem extraterrestre dos Ufos. Veja os mesmos dados sob a ótica da Operação Guarda-costas, porém, e uma coisa interessante salta aos olhos: uma grande parte dos grupos e indivíduos mais ativos em difundir a noção de que os militares norte-americanos escondem evidências de aterrissagens extraterrestres tinham ligações próximas com os próprios órgãos militares e de inteligência que esses grupos e indivíduos alegavam desafiar.

O NICAP, órgão civil de pesquisas ufológicas, teve mais responsabilidade que qualquer outro pela divulgação da ideia de um acobertamento governamental das espaçonaves alienígenas. Em toda a história dessa organização, muitos de seus atores principais eram agentes de inteligência. Alguns dos membros da diretoria do NICAP que tinham um histórico na Inteligência foram o almirante Roscoe Hillenkoetter, primeiro diretor da CIA; o coronel Joseph J. Bryan III e Nicholas de Rochefort, respectivamente o chefe da equipe de guerra psicológica da CIA e um de seus assistentes; e o oficial de *briefing* da CIA, Karl Pflock.

Richard Hall, o diretor atuante do NICAP nos anos 1960, foi um veterano que tinha acesso à segurança da CIA e teria, pelo que consta, encaminhado dados do NICAP para a Agência. Quando Donald Keyhoe foi forçado a se demitir em dezembro de 1969, Bryan, que orquestrara sua saída, substituiu Keyhoe por John L. Acuff, que já liderara um departamento científico intimamente ligado à CIA. E o diretor-assistente do NICAP, Gordon Lore Jr., fora muito próximo a G. Stuart Nixon, cujas ligações íntimas com funcionários da CIA nos anos seguintes são conhecidas.[182]

Outra figura importante na comunidade ufológica cujas ligações com o serviço de inteligência norte-americano já foram muito comentadas é J. Allen Hynek. Em muitos sentidos, Hynek foi o ufólogo mais influente dos Estados Unidos, e sua peregrinação do projeto Blue Book até se tornar o espírito orientador do CUFOS acompanhou a mudança no fenômeno Ufo, de uma preocupação menor para um ícone popular

---

182. Ver Dolan (2002, p. 191, 279-80 e 364-65).

na segunda metade do século XX. Poucos sabem que os contratos de Hynek com a Força Aérea vieram por intermédio da Divisão de Tecnologia Estrangeira da USAF, por meio de terceiros – prática normal no campo da inteligência – e enfocava a avaliação de avistamentos de Ufos para fins da inteligência. O pesquisador Richard Dolan argumenta que as ligações e atividades de Hynek por meio do Blue Book sugerem uma conexão íntima com a comunidade de inteligência.[183]

Os promotores da mitologia mais recente das bases subterrâneas e iminente invasão da Terra por extraterrestres têm suas ligações com a comunidade de inteligência. Todas as pessoas que exerceram funções-chave na divulgação dessas histórias – M. William Cooper, Richard Doty, William English, John Lear e William Moore – eram ex-funcionários de agências de inteligência ou, no caso de Moore, admitiram ter trabalhado como informantes para a inteligência da Força Aérea, enquanto distribuíam os documentos do MJ-12. Se olharmos os anos 1990 e a mudança de foco das mesmas histórias sobre Groom Lake, Nevada, veremos que as figuras-chave – Robert Lazar e William Uhouse – admitiam abertamente seu envolvimento em uma série de projetos secretos de pesquisa vinculados à comunidade de inteligência.[184] A possibilidade de que trabalhavam para agências de inteligência em funções diferentes raramente é levada em conta quando se avaliam as afirmações improváveis que eles faziam acerca dos controvertidos Ufos.

Tampouco faltaram ligações com os serviços de inteligência no outro lado da controvérsia, entre os defensores da hipótese nula. Donald Menzel, o astrônomo de Harvard que se tornou o primeiro detrator profissional dos Ufos, também estava inserido na comunidade de inteligência dos Estados Unidos, com acesso total de segurança a projetos ultrassecretos. Menzel quebrou códigos japoneses para o Escritório de Inteligência Naval durante a Segunda Guerra Mundial e trabalhou como empreiteiro para a NSA e a CIA, em sua carreira. Nos anos 1950 e 1960, enquanto conquistava sua reputação de principal proponente da hipótese nula, ele foi funcionário contratado da CIA e falava sobre os Ufos abertamente com o pessoal de inteligência da Força Aérea.[185]

Philip Klass, que assumiu o papel de Menzel e se tornou o principal detrator dos Ufos por mais de três décadas, tinha uma ligação menos direta com o cenário da inteligência que Menzel, mas passou

---

183. Ibidem (p. 221-24).
184. Ver Darlington (1997); Patton (1998, p. 157-58); Bishop (2005, p. 108); e Vallee (1991, p. 166), a respeito do envolvimento de indivíduos importantes da inteligência com a comunidade ufológica.
185. Westrum (2000, p. 36).

a maior parte de sua carreira como editor sênior da *Aviation Week and Space Technology*, uma revista frequentemente usada como condutora de projetos norte-americanos de desinformação que seu apelido no setor de aviação era *Aviation Leak and Space Mythology*.* klass também foi o autor de um dos primeiros livros sobre satélites espiões, projeto que envolvia ligações íntimas com alguns dos programas mais secretos da inteligência norte-americana da época.[186]

Entretanto, essas ligações diretas formam apenas uma parte do quebra-cabeça. Veja qualquer relato detalhado do fenômeno Ufo que cita fontes desses dados e notará como muitas das afirmações mais extravagantes vêm diretamente dos militares. Isso levanta um paradoxo interessante. A partir de dezembro de 1953, sob os termos da JANAP 146, o relato público de um avistamento de Ufo se tornou crime federal sob a Lei de Espionagem para militares, pilotos comerciais e algumas outras classes de civis. Essa regulamentação, diga-se de passagem, é explicável se os "avistamentos de Ufos" fossem, na verdade, de aeronaves militares secretas; aliás, todo o aparato norte-americano de acobertamento do fenômeno Ufo faz muito mais sentido como tentativa de esconder segredos militares do que uma suposta invasão extraterrestre. Se todos os relatos de Ufos, de 1953 a 1974, que vieram dos militares, pilotos comerciais e outros abordados pela JANAP 146 fossem removidos da coletânea de evidências ufológicas, tal coletânea seria uma fração modesta de seu verdadeiro tamanho.

Um detalhe crucial não foi percebido pelos pesquisadores do acobertamento ufológico: *nenhum dos militares ou pilotos comerciais cujos relatórios ajudaram a alimentar o movimento ufológico foi processado sob os ditames da JANAP 146*. Nos anos de pico do fenômeno Ufo, relatos de avistamentos de testemunhas sujeitas às regras draconianas da JANAP 146 chegavam à mídia e às organizações de pesquisa ufológica, sem desencadear processos legais. Se a ilusão das espaçonaves extraterrestres era, de fato, uma simples capa para uma sucessão de projetos aeroespaciais secretos dos Estados Unidos, esses "vazamentos" seriam uma parte essencial da camuflagem. Como a evidência plantada para o desembarque dos Aliados em qualquer lugar, menos na Normandia, os vazamentos ajudariam a manter o nevoeiro denso de confusão em torno de todo o tema, dificultando a qualquer pessoa enxergar os detalhes da desinformação.

---

* N.R.: Em português, "vazamento de informações e mitologia espacial".
186. N.A.: Klass (1971).

O trabalho de desinformação da Força Aérea deixou traços visíveis por todo o caso de Paul Bennewitz, um físico e entusiasta norte-americano da ufologia, cujo papel em divulgar algumas das principais lendas ufológicas modernas foi citado brevemente no Capítulo 4.[187] Bennewitz, membro da APRO, dirigia uma empresa de eletrônica em Albuquerque, Novo México, muito perto da base da Força Aérea de Kirtland. No começo de 1979, ele viu luzes se movendo no céu. Achando que eram espaçonaves alienígenas, começou a usar suas habilidades técnicas para observar os céus de Kirtland.

O que Bennewitz não sabia era que estava bisbilhotando uma das iniciativas tecnológicas mais secretas da indústria de defesa norte-americana. Kirtland era a sede dos Laboratórios Nacionais Sandia, um dos centros primários da nação para pesquisa secreta; a NSA também estava presente lá, bem como cerca de 160 agências do governo. Segundo uma versão do caso, os rádios de Bennewitz começaram a captar testes de um novo sistema da NSA para transmitir mensagens cifradas múltiplas em uma mensagem única de rádio, e suas câmeras pegaram traços de dispositivos de laser usados para embaralhar os satélites de reconhecimento da União Soviética. Enquanto Bennewitz acreditava que tais coisas vinham dos Ufos, outros não eram tão inocentes e canalizaram informações de seu trabalho para aqueles que queriam conhecer os segredos de Kirtland.

Parece que foi quando as interceptações por parte da NSA de comunicações soviéticas começaram a obter material que vinha por meio de Bennewitz que os serviços de inteligência dos Estados Unidos intervieram. Segundo vários relatos, oficiais do Escritório de Investigações Especiais da Força Aérea (AFOSI) contataram Bennewitz e passaram a ele "informações secretas", desviando sua atenção de Kirtland para a área de Dulce, Novo México, 321,87 quilômetros a norte de Albuquerque, onde os oficiais afirmaram que os extraterrestres tinham uma base subterrânea. Com a ajuda do AFOSI e de um ufólogo altamente respeitado, que também trabalhava com a Força Aérea,[188] Bennewitz descobriu como programar um computador para "traduzir" sinais da NSA, convertendo-os em palavreado de temática alienígena. À medida que o material passado a Bennewitz se tornava cada vez mais paranoico, o próprio Bennewitz também ficava, e, em 1987 ele foi internado em uma instituição psiquiátrica.

---

187. Minhas fontes são Bishop (2005) e Vallee (1991) para a apresentação que se segue.
188. Segundo Bill Moore, seria o próprio J. Allen Hynek. Ver Bishop (2005, p. 95).

Nesse mesmo período, oficiais do OSI recrutaram outro membro da comunidade ufológica, William Moore, para observar Bennewitz de perto. Moore ajudou a escrever *The Roswell Incident* (1980). O livro trouxe a história da queda de um Ufo em Roswell de volta à circulação na comunidade de pesquisas ufológicas e foi considerado uma estrela entre os trabalhos de pesquisa nos anos 1980. Como o próprio Moore confessou em 1989, os oficiais da Força Aérea que o contataram diziam que representavam um grupo dentro da Força Aérea que era contrário ao acobertamento ufológico, e lhe ofereceram acesso a informações secretas sobre os Ufos em troca de atualizações frequentes quanto ao que Bennewitz fazia. Moore engoliu a isca e, por mais de uma década, oficiais de contrainteligência do AFOSI lhe deram documentos ufológicos falsos que corroboravam o material que estavam transmitindo a Bennewitz.

Nada disso impediu que a desinformação passada a Bennewitz e Moore fosse aceita em grandes setores da comunidade ufológica nos anos 1990. Os documentos do MJ-12 e muito material até hoje em circulação a respeito de uma base extraterrestre subterrânea perto de Dulce, acordos secretos entre o governo dos Estados Unidos e ETs, e o envolvimento de extraterrestres nas mutilações de gado e abduções humanas têm sua origem comum nessa fonte. Tudo isso aponta para a possibilidade de que boa parte das informações circulando no cenário ufológico atual tem origens semelhantes.

O segredo de Rendlesham

Se examinarmos outros elementos do fenômeno Ufo, com um olho nas campanhas militares de desinformação, veremos padrões semelhantes. Um exemplo sólido disso é o incidente em Rendlesham, em 1980, um dos casos de contatos imediatos mais famosos da história do fenômeno, tema de vários livros.[189]

A floresta de Rendlesham fica em East Anglia, a elevação no meio da costa leste da Inglaterra, entre duas bases áreas britânicas arrendadas para a Força Aérea Norte-americana. Entre as unidades baseadas lá, segundo os pesquisadores britânicos, fica o 78º Esquadrão Aeroespacial de Recuperação e Resgate, treinado para resgatar astronautas norte-americanos e espaçonaves que precisem fazer uma aterrissagem de emergência em qualquer ponto da Terra.

---

189. Ver Randles, Street e Butler (1984); Warren e Robbins (1997); e Vallee (1991, p. 153-65), para detalhes do caso Rendlesham.

Nas primeiras horas da manhã de 27 de novembro de 1980, operadores civis de radar rastrearam uma aeronave não identificada em voo do Mar do Norte em direção à Terra, nas proximidades da floresta de Rendlesham. Várias testemunhas nas duas bases aéreas relataram que luzes brilhantes foram vistas na floresta; e um eletricista civil afirmou que foi chamado para consertar luzes de pouco que pareciam destruídas por uma aeronave fazendo um pouso de emergência. Segundo uma das testemunhas na base e um dos operadores civis de radar, os oficiais da Força Aérea admitiram que um Ufo aterrissara em Rendlesham. Outra testemunha, um guarda de segurança da Força Aérea chamado Larry Warren, afirmou que ele e mais cerca de 40 pessoas foram enviados a um ponto pré-arranjado na floresta e lá viram um Ufo "com o formato de uma ponta de flecha", aterrissado e do qual saíram três seres alienígenas, que conversaram com o comandante da base antes de decolar novamente.

Os defensores da hipótese extraterrestre divulgaram o caso como um incidente de pouso forçado de uma nave extraterrestre, muito bem documentado. Já os defensores da hipótese nula insistiram que o feixe do farol de Orford Ness, a 6,44 quilômetros de distância, e algumas estrelas brilhantes, foram confundidos com Ufos, naquela noite de dezembro. Entretanto, as evidências seriam explicadas com muito mais bom senso por uma aterrissagem de emergência de uma aeronave secreta, seguida por um acobertamento no qual se criaria a história de um Ufo pousado para desviar a atenção dos eventos reais. A cena descrita por Larry Warren, como ressalta Jacques Vallee,[190] tem todos os traços de um evento encenado para que as testemunhas vissem o que os militares queriam.

A afirmação de que o Ufo tinha a cabeça em formato de flecha é o detalhe mais importante. Desde o fim dos anos 1970, circulam relatos de avistamentos de aeronaves triangulares com identificação dos Estados Unidos. Dois deles – o F-117 caça *stealth* e o B-2 bombardeiro *stealth* – saíram do armário do acobertamento governamental no fim daquela década, mas outros provavelmente continuam escondidos. Um deles é um triângulo com pontas arredondadas, maior que o F-118, mas menor que o B-2; rumores na indústria de aviação o chamam de TR-3 Black Malta – TR significa *tactical reconnaissance*, ou reconhecimento tático – e ele é derivado de um avião *stealth* experimental anterior, com o codinome de ARTICHOKE.

---

190. Vallee (1991, p. 158-60).

Outro, um triângulo maior e mais pontudo, foi identificado como o SR-91 Aurora, uma aeronave de reconhecimento estratégico capaz de voar cinco vezes mais rápido que a luz, construído para substituir o idoso SR-71 Blackbird. Quando os engenheiros em uma plataforma de petróleo no Mar do Norte viram uma aeronave desconhecida em forma de delta sendo reabastecida em voo por um KC-135 Stratotanker da Força Aérea Norte-americana, enquanto dois caças F-111 voavam nas proximidades para oferecer proteção, seus relatos convenceram a respeitada revista da aviação *Jane's Defence Weekly* de que os rumores em torno do Aurora estavam corretos.[191] Os Estados Unidos ainda negam a existência desses aviões, mas tais detalhes são um fator comum no mundo da aeronave "de orçamento negro" (*black budget*); afinal de contas, as autoridades norte-americanas também já negaram a existência do SR-71, F-117 e B-2, entre tantas outras aeronaves avançadas.

Somemos tais dados com o caso Rendlesham e os repetidos avistamentos de Ufos triangulares pretos nos céus norte-americanos durante a década de 1980, e veremos um padrão plausível. O voo-teste inaugural do U-2 foi em 1955; e de seu sucessor, o SR-71 Blackbird, em 1962. Em 1980, os dois já eram tecnologia antiga, mas as fontes oficiais insistem que, por causa de cortes no orçamento, nada novo foi construído e usado desde os anos 1960. Talvez eu seja desconfiado demais, mas tal afirmação parece tão implausível quanto se eu disser que a CIA cede seu programa de reconhecimento para ajudar com o trenó do Papai Noel. Os satélites são a essência do reconhecimento dos Estados Unidos, mas suas órbitas podem ser rastreadas e eles podem ser derrubados por armas antissatélites. Um avião de reconhecimento estratégico usando tecnologia *stealth* (camuflagem) seria um apoio crucial; e no enorme arsenal de defesa dos Estados Unidos, nos anos 1980, algo do tipo seria inevitável.

A primeira aeronave stealth norte-americana, o experimental HAVE BLUE, voou pela primeira vez em 1977. Na época, as especulações em torno da tecnologia *stealth* – e eram muitas na imprensa – enfocavam o conceito de pinturas ou painéis que absorviam o radar; uma das peças de desinformação postas a circular por meio de Paul Bennewitz, por exemplo, era a afirmação de que a Força Aérea desenvolvera uma liga secreta de alumínio/titânio que absorvia radares.[192] O que permitia que o HAVE BLUE não fosse detectado pelos radares, no entanto, era outra coisa: um design multifacetado revolucionário que

---
191. Patton (1998, p. 39-40).
192. Ibidem (p. 145), e Bishop (2005, p. 193-94).

desviava as ondas de radar da aeronave. Esse design se tornou a base para o F-117 Nighthawk, o primeiro caça *stealth* dos Estados Unidos.

No entanto, o Nighthawk só voou pela primeira vem em 1982. Para o lendário Skunk Woods da Lockheed Aircraft – o centro de criação de aeronaves secretas que desenvolveu o U-2, SR-71, HAVE BLUE, F-117 e muitos outros projetos secretos – isso era absurdamente lento. O Skunk Woods pôs o primeiro U-2 no ar oito meses após assinar o contrato, e o SR-71, muito mais exigente, só levou dois anos.[193] Quando o HAVE BLUE provou que o design facetado funcionava, a construção dos primeiros F-117 com o mesmo plano deveria ter levado poucos meses. Uma explicação plausível para o atraso era que a equipe de Skunk Woods estava construindo antes outra coisa com a mesma tecnologia. O ARTICHOKE, protótipo do avião de reconhecimento TR-3, ou o protótipo do SR-91 Aurora, seria a "outra coisa" lógica.

À medida que o programa *stealth* se completava, porém, ainda era o segredo mais sensível no arsenal norte-americano, e esse segredo poderia vazar graças a uma única fotografia: o funcionamento da tecnologia *stealth* poderia facilmente ser reproduzido por engenheira reversa a partir de uma boa olhada em um design facetado. Portanto, era necessário jogar sobre o programa uma cortina de fumaça para manter segredo total, e o fenômeno Ufo, envolvido com aviões espiões pelo menos desde os primeiros tempos do programa U-2, seria a ferramenta perfeita para a aplicação dessa cortina.

Essa pode ter sido a força motora por trás da súbita enxurrada de Ufos triangulares no espaço aéreo norte-americano, no início dos anos 1980. Assim como os voos do U-2 e do SR-71 foram ocultos por trás da proteção dupla da mitologia ufológica e das negações veementes desse mito por parte da Força Aérea, os voos dos aviões *stealth* secretos teriam se beneficiado do mesmo tratamento. A campanha secreta poderia ser um equivalente eficaz e moderno dos tanques falsos de Patton, com um "Ufo" triangular desfilando sobre o vale do Rio Hudson e outros locais à noite, para confundir, deixando os serviços de inteligência estrangeiros perplexos ante os relatos de aeronaves triangulares pretas que não eram detectadas por radar.

O "bumerangue" talvez fosse algo simples, como um balão triangular grande, com uma plataforma inferior para luzes e um avião ultraleve rebocando-o. Mas também poderia ser algo mais interessante. Uma das histórias mais estranhas na indústria da aviação no começo dos anos 1970 foi o caso do Aereon 7, um dirigível radicalmente novo e

---

193. Patton (1998, p. 108-19 e p. 128-31).

triangular, inventado e colocado em voo por meio de suportes mais leves que o ar.[194] O Aereon era uma tecnologia intrigante com muitos usos potenciais, um deles no trabalho de antissubmarinos, para o qual a Marinha Norte-americana usou dirigíveis durante toda a Segunda Guerra Mundial. A possibilidade de algo baseado no Aereon por trás do "bumerangue de Westchester" merece muito mais atenção do que recebeu dos pesquisadores obcecados pela hipótese extraterrestre.

Tudo isso forma o contexto para o Caso Rendlesham. Em 1980, a aterrissagem de emergência de um protótipo de avião de reconhecimento em uma das bases aéreas perto de Rendlesham, acompanhada pelo costumeiro "avião de busca" da Força Aérea, que seria detectado por radares civis, poderia comprometer todo o programa *stealth*. Se os agentes soviéticos percebessem algo fora do comum ocorrendo, usariam todos os seus recursos e, provavelmente, obteriam informações suficientes para decifrar o código da tecnologia *stealth*.

A mitologia ufológica servia de disfarce perfeito para desviar a atenção dos inimigos. Assim como uma estática que afoga o sinal de rádio, a criação deliberada de rumores de contato extraterrestre – sustentada com encenações, como a vista por Larry Warren – confundiria a situação a ponto de os agentes estrangeiros e os analistas de inteligência nunca terem certeza do que viam, perdendo, assim, a chance de decifrar o maior segredo da última década da Guerra Fria. Cenas semelhantes talvez tenham sido encenadas múltiplas vezes desde 1952 por unidades militares e de inteligência, que aprenderam a usar uma máscara de ET para esconder suas operações.

Escaramuça na escuridão

Essas amostras de desinformação no fenômeno Ufo são peças cruciais do quebra-cabeça, mas é importantíssimo também lembrarmos que o serviço de inteligência militar norte-americano não tem monopólio do uso da desinformação. A ocultação dos testes soviéticos FOBS sob o mesmo manto de "avistamentos inexplicáveis de Ufos" é um bom exemplo de que dois podem jogar o mesmo jogo. Qualquer nação poderia utilizar a mesma desculpa conveniente para encobrir seus esforços de espionar seus vizinhos e desenvolver tecnologias militares em segredo.

Não é impossível, por exemplo, que alguns dos balões e aeronaves por trás dos avistamentos de Ufos em 1947 e 1974 fossem russos, em vez de norte-americanos. Aliás, a onda original de 1947, que lançou o fenômeno

---
194. Ver McPhee (1973).

Ufo, poderia ter sido um programa russo de balões de reconhecimento inspirados nos balões-bomba Fugo, japoneses. Isso explicaria o fato de o objeto acidentado em Roswell ser levado às pressas para o campo Wright (atualmente, a base da Força Aérea Wright-Patterson), perto de Dayton, Ohio, onde o Corpo de Aviação do Exército em 1947 tinha uma unidade especial que estudava tecnologia de aviação estrangeira.

Tampouco eram todas essas operações necessariamente estruturadas em decorrência da Guerra Fria. Naqueles mesmos anos, os Estados Unidos realizavam sobrevoos secretos em espaço aéreo soviético, além de fazer reconhecimento aéreo sobre seus próprios aliados. No decorrer da crise de Suez em 1956, por exemplo, aviões U-2 acompanhavam as atividades das unidades militares britânicas, francesas e israelitas, descobrindo que os governos dos dois últimos mentiram para os Estados Unidos quanto ao número de caças franceses Mirage enviados a Israel.[195] Até os aliados mais próximos têm interesses divergentes, e a espionagem consiste em uma maneira atemporal de buscar esses interesses.

A enxurrada de avistamentos de Ufos no mundo todo nos anos 1960 e 1970 adquire um significado diferente quando nos lembramos do alcance global da espionagem norte-americana naquele período. A União Soviética tinha aviões espiões de grande altitude – um clone do U-2 com o codinome da OTAN "Mandrake" entrou em serviço soviético em 1963 – e outras nações também desenvolveram seus programas secretos no mesmo período. Nesse contexto, vale a pena mais uma vez comentar que muitos dos avistamentos clássicos de Ufos foram relatados por militares, com a aprovação de seus oficiais em comando.

No zênite do fenômeno Ufo, qualquer nação que quisesse fazer reconhecimento aéreo sobre seus vizinhos, enviar suprimentos por paraquedas a insurgentes em um país vizinho, trocar tecnologia para além das fronteiras da Guerra Fria, ou contrabandear drogas pelo ar, para mencionarmos apenas algumas possibilidades, podia fabricar uma onda de avistamentos de Ufos como camuflagem. As maiores ondas de avistamentos na América Latina nos anos 1960 e 1970, entre muitas outras, ganham uma forma diferente quando levamos em conta essa possibilidade. É perfeitamente possível, também, que os "aviões fantasmas" e os "foguetes fantasmas" das décadas de 1930 e 1940 na Escandinávia fossem tentativas iniciais do mesmo jogo; seriam uma história falsa

---

195. Patton (1998, p. 120).

plausível para o reconhecimento aéreo sueco ao longo das fronteiras da União Soviética.

Tudo isso inevitavelmente vazou para outras dimensões do fenômeno Ufo, inclusive porque, se você afirmasse ser um entusiasta dos Ufos, teria uma história falsa perfeita para atuar, na verdade, como espião, interessado na indústria aeroespacial da nação-alvo, oferecendo uma justificativa à prova de fogo para suas câmeras, binóculos potentes e muitas horas observando os céus perto de bases militares. O caso de Paul Bennewitz nos permite olhar de perto essa dimensão sub-reptícia do fenômeno. Embora não se duvide da lealdade de Bennewitz, vale lembrar que a informação oriunda de seu laboratório parece ter chegado às interceptações de comunicações da inteligência soviética por parte da NSA. O canal poderia ser simples, como um colega ufólogo de confiança, que era pago para enviar informações a uma caixa postal anônima em outro Estado e não tinha ideia de que a pessoa que recebia a correspondência era um agente soviético.

Por outro lado, talvez a situação fosse muito mais complexa. O ufólogo Jacques Vallee comentou, nos anos 1990, que as autoridades francesas estavam investigando a possibilidade de que a fraude UMMO, uma das mais ousadas farsas na história do fenômeno, fora criada pelo serviço de inteligência do Leste Europeu, com propósitos de espionagem científica e industrial.[196] A possibilidade de que organizações de pesquisas ufológicas estivessem infiltradas e fossem usadas para fins de espionagem foi sugerida nos relatórios, até então confidenciais, dos serviços de inteligência norte-americanos nos anos 1950. Isso explicaria a presença de tantas pessoas ligadas aos serviços de inteligência naquelas mesmas organizações, além de nos fazer perguntar quanto do fenômeno Ufo foi apenas um efeito colateral da espionagem da Guerra Fria – uma miscelânea de histórias falsas e relatos fabricados com o intuito de confundir a oposição ou comunicar informações secretas de uma maneira habilmente codificada.

Podemos comparar o resultado com um jogo de futebol no escuro, em que cada jogador pertence a um time diferente, usa uma camisa sem marca e tenta fazer um gol sem identificar exatamente o local. Onde a escaramuça é mais densa – aviões de reconhecimento de alta tecnologia nos anos 1950 e 1960, por exemplo, ou os primeiros aviões *stealth* dos anos 1980 –, cada jogador tem uma agenda diferente; e a confusão deve ter atingido níveis estonteantes. Como o jogo consiste em esconder, controlar, falsificar e disseminar informação, o resultado é uma nuvem

---
196. Vallee (1991, p. 115).

de meias verdades e inverdades que tornaria o fenômeno Ufo a bagunça e o enigma que é hoje.

Os governos e seus serviços de inteligência dominaram esse jogo, mas não foram os únicos jogadores e, talvez, nem os primeiros. Outros jogadores pertenciam ao cenário ocultista norte-americano. George Hunt Williamson, George Van Tassel e muitos outros ocultistas do início dos anos 1950 usaram descaradamente a controvérsia em torno dos Ufos como um veículo para levar seus ensinamentos de tradição ocultista à atenção de um público maior. O advento da Nova Era nos mostra que seus esforços foram relativamente bem-sucedidos.

Também há a possibilidade de os membros da comunidade ocultista terem simplesmente lançado a narrativa ufológica, em primeiro lugar. Sociedades secretas ocultistas no mundo ocidental são famosas por influenciar a opinião popular, deliberadamente colocando imagens evocativas na imaginação coletiva. Nos primeiros anos do século XVII, por exemplo, quando uma antiga Guerra Fria europeia se desenvolvia na explosão catastrófica da Guerra dos Trinta Anos, um círculo de ocultistas alemães lançou um projeto audacioso, fazendo circular afirmações de que uma fraternidade oculta de homens sábios possuía todos os segredos da natureza e estavam dispostos a partilhá-los com os merecedores.[197] O furor, por todo o continente, que veio dos manifestos Rosa-cruz originais, exerceram um impacto profundo sobre a vida intelectual europeia, divulgando ideias que floresceram com a fundação da Royal Society – a primeira sociedade de pesquisas científicas do mundo ocidental – da Grã-Bretanha, dali a meio século.

Já comentei que o retorno e a popularização da lenda de Atlântida no fim do século XIX pode ter sido uma tentativa deliberada por parte dos ocultistas associados com Sociedade Teosófica, recém-criada, de moldar o diálogo de sua cultura a respeito de tecnologia e do futuro.[198] Muito menos especulativo é o projeto lançado por Dion Fortune, uma das figuras líderes do ocultismo da Grã-Bretanha no começo da Segunda Guerra Mundial, de formar uma rede de lojas ocultistas que serviriam para elevar a moral britânica diante da propaganda de pressão militar dos nazistas.[199] Nesse contexto, também as atividades do círculo de Wilhelm Landig em Viena após a Segunda Guerra, discutidas no Capítulo 5, caem na mesma categoria.

---

197. Ver Yates (1972).
198. Greer (2007).
199. Fortune (1993).

As tentativas de moldar a consciência de uma cultura ou era usando padrões simbólicos poderosos fazem parte das ações dos ocultistas. Há também a possibilidade de alguma coisa do gênero estar por trás do notável envolvimento da comunidade ocultista norte-americana nos primórdios do fenômeno Ufo. Embora seja possível figuras como Meade Layne e Harld Sherman, que previram a chegada dos discos voadores antes do tempo, estarem apenas relatando visões e sonhos que logo se converteriam em uma chuva de aparições pelos céus da América, temos de considerar a possibilidade de esses relatos amplamente divulgados terem a intenção de *causar* um evento.

Tal projeto faria perfeito sentido no contexto de sua época. As bolas de fogo em Hiroshima e Nagasaki, que trouxeram o fim cataclísmico da Segunda Guerra Mundial, alertavam a todos de que uma próxima guerra poderia trazer o fim da humanidade. Quando a Guerra Fria dividiu o mundo em dois campos armados nuclearmente, as populações reagiram de maneiras desesperadas – cavando abrigos no fundo do quintal, procurando bodes expiatórios, abraçando ideologias estranhas que prometiam salvação. Portanto, é ao menos possível que, em algum lugar entre a comunidade ocultista americana e a ficção científica, um grupo de ocultistas levados pelo mesmo desespero tenha criado deliberadamente a crença de que seres extraterrestres estavam prontos para intervir na Terra.

Talvez esperassem apenas retardar a marcha para uma Terceira Guerra Mundial, injetando um momento de hesitação nas mentes dos políticos e generais que os impedisse de jogar a humanidade em um abismo nuclear. Ou talvez tivessem outros objetivos. Se existiram mesmo esses objetivos – e é justo admitir que sim –, os ocultistas cobriram muito bem os próprios rastros. Pessoalmente, nunca encontrei nada mais sólido que rumores e indícios na literatura ocultista da época. Mesmo assim, fica claro onde os pesquisadores com mais sorte ou mais empenho devem procurar: no cenário de ocultismo e de ficção científica de Chicago, onde Raymond Palmer, Harold Sherman e alguns da primeira geração de contatados se mancomunavam, bem no fim da Segunda Guerra Mundial.

Resumo do fenômeno

Esteja ou não correta essa última sugestão, as conclusões propostas anteriormente oferecem um comentário irônico a respeito das afirmações feitas pelos adversários na controvérsia ufológica. Se metade dos aparentes avistamentos de Ufos nas décadas mais agitadas do fenômeno fosse, na verdade, voos do U-2, enquanto outras tecnologias secretas da aviação representassem os avistamentos restantes, a premissa de que os Ufos seriam naves de outros mundos seria difícil de sustentar. Ao mesmo tempo, uma quantidade surpreendentemente grande de outras afirmações feitas pelos defensores da hipótese extraterrestre seria perfeitamente justificável. Houve, de fato, um acobertamento; a Força Aérea mentiu quanto ao que estava por trás dos avistamentos de Ufos e deu ao público explicações falsas; os ufólogos compreenderam a relação íntima entre os Ufos e a base de Groom Lake, em Nevada, por muitos anos a sede da frota de aviões espiões dos Estados Unidos. Entretanto, o que era acobertado nada tinha a ver com seres extraterrestres.

O lado dos detratores cai por terra também. Os defensores da hipótese nula, como Philip Klass, insistiam que todos os avistamentos de Ufos eram explicados por fenômenos aéreos conhecidos, erros da testemunha e fraude. O próprio Klass participou com seus colegas detratores Robert Sheaffer e James Oberg de uma pesquisa conjunta que alegava explicar todos os "desconhecidos" na lista do Relatório Condon.[200] Tecnologias aeroespaciais secretas norte-americanas não faziam parte de suas explicações. Se uma grande parte dos avistamentos de Ufos fosse mesmo de aeronaves secretas, então a mesma proporção das explicações propostas por Klass, Sheaffer e Oberg estaria muito errada; e o raciocínio usado para identificar tais objetos seria tão duvidoso quando a hipótese extraterrestre. As testemunhas de muitos avistamentos viram, de fato, algo muito estranho, embora a fonte estivesse muito mais próxima da Terra do que qualquer um pensava. O único ponto em que os proponentes da hipótese nula acertaram foi que os Ufos não são espaçonaves de outros planetas; entretanto, chegaram a essa conclusão pelos motivos errados.

A chave do entendimento do fenômeno Ufo, portanto, é que ele é um fenômeno único apenas em um sentido social e cultural. O único fator que une as experiências díspares aglutinadas como Ufos é um conjunto de narrativas culturais que ganhou forma na América no início do século XX – narrativas que espalharam ideias contemporâneas acerca do progresso no espaço sideral e previam todos os detalhes reportados por testemunhas de Ufos décadas adiante. Infiltradas no subconsciente norte-americano pelas revistas *pulp* de ficção científica, essas narrativas ganharam força e significado novos com o advento da Guerra Fria – quando o confronto global entre os Estados Unidos e a União Soviética,

---

200. Sheaffer (1981, p. 15).

apoiado pela ameaça do holocausto nuclear, fez das narrativas o para-raios para as esperanças e medos de uma época conturbada.

A estrutura fornecida pela narrativa deu contexto e significado ao fenômeno Ufo ainda em desenvolvimento, mas os relatos dos Ufos em si vieram ao menos de três outras fontes. Em primeiro lugar, como qualquer rumor de pânico, a crença em discos voadores como espaçonaves extraterrestres moldou a forma como as pessoas interpretavam inúmeros fenômenos menos exóticos, de modo que qualquer luz ou objeto incomum no céu poderia ser logo tomado por uma nave de outro mundo. Entre os fenômenos inseridos nas emergentes narrativas ufológicas havia um ainda não compreendido pela ciência, um processo natural incomum que faz com que bolas visíveis de luz se formem no ar em determinadas condições.

Muitos dos fenômenos que entraram nas narrativas, porém, tinham uma origem mais comum. Desde o início da Guerra Fria, os interesses militares e de inteligência norte-americanos viram na máscara da visitação extraterrestre uma fonte conveniente de camuflagem para projetos que queriam esconder da inteligência soviética e da vista do público civil. Em 1952, se não antes, a exploração do crescente fenômeno Ufo para fins militares e de inteligência tinha se convertido em controle deliberado do fenômeno, usando métodos aperfeiçoados na Segunda Guerra Mundial. Enquanto os Estados Unidos foram pioneiros no uso de desinformação relacionada aos Ufos para encobrir suas atividades, o mesmo hábito conveniente foi adotado por outros países e continua em uso em algumas partes do mundo até hoje.

Uma terceira fonte de experiências ufológicas vem da capacidade humana normal para vivenciar aparições em estados alterados de consciência e de preencher essas aparições com um imaginário poderoso extraído da cultura contemporânea. Assim como as crenças de outras culturas em deuses, espíritos, santos e anjos eram refletidas no espelho da experiência visionária, as crenças em torno dos Ufos tomaram forma como aparições observadas por inúmeras pessoas. Os preconceitos materialistas da cultura industrial moderna deram a esses visionários poucas opções para interpretar suas experiências; assim, a maioria das visões resultantes foi interpretada como relatos de testemunhas oculares de espaçonaves materiais de outros mundos.

Resumindo, o segredo do fenômeno Ufo foi escondido à vista de todos. As verdadeiras fontes dos avistamentos de Ufos permaneceram invisíveis porque elas não correspondiam à solução que a maioria dos participantes da controvérsia ufológica procurava. A certeza de que uma única solução explicaria todo e qualquer avistamento de Ufo foi o fator mais importante para conservar o mistério, dificultando por muitos anos que se encontrasse uma solução real.

Considerada em seus termos próprios, afinal, a grande maioria dos avistamentos de Ufos narrada na primeira parte deste livro pode ser explicada por hipóteses direta e distintamente falsificáveis. Projetos aeroespaciais secretos, já mencionados, fornecem as explicações mais prováveis para a onda de balões de grande altitude em 1947 e seu avistamento mais famoso, a queda em Roswell; as luzes que se moviam a grande altura no céu, responsáveis por um grande número de avistamentos de Ufos a partir de 1954, quando começaram os testes com o U-2; a expansão mundial do mesmo fenômeno que começou no fim dos anos 1950, quando o U-2 e seu sucessor, o SR-71, bem como seus equivalentes da União Soviética e outros lugares, faziam voos de reconhecimento no mundo todo; e a profusão de Ufos triangulares pretos, da nave misteriosa em Rendlesham ao Bumerangue de Westchester, servindo de camuflagem para a primeira aeronave *stealth* norte-americana no início dos anos 1980.

Como já vimos, essas não eram as únicas tecnologias secretas ocultas por baixo do véu da desinformação ufológica. Dois famosos avistamentos em 1965, mencionados no Capítulo 2, indicam como a tecnologia espacial secreta ajudou a alimentar a narrativa ufológica. As luzes brilhantes no céu vistas por milhares de testemunhas nas Grandes Planícies na noite de 2-3 de agosto de 1965 correspondem em todos os detalhes à reentrada e destruição de um satélite em órbita polar baixa – fosse ele norte-americano ou russo. De modo semelhante, a queda em Kecksburg, em 9 de dezembro do mesmo ano, tem mais sentido se for explicada como a aterrissagem forçada de um satélite que sobreviveu ao seu retorno à Terra, deixando um veículo de reentrada no formato de bolota para ser visto por testemunhas e recolhido pela Força Aérea.

A maior de todas as ondas de avistamentos de discos voadores, a grande de 1952, não pode ser explicada por aviões espiões secretos ou satélites de orçamento negro, pois nenhum destes existia na época. Relatos dramáticos, como o avistamento de Nash-Fortenberry e os avistamentos em massa em Washington D.C., exigem outra explicação também. Porém, se prestarmos atenção à cronologia da onda, veremos que surge uma possibilidade inesperada. Ela começou pouco depois da publicação de um artigo da revista *Life*, muito lido: "Temos visitas do espaço sideral?". Foi preparado com a cooperação ativa do projeto Blue Book, da Força Aérea. Depois de sua publicação, os relatos proliferaram e a maioria dos mais inflamados vinha de fontes militares ou de indivíduos, como pilotos comerciais, que tinham de se submeter a certos regulamentos militares.

A possibilidade que talvez nunca tenha sido considerada é que a Força Aérea Norte-americana, com a cooperação de outras fontes militares e agências de inteligência, *poderia ter forjado toda a onda de avistamentos de Ufos de 1952*. Aqueles relatos que envolveram poucos observadores, como o caso Nash-Fortenberry, poderiam ter sido inventados e apresentados à mídia por "testemunhas" cujo patriotismo os levaria a cooperar. Já os avistamentos que envolviam muitas testemunhas, como o de Washington D.C., poderiam ser forjados facilmente por métodos simples: por exemplo, um punhado de balões de grande altitude carregando luzes potentes e refletores de radar, ocultos em uma aura de mistério não merecida e com a ajuda da imprensa, que mentira descaradamente a respeito da reação da Força Aérea. O surgimento repentino do movimento dos contatados em meio à onda de Ufos nos faz perguntar: seria isso também desinformação deliberada, ou os ocultistas que tanto contribuíram para lançar os contatados à fama pública tencionavam ganhar espaço na publicidade em torno dos Ufos? Uma resposta definitiva é difícil de achar, mas a possibilidade de fraude deliberada merece ser levada em conta como uma explicação viável para aquela que foi a maior de todas as ondas de Ufos.

A farsa deliberada também oferece a explicação mais provável para o contato imediato de Zamora, em 1964, e para o furor do MJ-12, no fim dos anos 1980; além destes, os avistamentos de UMMO, em 1966, já foram revelados como uma fraude intencional. O impacto social e psicológico do crescente fenômeno Ufo, porém, teria dado espaço para as aparições de Ufos de um estágio anterior. O avistamento do "Monstro de Flatwoods", em 1952, com suas semelhanças do folclore tradicional do sul dos Estados Unidos, pertence à mesma categoria. Assim como também a abdução do casal Hill, obviamente, em 1961, e de seus sucessores que não foram simplesmente fabricadas por hipnoterapeutas incompetentes ou por incentivos financeiros reais disponíveis nos anos 1980 para aqueles que divulgavam narrativas de abdução.

Outro conjunto de narrativas que deriva claramente de uma experiência de aparição se concentra nos avistamentos dos dirigíveis fantasmas de 1896 e 1897 e seus equivalentes posteriores. O detalhe crucial ignorado pela maioria dos pesquisadores do tema é que os dirigíveis descritos pelas testemunhas não teriam voado mesmo que tivessem sido construídos. Suas asas que se movimentavam, pedais, motores elétricos e outras coisas copiavam especulações do fim do século XIX de como seriam os dirigíveis no futuro, em vez de prever as reais tecnologias do próximo século.

Além de tudo isso, há também as bolhas flutuantes de luz vistas por seres humanos de todas as culturas e épocas – a base física, sejam o que forem, das "bruxas voadoras" relatadas por tribos do leste da África, como os Gusii e Azande, do Will o'the Wisp e fogo-fátuo do folclore norte-americano e inglês e seus inúmeros equivalentes. O avistamentos de Michigan, em março de 1966, que deram a Allen Hynek uma perpétua aversão pelas palavras gás do pântano, envolviam uma bolha de luz iridescente; na época, quase todos que reconheciam sua existência pareciam deduzir que devia ser uma espaçonave extraterrestre. Os *foo fighters*, globos voadores de luz que mediam desde alguns centímetros até vários metros de diâmetro e que apareciam nas pontas das asas de aviões dos dois lados inimigos da Segunda Guerra Mundial, podem ser outra forma do mesmo fenômeno. As aeronaves militares dos anos 1940 eram uma forma distinta de tecnologia de aviação, tão diferente dos aviões das décadas anteriores quanto dos aviões a jato que viriam depois; e um estudo minucioso dos materiais e das tecnologias geralmente associados ao aparecimento dos *foo fighters* poderia revelar pistas cruciais do processo físico exótico que permitia sua existência. Esse é um dos muitos caminhos de pesquisa que poderiam ter sido seguidos há muito tempo se a narrativa ufológica não tivesse confundido a questão.

Restam ainda dois avistamentos discutidos neste livro. O primeiro é o caso de Leary, Geórgia, em 1969, examinado na Introdução. Jimmy Carter e seus colegas do Lions Club viram uma esfera brilhante no céu que parecia mudar de cor e se aproximar deles. Pode ter sido exatamente isso, mas há outra possibilidade digna de atenção. Quando observamos objetos distantes no céu, é difícil perceber a diferença entre um objeto que se aproxima e um que aumenta de tamanho. Assim, uma possível fonte do avistamento em Leary é uma bola de fogo de uma explosão aérea. Sistemas de armas antimísseis e antissatélites são desenvolvidos e testados nos Estados Unidos há muitas décadas; e o Leary Lions Club pode ter sido testemunha de um teste secreto de algum desses sistemas. Valeria a pena fazer uma pesquisa das atividades em bases militares próximas naquela noite.

Sobra, então, o mais famoso de todos os avistamentos: os nove objetos em forma de Lua Crescente vistos por Kenneth Arnold perto do Monte Rainier. Nenhuma das explicações apresentadas aqui oferece uma solução direta para o que o piloto viu; e outras explicações propostas também têm seus problemas. Além disso, ninguém mais parece ter visto coisa alguma parecida antes daquele memorável dia de junho de 1947, nem depois. O avistamento poderia ter sido um fenômeno natural desconhecido, ou uma aparição; poderia ser de naves de outro planeta – embora devamos dizer que não há a menor evidência que sustente tal posição.

Mesmo se o removermos da penumbra das lendas, desinformação e experiência visionária que se formou em torno desse caso, o avistamento de Arnold permanece um mistério. Mesmo assim, como sabem os pesquisadores em todos os ramos da ciência, há muitos mistérios no mundo, alguns dos quais nunca serão solucionados. Se o avistamento de Arnold nunca encontrar uma resposta conclusiva, certamente Charles Fort não se surpreenderia.

Capítulo 9

O Fim do Sonho

Olhe para o céu em uma noite clara e entenderá facilmente por que tantas pessoas através dos séculos tentaram encontrar um significado supremo entre aquelas luzes brilhantes e longínquas. Para aqueles que viveram na Idade Média, as estrelas eram as janelas na esfera mais distante do céu, por meio das quais o esplendor do paraíso de Deus brilhava como uma promessa para o mundo pecaminoso aqui embaixo. Alguns séculos depois, durante os anos gloriosos da visão de mundo de Newton, as estrelas em seus cursos eram a prova da existência de um Universo governado por leis racionais passíveis de serem descobertas pela mente humana. Hoje, em uma época que adora a tecnologia e espalha seus sonhos e pesadelos do futuro pelas galáxias no formato de ficção científica, as estrelas, na imaginação popular, se transformaram em sóis de incontáveis mundos desconhecidos habitados por vida alienígena.

Como vimos no Capítulo 1, a intuição de que o Cosmos está repleto de vida inteligente remonta a uma época muito anterior à aurora do mundo moderno, mas foi apenas em 1961 que alguém colocou essa intuição na linguagem formal da ciência. Na Conferência de Green Bank acerca de Vida Extraterrestre Inteligente, naquele ano, Frank Drake, professor de astronomia e astrofísica da Universidade da Califórnia, Santa Cruz, elaborou esta equação que foi muito citada posteriormente:

$$N = (R \times f_p \times n_e \times f_l \times f_i \times f_c \times L)$$

Onde:

N é o número de civilizações extraterrestres em nossa galáxia com as quais poderíamos ter chances de estabelecer comunicação;

R é a taxa de formação de estrelas em nossa galáxia;

f_p é a fração de tais estrelas que possuem planetas em órbita;

n_e é o número médio de planetas que potencialmente permitem o desenvolvimento de vida por estrela que possui planetas;
f_l é a fração dos planetas com potencial para vida que realmente desenvolvem vida;
f_i é a fração dos planetas que desenvolvem vida inteligente;
f_c é a fração dos planetas que desenvolvem vida inteligente e que têm o desejo e os meios necessários para estabelecer comunicação;
L é o tempo esperado de vida de tal civilização.

A equação de Drake aparece com frequência em livros que defendem a hipótese extraterrestre, e por uma boa razão. A maioria das pessoas que propôs respostas a ela estabeleceu números nas casas dos milhares e milhões – a cifra apresentada pelo escritor de ciência Michael Kurland, algo em torno de 4 milhões de civilizações extraterrestres na Via Láctea,[201] está longe de ser otimista – e, se esses números estiverem corretos, a possibilidade de pelo menos alguns avistamentos de Ufos poderem envolver visitantes de outros mundos parece ser bem mais plausível.

Aqui, como acontece com frequência, o diabo está nos detalhes, pois uma coisa é ter uma equação e outra bem diferente é solucioná-la. Alguns dos números na equação de Drake são muito fáceis de estimar – em nossa própria galáxia, a Via Láctea, algo em torno de cem estrelas nascem em um ano, em média; e pesquisas recentes de exoplanetas (planetas que orbitam outra estrela que não a nossa) sugerem que uma grande porcentagem de estrelas, possivelmente 90%, possui planetas. Outros números são mais difíceis de adivinhar – ninguém sabe se organismos conseguiriam sobreviver em mundos muito mais próximos ou distantes de suas estrelas do que a Terra está do Sol – e outros ainda são uma questão de adivinhação às cegas; ninguém tem ideia de como é a vida comum em outros planetas, e menos ainda uma vida inteligente com talento para tecnologia e interesse em dizer: "Aqui estamos nós!" para o resto do Universo.

O paradoxo de Fermi

Um dos problemas com estimativas sofisticadas, no entanto, é que o Universo ao nosso redor não nos mostra nenhuma evidência de que existam civilizações extraterrestres. Essa é a base do famoso paradoxo de Fermi, desenvolvido pelo físico Enrico Fermi em 1950.[202] Fermi

---
201. Kurland (1999, p. 228-32).
202. Ver Webb (2002) para uma discussão que merece ser lida.

ressaltou que a Via Láctea tem 13 bilhões de anos e, pelo menos, quatro bilhões de estrelas. Mesmo que espécies inteligentes em civilizações tecnológicas sejam muito raras em razão do número de possibilidades aleatórias, se um progresso tecnológico indefinido e viagens interestelares são possíveis, algum indivíduo – e provavelmente indivíduos – teria tido a sorte, há milhares de anos, de sair de seu sistema solar original e colonizar a galáxia. Nesse caso, onde estão eles?

Uma significativa quantidade de possíveis soluções foi apresentada para o paradoxo de Fermi. Um dos pontos fortes da hipótese extraterrestre, contudo, é precisamente o fato de que ela dá uma resposta que parece fazer todo o sentido: eles estão aqui, sobrevoando os céus da Terra em suas naves prateadas em forma de disco. A lógica do paradoxo de Fermi há muito tempo tem um papel central nos argumentos a favor da hipótese extraterrestre. Até as pessoas que não têm nenhuma ligação direta com a comunidade ufológica reagem da mesma maneira ao ceticismo quanto à origem extraterrestre dos Ufos, salientando que é absurdo pensar que nós somos os únicos seres inteligentes do Universo ou com a tecnologia mais avançada. Com base nisso, as evidências de que naves espaciais de uma civilização alienígena mais avançada visitam a Terra devem ser levadas a sério.

Embora esse argumento tenha sido criticado com veemência pelos defensores da hipótese nula, não há nada inerentemente irracional nele.

O problema, mais uma vez, está nos detalhes. Como a evidência da presença extraterrestre nos céus da Terra se transforma, sob um olhar mais atento, em uma projeção de nossas próprias fantasias e medos acerca da vida alienígena, manipulada por várias instituições totalmente terrestres e com seus próprios motivos, a solução dos defensores dos Ufos para o paradoxo de Fermi não resiste a um exame mais meticuloso. Esse fato nos deixa, novamente, diante de uma galáxia vazia e imaginando onde estão todos os outros seres.

O que torna essa situação tão desconfortável para muitas pessoas atualmente é que o paradoxo de Fermi pode ser reformulado de um modo muito mais ameaçador. A lógica do paradoxo depende da premissa que o progresso tecnológico ilimitado é possível, e podemos com facilidade transformar tal premissa em uma prova lógica que contradiga a si mesma. Se o progresso tecnológico fosse possível, então deveriam existir evidências claras de espécies com tecnologia avançada no Cosmos; não existem tais evidências, por isso, o progresso tecnológico ilimitado é impossível. Trata-se de uma impactante sugestão popular, logo agora, em uma sociedade que dá ao progresso a mesma aura de inevitabilidade e bondade que as civilizações anteriores deram a seus deuses. Todavia, isso pode ser uma pista crucial de nosso próprio futuro.

Comecemos com o óbvio. As viagens interestelares envolvem distâncias em uma escala que a mente humana jamais desenvolveu a capacidade de compreender. Se a Terra tivesse o tamanho da letra "o", nesta página, por exemplo, a Lua estaria a uma distância pouco maior que 8,25 centímetros; o Sol, a 18 metros; e Netuno, o planeta mais distante de nosso sistema solar, agora que Plutão foi oficialmente rebaixado ao *status* de "planeta anão", um pouco mais distante que 480 metros. Na mesma escala, porém, Proxima Centauri – a estrela mais próxima de nosso sistema solar – estaria a mais de 4.848 quilômetros, que é aproximadamente a distância entre a Flórida e o estreito do Alasca. Epsilon Eridani, considerada por muitos astrônomos a estrela de maior semelhança com nosso Sol, com uma boa chance de ter planetas habitáveis em órbita, estaria a mais de 12 mil quilômetros, que é a distância aproximada cruzando-se o Oceano Pacífico, entre a costa oeste da América e a costa leste da China.

A diferença entre ir para a Lua e ir para as estrelas, em outras palavras, não é uma simples diferença de escala. É uma diferença de tipo. É necessária uma inimaginável quantidade de energia tanto para acelerar uma nave espacial às velocidades relativistas necessárias para fazer com que uma viagem interestelar dure menos que séculos, quanto para manter uma nave tripulada (ainda que por seres alienígenas) viável para a longa viagem pelo espaço profundo. Assim, o foguete Saturno V, que colocou a Apolo 11 na Lua e a nave mais poderosa da Terra até os dias de hoje, não chega nem perto dos primeiros passos de uma viagem interestelar. Isso é um fato que merece atenção, porque a nação mais poderosa e tecnologicamente avançada do planeta, que navega sobre a onda da maior explosão econômica da história e abastece essa explosão por meio do desgaste, em poucos séculos, de combustíveis derivados de fósseis que remontam há mais de meio bilhão de anos, teve de desviar uma considerável fração de seus recursos totais para conseguir que uma nave atravessasse uma distância que, em termos galácticos, é tão pequena quanto à espessura de um fio de cabelo entre mundos vizinhos.

Os limites ao progresso

Nos últimos anos, desenvolveu-se a crença, não apenas entre os fãs de ficção científica, de que o progresso inevitavelmente solucionará essa diferença. Essa fé se liga a algumas das premissas mais profundas e de raro questionamento do mundo moderno, mas no mundo real, o progresso não é apenas uma questão de genialidade ou ciência. Ele depende de fontes de energia; e esse foi o fato que restringiu o avanço da tecnologia humana ao poder extremamente limitado fornecido pela biomassa, pelo vento, pela água e pelos músculos, até que descobertas tecnológicas abriram a arca do tesouro das reservas de carbono do planeta no século XVIII.[203]

A importância central das reservas de combustíveis derivados de fósseis nos últimos 300 anos de progresso dependeu do acesso a fontes de energia altamente concentradas que puderam ser usadas pelo homem.

A moderna fé no progresso presume que esse processo pode continuar por tempo indeterminado. Tal presunção, todavia, cai diante das leis da termodinâmica, entre as mais firmes de todas as leis da física. Segundo essas leis, a energia não pode ser criada nem destruída, e, se a deixarmos livre, sempre fluirá das concentrações mais altas para as mais baixas – esse princípio é a lei muito discutida da entropia. Um sistema que tem energia fluindo a partir de uma fonte externa – os físicos o chamam de sistema dissipativo – pode desenvolver correntes contrárias no fluxo que concentra energia de muitas maneiras. Em termos termodinâmicos, os seres vivos são correntes contrárias entrópicas; cada ser vivo retira energia do fluxo da luz solar por meio de um sistema dissipativo da Terra, de várias maneiras, direta ou indiretamente, e armazena um pouco dessa energia na forma concentrada de tecido vivo. Entretanto, como é necessário energia para concentrar energia, quanto maior e mais rica for a concentração de energia, menos comum ela é. Essa é a razão pela qual animais maiores são mais raros que os menores, e por que as bactérias superam em número e peso todos os outros seres vivos da Terra colocados juntos.

É também a razão por que grandes depósitos de petróleo e carvão são bem menos comuns que os pequenos, e por que petróleo e carvão são muito mais incomuns que as substâncias inertes na crosta terrestre. Os combustíveis derivados de fósseis não aparecem de modo aleatório; eles existem porque grandes massas de seres vivos, com a energia armazenada quase intacta, foram enterradas sob sedimentos e, depois, concentradas em combustível por milhões de anos de calor e pressão no interior da Terra. O petróleo é o mais concentrado combustível derivado de fósseis e, por isso, o mais incomum; e os grandes depósitos de petróleo cru – Ghawar, na Arábia Saudita; Cantarell, no México; os campos West Texas; e alguns outros – eram as maiores concentrações

---

203. Ver, entre muitos outros livros a respeito do tema, Catton (1980).

de energia livre da Terra nos primórdios da era industrial. Quase todos estão esgotados agora, junto a centenas de depósitos menores; e décadas de uma busca cada vez mais frenética não conseguiram descobrir nada na mesma escala. E também não há nenhum sinal de outra fonte de energia, ainda mais concentrada, esperando para ser descoberta.[204]

Portanto, a resposta ao paradoxo de Fermi pode muito bem estar em um fator que Drake deixou de fora de sua famosa equação: *ec,* a quantidade média de fontes de energia disponíveis em um planeta capaz de suportar formas de vida inteligentes e com talento para tecnologia. Se a quantidade de energia armazenada na Terra em combustíveis derivados de fósseis e semelhantes estiver na média – e na ausência de outra evidência, é um palpite razoável – simplesmente não existe energia suficiente à disposição de nenhuma forma de vida inteligente na galáxia para progredir a ponto de chegar a viagens interestelares e muito menos para desenvolver um programa de expansão galáctica.

Tudo isso causa um impacto no último fator da equação de Drake: *L,* a expectativa média de vida de uma civilização tecnológica. Até onde as evidências disponíveis revelam, nosso planeta produziu a primeira civilização capaz de comunicação interestelar por rádio, por volta de 1900. É comum presumir que uma civilização humana pelo menos tão avançada quanto a que temos hoje continuará a existir por milhares ou mesmo milhões de anos no futuro, mas isso ainda está sendo discutido, e um número cada vez maior de cientistas já sugere que as civilizações tecnológicas podem ser fenômenos de curta duração.[205] Apesar dos estereótipos da mídia comum, não seria necessário uma guerra nuclear ou o colapso da biosfera da Terra para paralisar nossa civilização tecnológica. Se os combustíveis derivados de fósseis, que hoje são usados de maneira tão exaustiva, não puderem ser substituídos com eficácia por outras fontes de energia, por exemplo, o próximo século talvez veja nossa alta tecnologia atual se transformar em coisa do passado para sempre.

No que se refere ao tipo de progresso que conhecemos nos últimos três séculos, é bem possível que tenhamos atingido o fim da linha. Quando extinguirmos quase toda a energia livre dos combustíveis derivados de fósseis, que esteve concentrada por meio bilhão de anos de geologia, concentrar energia além de um ponto modesto logo se tornará um jogo que não podemos ganhar em termos termodinâmicos. Nesse momento, o progresso, no sentido moderno – o tipo de progresso que

---

204. Heinberg (2007) e Greer (2008) discutem esses problemas em detalhes.
205. Ver, por exemplo, Duncan (1993).

poderia cruzar o espaço – chegará ao fim, e o desafio das sociedades humanas do futuro será muito diferente: aprender a construir uma civilização humana e criativa aqui na Terra, usando a energia muito modesta fornecida por Sol, vento, água e outras fontes renováveis.

Podemos aplicar essa lógica ao paradoxo de Fermi e chegar a uma conclusão que faça sentido com base nos dados. Como as formas de vida criam concentrações localizadas de energia, cada planeta habitado por formas de vida desenvolverá fontes de energia concentrada. As chances são de que nosso planeta esteja na média, por isso podemos postular que alguns mundos terão mais energia armazenada do que nós, enquanto outros terão menos. Certa fração de planetas, sem dúvida, desenvolverá espécies inteligentes, que usam instrumentos e que descobrirão como utilizar as reservas de energia do planeta. Algumas espécies terão mais energia para trabalhar e outras terão menos; algumas esgotarão as reservas com rapidez e outras com mais lentidão, mas todas chegarão ao ponto que nossa espécie está chegando hoje – no qual ficará dolorosamente claro que a biosfera de um planeta só pode armazenar uma quantidade finita de energia concentrada e, quando ela se acabar, acabou.

Existe a possibilidade de que certo número de espécies inteligentes em nossa galáxia tenha usado essas reservas de energia armazenada para tentar voos de curta distância, como nós fizemos. Algumas espécies com uma grande quantidade de reservas de energia talvez possam fundar colônias em outros planetas em seu sistema solar, pelo menos até que a energia acabe. Contudo, a diferença entre as distâncias de uma mesa de futebol de botão e um campo de futebol dentro de um sistema solar, e a distância continental entre as estrelas não pode ser ignorada. Considerando as energias fantásticas e revoluções tecnológicas necessárias para uma viagem interestelar, a possibilidade de que qualquer espécie inteligente tenha acesso a um suprimento grande o suficiente de fontes de energia concentrada para manter uma sociedade industrial progredindo tempo suficiente até desenvolver uma tecnologia que permita tal viagem, e que consiga o feito de chegar a outro planeta, é tão perto de zero que a falta de naves espaciais extraterrestres nos céus da Terra faz total sentido.

O paralelo espiritualista

Nenhum dos pontos ressaltados quanto aos limites do progresso é discutido com atenção na mídia convencional nem na cultura popular do mundo moderno, mas todos têm uma presença um pouco nebulosa em nossa imaginação coletiva, há várias décadas. Eles ocupam, na verdade, a mesma posição dos sonhos da ficção científica *pulp* em sua época, quando as pessoas sensatas achavam que enviar um foguete à Lua era pura fantasia de Buck Rogers. Por isso mesmo, não é uma ironia pequena em relação ao fenômeno Ufo que um conjunto de crenças acerca de visitas extraterrestres, antes oposta à visão de mundo aceita pela sociedade industrial moderna, tenha aos poucos se tornado uma das poucas fontes de apoio que a visão moderna de mundo deixou.

Pois foi isso que se tornou a crença na origem extraterrestre dos Ufos na primeira década do século XXI: um ato de fé, reforçado por experiências visionárias, que serve para sustentar a crença frágil de que o progresso infinito é possível e que o destino da humanidade em meio às estrelas é algo mais que uma ideia religiosa, uma velha mitologia erroneamente projetada nos padrões mata-borrão de um Cosmos cada vez mais desconhecido. Se os extraterrestres podem viajar sem as restrições impostas pelos recursos limitados de seu planeta natal, por essa lógica o sonho de que a humanidade será capaz de fazer o mesmo não precisa ser abandonado.

Para os que creem nas teorias ufológicas de conspiração, a suposta presença de ETs também oferece aquele conforto bastante humano em épocas difíceis, um bode expiatório para levar a culpa pelo fracasso de um sistema de crenças que se adapte à realidade. Para os seguidores dos ensinamentos dos contatados na Nova Era, também a chegada prevista de astronaves alienígenas em uma missão de resgate planetário oferece o conforto humano, porém diferente, de acreditar que algum poder superior salvará a humanidade das consequências de seus erros.

Tudo isso nos convida a uma comparação com outro fenômeno na história da cultura norte-americana: o surgimento, o desenvolvimento e a queda do Espiritualismo. O movimento espiritualista iniciou-se em 1848, quase exatamente um século antes do avistamento de Kenneth Arnold; e, assim como o fenômeno Ufo, começou com um evento amplamente divulgado, as interações das três irmãs Fox com o que diziam ser um fantasma que fazia barulho no chão de sua casa. Assim como o avistamento de Arnold foi seguido por uma revoada de outros avistamentos presumidamente iguais, embora diferentes em vários aspectos, o furor da mídia após os artigos de jornal a respeito das irmãs Fox inspirou muitas pessoas a tentar um contato com os mortos usando meios completamente diferentes.

O mesmerismo, precursor da hipnose moderna, forneceu o kit de ferramentas para o movimento recém-nascido, e uma rica mitologia popular de vida após a morte, composta de partes iguais da misericórdia protestante e da crença folclórica em fantasmas, produzia ideias que davam ao kit de ferramentas seu contexto. Pouco depois, o Espiritualismo evoluía em uma verdadeira rede de médiuns – indivíduos com um talento para estados alterados de consciência que lhes permitia aparentemente conversar com os mortos – ligados pela mesma ideologia e um sistema de suporte de locais para reunião, diários de registro e apoiadores. Figuras-chave no cenário espiritual alternativo, como Andrew Jackson Davis, o George Van Tassel de sua época, acrescentavam ensinamentos espirituais mais antigos à mistura e davam ao movimento uma aura de filosofia. Enquanto isso, a mídia da época jogou mais lenha à fogueira, com artigos sensacionalistas elogiando e denunciando o novo movimento, garantindo-lhe a máxima publicidade.

A reação pública ao advento do Espiritualismo se dividiu em três canais principais e cada um se tornou um movimento social significativo em sua época. O primeiro e mais colorido ficou com aqueles que adotavam o Espiritualismo com uma nova religião e fundaram igrejas espiritualistas, reciclando ideias religiosas populares da época sob nova bandeira. O segundo movimento ficou por conta daqueles que queriam estudar o fenômeno cientificamente e fundaram uma série de organizações de pesquisa para coletar evidências sobre médiuns e espíritos. Para o terceiro canal, migraram aqueles que rejeitavam totalmente o Espiritualismo, iniciando investigações de médiuns famosos para provar que todos os fenômenos espiritualistas eram causados por fraude ou ilusão.

Se acompanharmos a história dos dois movimentos em suas seis primeiras décadas, logo veremos os paralelos. No decorrer dos anos de auge do fenômeno espiritualista, a grande contenta entre os defensores da "pesquisa paranormal" e seus detratores ocupavam o centro das atenções do público. Pesquisadores do fenômeno se empenhavam em coletar evidências de que os médiuns conseguiam, de fato, contatar os mortos; no processo, obtiveram grande quantidade de dados a respeito dos limites mais extremos da experiência mental e espiritual, mas nenhuma prova conclusiva de contato *post mortem*. Os detratores, por sua vez, levantavam dados para mostrar que tudo não passava de truque e ilusão, mas só conseguiram provar que alguns médiuns eram enganadores que usavam técnicas de mágico para forjar comunicações de espíritos. Nenhum dos lados conseguiu evidências definitivas que convencessem o outro lado, e ambos acabaram por pregar aos já convertidos.

Por trás desses debates, mencionada apenas ocasionalmente, mas capaz de lhes fornecer grande relevância com a cultura contemporânea, encontrava-se a grande luta do século XIX entre a teologia cristã e o materialismo científico. Em meados daquele século, muitas pessoas nos Estados Unidos e em outros lugares no mundo ocidental achavam impossível crer nos ensinamentos cristãos tradicionais, mas não podiam abandonar sua fé nas ideias religiosas mais básicas, como, por exemplo, vida após a morte. O movimento espiritualista, que alegava tirar o tema do campo da fé e trazê-lo para a esfera do experimento científico, oferecia uma solução para o dilema.

Essa crise cultural foi importantíssima para fomentar o Espiritualismo naquela época; entretanto, o excesso de dependência em questões contemporâneas não costuma ser uma vantagem para a religião, com o passar do tempo. Com o fim do século XIX e as lutas entre ciência e fé mudando o foco para outros terrenos, o Espiritualismo foi deixado para trás por sua própria cultura.

Nesse contexto, a história posterior do Espiritualismo nos pede cautela. Enquanto o debate entre os pesquisadores do paranormal e os detratores se desenrolava, ambos os lados se tornavam tão obcecados com o objetivo de derrotar o adversário que os últimos traços de imparcialidade e bom senso se perderam na briga. No fim, os dois acabaram por se cancelar mutuamente, abrindo o campo para os verdadeiros crentes. Um século depois das irmãs Fox, um fenômeno que dominara a imaginação coletiva da cultura norte-americana e prometia redefinir o panorama religioso do mundo ocidental moderno encolhera ao tamanho de uma rede pequena de igrejas espalhadas pelo país, frequentada principalmente pelos mais velhos, onde uns poucos seguidores se apegavam a uma fé familiar que ninguém mais achava relevante. Hoje, muitas décadas depois, as igrejas e seus fiéis existem em números menores ainda, e a maioria dos norte-americanos mal se lembra de que o movimento espiritualista sequer existiu.

Sete previsões falsificáveis

Parece provável que esse seja também o destino da controvérsia em torno dos Ufos, nas décadas vindouras. Em grau importante, os Ufos consistiram em um fenômeno da era da Guerra Fria, profundamente moldados pelos medos, fantasias e pressuposições nunca questionados da época. Sem a crença firme no progresso tecnológico inevitável que o mundo industrial, sobretudo os Estados Unidos, trouxe à época, nunca teria surgido entre nós a fé popular de que as aparições no céu significavam a chegada iminente de visitantes de outros planetas. E essa fé nunca teria seguido o caminho tortuoso que seguiu sem o esmaecimento da crença no progresso depois da crise cultural dos anos 1960 e 1970. Sem dúvida, o século XXI terá suas crenças estranhas, mas elas se basearão nos eventos de uma era diferente, com formas também diferentes.

É possível, no entanto, e talvez necessário, sermos mais específicos quando falamos do futuro do fenômeno. Comentei anteriormente que as hipóteses válidas – sobre Ufos ou qualquer outra coisa – precisam fazer previsões específicas se pretendem ser levadas a sério, como tudo o mais em um contexto científico. É sensato, portanto, oferecer um conjunto de previsões específicas que partam das hipóteses aqui propostas. Se forem desacreditadas por evidências sólidas nos próximos anos, minha hipótese cai por terra também.

1. *Nenhuma evidência de envolvimento extraterrestre no fenômeno Ufo jamais será encontrada.* Evidências sólidas da presença extraterrestre nos céus da Terra não precisam envolver aterrissagens em massa nem invasões alienígenas tão constantemente previstas e nunca cumpridas. Uma ferramenta extraterrestre ou um fragmento de um disco voador feitos de material que não pode ser duplicado por tecnologia humana seria mais que suficiente, assim como uma informação de conhecimento científico recebida por um contatado ou abduzido que fosse até então desconhecido pela ciência humana, mas comprovado após testes. Tais provas são esperadas há seis décadas e nunca se materializaram; se isso acontecer, a hipótese deste livro fracassa.

2. *Os avistamentos de Ufo e fenômenos relacionados diminuirão muito nas próximas décadas.* Provavelmente, as pessoas continuarão a ver coisas estranhas no céu no futuro, e os delírios da cultura popular nas próximas décadas podem acrescentar novos detalhes à atual narrativa dos discos voadores. Mesmo assim, se minha hipótese estiver correta, os avistamentos de Ufos do tipo que identifiquei como aparições serão menos comuns com o passar dos anos, enquanto outras imagens ocuparão mais espaço na imaginação coletiva. A possibilidade de os programas aeroespaciais secretos futuros, tanto dos Estados Unidos quanto de outros lugares, usarem Ufos como camuflagem é mais difícil de calcular, mas a diminuição dos Ufos como um fator na cultura popular tornará essa camuflagem menos eficiente e, portanto, menos passível de uso no futuro.

3. *Se o fenômeno das "luzes da Terra" se tornar o foco de um estudo científico sério, a existência de um processo natural gerando*

efeitos incomuns de luzes será documentada. As esferas brilhantes avistadas pelos antropólogos na África, como mencionamos no Capítulo 1, e documentadas pelos defensores da hipótese geofísica, como mostrado no Capítulo 6, têm sido interpretadas de diversas maneiras no decorrer dos séculos, mas por trás da interpretação há um fenômeno quase certamente natural que pode ser fotografado e observado por testemunhas múltiplas. Um estudo custeado por verbas sólidas e conduzido em uma área onde as luzes aparecem com regularidade poderia apagar quaisquer dúvidas quanto à sua existência, embora seja necessário muito mais trabalho para identificar o processo que a causa.

4. *Ufos dos tipos descritos neste livro como prováveis aparições continuarão a seguir na mídia o caminho de vida extraterrestre, com os primeiros relatos da imprensa precedendo em meses ou anos os relatos reais relacionados a Ufos*. Assim como avistamentos de Ufos e as crenças neles apareciam no imaginário da mídia antes do início do fenômeno, as futuras manifestações da narrativa ufológica mostrarão o mesmo padrão; e as pesquisas da mídia popular sobre visitantes do espaço, nos meses e anos antes do surgimento de qualquer tipo de fenômeno relacionado aos Ufos, mostrará paralelos exatos com o novo fenômeno.

5. *Ufos dos tipos descritos neste livro como prováveis projetos aeroespaciais secretos continuarão seguindo as tendências nas tecnologias subjacentes, com estudos retrospectivos encontrando equivalentes em projetos que eram secretos na época do avistamento*. São necessários mais ou menos 15 anos para que uma aeronave de tecnologia secreta saia do estágio experimental, passe por um uso ativo e se torne obsoleta o suficiente para que o governo reconheça sua existência. Se outra onda de avistamentos com múltiplas testemunhas descrevendo um tipo específico de Ufo acontecer no futuro, os pesquisadores uma ou duas décadas depois poderão encontrar fortes paralelos com tecnologias conhecidas que ainda eram secretas quando os avistamentos ocorreram. A semelhança visual entre os aviões triangulares pretos com tecnologia *stealth* e os triângulos avistados por múltiplas testemunhas nos anos 1980 é um exemplo do tipo de ligação que pode ser esperada.

6. *Se ocorrer uma quebra pronunciada no aparato de segurança nacional dos Estados Unidos, provocando a divulgação, em grande escala, de informações até então secretas, as evidências de que os relatos de Ufos eram usados para encobrir tecnologias militares*

e de espionagem virão à tona. É impossível prever se as voltas e reviravoltas da história nas décadas futuras trarão a exposição em massa de documentos até então secretos, mas um bom número de possibilidades – desde uma crise de confiança nacional, como a que causou exposições semelhantes nos anos 1970 até o colapso do atual sistema norte-americano de governo e sua substituição por outro – poderia causar isso. Se isso, de fato, ocorrer, minha hipótese prevê que por mais que se cave, nunca serão encontradas provas dos discos acidentados e das tecnologias extraterrestres da atual cultura conspirativa ufológica, pelo simples motivo de que elas não existem. Aliás, qualquer material revelado dessa maneira só sustentará e expandirá as revelações discutidas no Capítulo 8 deste livro, mostrando que o governo dos Estados Unidos usou histórias e rumores de Ufos para esconder a natureza e as atividades de tecnologias totalmente terrestres.

7. *Nem os contatados, nem os defensores mais científicos da hipótese extraterrestre, nem os detratores que defendem a hipótese nula alterarão suas posições em resposta a qualquer uma dessas mudanças.* A discussão dos obstáculos ao entendimento no Capítulo 5 deste livro é uma parte crucial de minha hipótese e esboça os mecanismos que permitiram à controvérsia se estender por tanto tempo e de forma tão improdutiva. Minha hipótese prevê que esses obstáculos permanecerão solidamente fixos, no futuro. Provavelmente, a comunidade de pesquisas ufológicas e os detratores se dissolverão por atrito, com os membros atuais morrendo ou saindo de campo; e as pessoas mais jovens têm um interesse cada vez menor por uma controvérsia ultrapassada e improdutiva.

Os contatados, sob sua atual égide da Nova Era, ou sob algum rótulo novo, provavelmente sobreviverão mais tempo e podem até contribuir para os movimentos religiosos alternativos do século XXI, assim como o Espiritualismo contribuiu para o movimento dos contatados. É fácil imaginar as conversas entre os Irmãos do Espaço e os contatados originais dos anos 1950 bordadas com lenda, com as aterrissagens em massas de discos voadores assumindo o mesmo papel místico que a Segunda Vinda de Jesus tem na fé convencional. É improvável que isso gere uma nova e grande religião no futuro, porém coisas mais estranhas já aconteceram.

Se o futuro do fenômeno Ufo for algo parecido com o que apresentei aqui, isso marcará o fim de uma história estranha e, de muitos modos, triste, localizada em algum lugar no espaço mal definido entre a tragédia e a farsa. Seria muito fácil transformar todo o cenário do fenômeno Ufo, desde as origens nas chamativas páginas das revistas *pulps* da década de 1920 até o crepúsculo entre as personalidades rivais e as teorias paranoicas de conspirações nos dias atuais, em nada mais que um alvo de zombarias. Contudo, no fim das contas, eu não tenho certeza nenhuma de que seria esse o caso.

Apesar dos enganos, ilusões, mal-entendidos e raciocínios com frequência pretensiosos que o criaram e o mantiveram vivo, o fenômeno Ufo, durante a maior parte de sua história de 60 anos, serviu como âncora para algumas das mais altas aspirações de nossa espécie. Para um grande número de pessoas, a imagem de um disco voador incorporou o sonho do contato com outros mundos, a apaixonada busca pelo conhecimento e a convicção de que indivíduos armados apenas com o desejo de encontrar a verdade podem superar todas as expectativas em contrário e revolucionar o entendimento do ser humano a respeito de si mesmo e do mundo que o cerca. Até os detratores que lutaram contra o fenômeno Ufo se inspiraram no respeito pela verdade, embora tal respeito tenha se expressado de uma maneira muito pobre no calor da contenda. Parece razoável esperar que, no futuro, após toda essa controvérsia chegar ao fim, as pessoas se lembrem disso quando pensarem na época em que milhares de indivíduos tinham certeza de que nosso planeta era visitado por discos voadores vindos de outro mundo.

Glossário de Siglas

A-12: Versão de um assento do avião de reconhecimento SR-71 Blackbird
AC: Antes de Cristo
AFOSI: *U.S. Air Force Office of Special Investigations* – Escritório de Investigações Especiais da Força Aérea
APRO: *Aerial Phenomena Research Organization* – Organização de Pesquisas de Fenômenos Aéreos. Uma organização de pesquisas ufológicas fundada por Coral e James Lorenzen em 1952
B-2 Spirit: O primeiro bombardeiro norte-americano Stealth, mostrado ao público em 1988
CI-1: Contato imediato do primeiro grau, na taxonomia de Hynek. Um Ufo visto a menos de 300 metros do observador
CI-2: Contato imediato do segundo grau, na taxonomia de Hynek. Um Ufo que deixa marcas físicas
CI-3: Contato imediato do terceiro grau, na taxonomia de Hynek. Um avistamento dos ocupantes de um Ufo
CI-4: Contato imediato do quarto grau, na linguagem ufológica atual. A abdução de uma ou mais pessoas por parte dos ocupantes de um Ufo
CIA: *Central Intelligence Agency* – Agência Central de Inteligência, agência de inteligência norte-americana fundada em 1947
CUFOS: *Center for Ufo Studies* – Centro de Estudos Ufológicos, uma organização de pesquisas ufológicas fundada por J. Allen Hynek em 1973
DC: Depois de Cristo
DD: Disco diurno, na taxonomia de Hynek. Qualquer Ufo visto a uma distância no ar à luz do dia, de formato discoide ou não
ELT: Epilepsia do lobo temporal

F-117 Nighthawk: O primeiro bombardeiro Stealth americano, cujo primeiro voo-teste foi em 1982, mostrado ao público pela primeira vez em 1988

FOBS: *Fractional Orbital Bombardment System* – Sistema de Bombardeio Orbital Fracional, um projeto espacial soviético deliberadamente taxado como um Ufo pelo governo soviético

GSW: *Ground Saucer Watch* – Observatório em Terra de Discos Voadores, um organização de pesquisas ufológicas fundada em 1957 por Willliam e J. A. Spalding

HET: Hipótese extraterrestre, a teoria segundo a qual alguns avistamentos de Ufos só podem ser explicados como visitas de espaçonaves de outro planeta

HN: Hipótese nula, a teoria segundo a qual todos os avistamentos de Ufos podem ser explicados por fraude, alucinação ou erros de interpretação de objetos conhecidos

IFSB: *International Flying Saucer Bureau* – Escritório Internacional de Pesquisas de Discos Voadores, uma organização de pesquisas ufológicas fundada em 1952 por Albert K. Bender e dissolvida no ano seguinte

JANAP 146: *Joint Army-Navy-Air Force Publication 146*, um regulamento emitido em 1953 decretando crime federal para os militares, pilotos comerciais e alguns outros indivíduos na divulgação de um avistamento de Ufo ao público

LN: Luz noturna, na taxonomia de Hynex. Qualquer Ufo luminoso visto à noite

MIB: *Men in Black* – Homens de Preto, figuras sinistras que supostamente ameaçam os pesquisadores de Ufos

MUFON: *Mutual Ufo Network* (ex-Midwest Ufo Network), uma organização de pesquisas ufológicas fundada por Walter Andrus em 1969

NICAP: *National Investigations Committee on Aerial Phenomena* – Comitê Internacional de Investigações de Fenômenos Aéreos, uma organização de pesquisas ufológicas fundada em 1956 e chefiada entre 1957 e 1970 por Donald E. Keyhoe

NSA: *National Security Agency* – Agência Nacional de Segurança. Agência de inteligência norte-americana fundada em 1952

ONI: *Office of Naval Intelligence* – Escritório de Inteligência da Marinha, a mais antiga agência de inteligência norte-americana, fundada em 1888

SR-71 Blackbird: Avião de reconhecimento norte-americano de grande altitude, cujo voo inaugural foi em 1962

SR-91 Aurora: Suposto avião de reconhecimento secreto norte-americano, o sucessor do SR-71; sua existência é oficialmente negada pelo governo dos Estados Unidos

TR-3 Black Manta: Suposto avião de reconhecimento secreto norte-americano, cuja existência é oficialmente negada pelo governo dos Estados Unidos

U-2: Avião de reconhecimento norte-americano, de grande altitude, cujo primeiro voo-teste foi em 1954 e ainda em serviço. Segundo documentos divulgados da CIA, a causa de muitos supostos avistamentos de Ufos

Ufo/ÓVNI: *Unidentified flying object* – Objeto voador não identificado

Bibliografia

ADAMSKI, George. *Inside the Space Ships*. New York: Abelard-Schumann, 1955.
ARNOLD, Kenneth; PALMER, Ray. *The Coming of the Saucers*. Amherst, WI: publicação independente, 1952.
BAKER, Robert A. *They Call It Hypnosis*. Buffalo, NY: Prometheus, 1990.
BAMFORD, James. *The Puzzle Palace*. Boston: Houghton Mifflin, 1982.
BARCLAY, David; BARCLAY, Therese Marie. *UFOs: The Final Answer?* London: Blandford, 1993.
BARKER, Gray. *They Knew Too Much About Flying Saucers*. New York: University Books, 1956.
BENDER, Albert K. *Flying Saucers and the Three Men*. London: Neville Spearman, 1963.
BETHURUM, Truman. *Aboard a Flying Saucer*. Los Angeles: DeVorss and Company, 1954.
BISHOP, Greg. *Project Beta*. New York: Paraview, 2005.
BLACKER, Carmen. *The Catalpa Bow*. London: George Allen and Unwin, 1975.
BOK, Bart; Kurtz Paul, Jerome Lawrence. "Objections to Astrology." *The Humanist* 35 (setembro/outubro de 1975), 4-6.
BORD, Janet; Bord Colin. *Alien Animals*. London: Grafton, 1980.
BROWN, Anthony Cave. *Bodyguard of Lies*. New York: Bantam, 1976.
BRYAN, C. D. B. *Close Encounters of the Fourth Kind*. New York: Alfred Knopf, 1995.
BULLARD, Thomas C. *Ufo Abductions: The Measure of a Mystery*. 2 vols. Mt.
BURROWS, William E. *By Any Means Necessary: America's Secret Air War in the Cold War*. New York: Farrar, Straus and Giroux, 2001.
BURTON, Robert. *The Anatomy of Melancholy*. New York: New York Review of Books, 2001. (Publicado originalmente em 1621.)
BUSBY, Michael. *Solving the 1897 Airship Mystery*. Gretna, LA: Pelican, 2004.

CAHN, J. P. "The Flying Saucers and the Mysterious Little Men." *True* (setembro de 1952).
――――. "Flying Saucer Swindlers." *True* (August 1956).
CARBALLAL, Manuel. "Jordan Peña Habla de UMMO en Radio." *El Ojo Crítico* 52 (janeiro de 2006), 4-7.
CATTON, William R., Jr. *Overshoot*. Urbana, IL: University of Illinois Press, 1980.
CHILDRESS, David Hatcher; Shaver Richard. *Lost Continents & the Hollow Earth*. Kempton, IL: Adventures Unlimited, 1999.
CLAIR, Stella. (ilustrado por Edward Andrewes.) *Susie Saucer and Ronnie Rocket*. New York: T. Werner Laurie, 1952.
CLARK, Jerome. *Extraordinary Encounters*. Santa Barbara, CA: ABC-Clio, 2000.
COHN, Norman. *Warrant for Genocide*. New York: Harper & Row, 1967.
CONDON, Edward U. *A Scientific Study of Unidentified Flying Objects*. New York: Bantam, 1969.
CONROY, Ed. *Report on Communion*. New York: William Morrow, 1989.
――――. "Who Is the Joker in the Gulf Breeze Ufo 'Hoax'?" *The Communion Letter* 2:2 (Sumer 1990), 1-16.
COOPER, M. William. *Behold a Pale Horse*. Flagstaff, AZ: Light Technology, 1991.
COULIANO, Ioan. *Eros and Magic in the Renaissance*. Chicago: University of Chicago Press, 1984.
CROWE, Michael J. *The Extraterrestrial Life Debate 1750-1900: The Idea of a Plurality of Worlds from Kant to Lowell*. Cambridge: Cambridge University Press, 1986.
CURRAN, Douglas. *In Advance of the Landing: Folk Concepts of Outer Space*. New York: Abbeville Press, 1985.
DÄNIKEN, Erich von. *Chariots of the Gods?* Tradução de Michael Heron. London: Corgi, 1971.
DARLINGTON, David. *Area 51: The Dreamland Chronicles*. New York: Henry Holt, 1997.
DE MILLE, Richard, ed. *The Don Juan Papers*. Santa Barbara, CA: Ross-Erickson, 1980.
DEAN, Jodi. *Aliens in America*. Ithaca, NY: Cornell University Press, 1997.
DENZLER, Brenda. *The Lure of the Edge*. Berkeley, CA: University of California Press, 2001.
DERR, John S. "Earthquake Lights: A Review of Observations and Present Theories." *Bulletin of the Seismological Society of America* 63 (dezembro de 1973), 2177-87.
DEVEREUX, Paul. *Earth Lights*. Wellingborough, UK: Turnstone, 1982.
――――. *Earth Lights Revelation*. London: Blandford, 1989.
――――; Brookesmith Peter. *UFOs and Ufology: The First Fifty Years*. London: Blandford, 1997.

DICK, Steven J. *Plurality of Worlds: The Origins of the Extraterrestrial Life Debate from Democritus to Kant*. Cambridge: Cambridge University Press, 1982.
DICKHOFF, Robert Ernst. *Homecoming of the Martians*. Ghaziabad, India: Bharti Association Publishers, 1958.
DOHRMAN, H. T. *California Cult: The Story of "Mankind United."* Boston: Beacon Press, 1958.
DOLAN, Richard M. *UFOs and the National Security State*. Charlottesville, VA: Hampton Roads, 2002.
DONDERI, Don C. "Science, Law, and War: Alternative Frameworks for the Ufo Evidence." In Jacobs 2000, 56-81.
DORWART, Jeffery M. *The Office of Naval Intelligence*. Annapolis, MD: Naval Institute Press, 1979.
DRUFFEL, Ann. *Firestorm: Dr. James E. McDonald's Fight for Ufo Science*. Columbus, NC: Wild Flower Press, 2003.
DUNCAN, Richard C. "The Life-Expectancy of Industrial Civilization: the Decline to Global Equilibrium." *Population and Environment* 14:4 (1993), 325-57.
ELIADE, Mircea. *Shamanism: Archaic Techniques of Ecstasy*. Tradução de Willard R. Trask. Princeton, NJ: Princeton University Press, 1964.
ELLIS, Bill. *Raising the Devil: Satanism, New Religions, and the Media*. Lexington, KY: University Press of Kentucky, 2000.
FERGUSON, Marilyn. *The Aquarian Conspiracy*. New York: J. P. Tarcher, 1980.
FESTINGER, Leon; Riecken, Henry W. Schachter Stanley. *When Prophecy Fails*. Minneapolis, MN: University of Minnesota Press, 1956.
FIORE, Edith. *Encounters*. New York: Doubleday, 1989.
FLOURNOY, Theodore. *From India to the Planet Mars*. New Hyde Park, NY: University Books, 1963.
FORT, Charles. *The Complete Books of Charles Fort*. New York: Dover, 1974.
FORTUNE, Dion. *Applied Magic and Aspects of Occultism*. Wellingborough, UK: Aquarian, 1987.
———. *The Magical Battle of Britain*. Bradford on Avon, UK: Golden Gates, 1993.
Fuller, John. *Incident at Exeter*. New York: Putnam, 1966.
———. *The Interrupted Journey*. New York: Putnam, 1968.
GARDNER, Martin. *Are Universes Thicker Than Blackberries?* New York: W. W. Norton, 2003.
———. *Urantia: The Great Cult Mystery*. Amherst, NY: Prometheus Books, 1995.
GEORGE, Llewellyn. *Improved Perpetual Planetary Hour Book*. Portland, OR: Llewellyn, 1906.

GODWIN, John. *Occult America*. New York: Doubleday, 1972.
GODWIN, Joscelyn. *Arktos: The Polar Myth in Science, Symbolism and Nazi Survival*. Grand Rapids, MI: Phanes, 1993.
GOLDBERG, Bruce. *Time Travelers from Our Future*. St. Paul, MN: Llewellyn, 1998.
GOOD, Timothy. *Above Top Secret*. New York: William Morrow, 1988.
GOODRICK-CLARKE, Nicholas. *Black Sun: Aryan Cults, Esoteric Nazism and the Politics of Identity*. New York: New York University Press, 2002.
———. *The Occult Roots of Nazism*. New York: New York University Press, 1992.
GOULART, Ron. *Cheap Thrills: An Informal History of the Pulp Magazines*. New York: Arlington House, 1972.
GREENBANK, Anthony. *The Book of Survival*. New York: Harper & Row, 1967.
GREENLER, Robert. *Rainbows, Halos, and Glories*. Cambridge: Cambridge University Press, 1980.
GREER, John Michael. *Atlantis: Ancient Legacy, Hidden Prophecy*. Woodbury, MN: Llewellyn, 2007.
———. *The Long Descent: A User's Guide to the End of the Industrial Age*. Gabriola Island, BC: New Society, 2008.
HAINES, Gerald K. "CIA's Role in the Study of UFOs, 1947-90." *Studies in Intelligence* (verão 1997), 67-84.
HALL, Manly Palmer. "The Case of the Flying Saucers" (1950); reimpresso em *Grey Lodge Occult Review* vol. 1 (outono 2002), <http://www.greylodge.org>.
HARPUR, Patrick. *Daimonic Reality*. New York: Viking, 1994.
HAY, David. *Exploring Inner Space*. London: Mowbray, 1987.
HEARD, Gerald. *Is Another World Watching?* New York: Harper & Row, 1950.
HEINBERG, Richard. *Peak Everything*. Gabriola Island, BC: New Society, 2007.
HENDRY, Allan. *The Ufo Handbook*. Garden City, NY: Doubleday, 1979.
HERBERT, Frank. *Hellstrom's Hive*. New York: Bantam, 1972.
HOPKINS, Budd. "Hypnosis and the Investigation of Ufo Abduction Accounts." In Jacobs 2000, 215-40.
———. *Intruders: The Incredible Visitations at Copley Woods*. New York: Random House, 1987.
———. *Missing Time*. New York: Marek, 1981.
———. *Witnessed: The True Story of the Brooklyn Bridge Abductions*. New York: Pocket Books, 1996.
———; RAINEY, Carol. *Sight Unseen*. New York: Atria, 2003.
HORI, Ichiro. *Folk Religion in Japan*. Chicago: University of Chicago Press, 1968.

HOWE, Linda Moulton. *An Alien Harvest*. Littleton, CO: Linda Moulton Howe Productions, 1989.
HURLEY, Matthew. *The Alien Chronicles*. Chester, UK: Quester, 2003.
HYNEK, J. Allen. *The Hynek Ufo Report*. New York: Dell, 1977.
———. *The Ufo Experience*. Chicago: Henry Regnery, 1972.
———; IMBROGNO, Philip J.; PRATT, Bob. *Night Siege: The Hudson Valley Ufo Sightings*. St. Paul, MN: Llewellyn Publications, 1998.
ICKE, David..... *And The Truth Shall Set You Free*. Wildwood, MO: Bridge of Love, 1995.
———. *The Biggest Secret*. Wildwood, MO: Bridge of Love, 1999.
———. *Children of the Matrix*. Wildwood, MO: Bridge of Love, 2001.
JACOBS, David M. *Secret Life*. New York: Simon & Schuster, 1992.
———. *The Threat*. New York: Simon & Schuster, 1998.
———. *The Ufo Controversy in America*. Bloomington, IN: Indiana University Press, 1975.
———. "UFOs and the Search for Scientific Legitimacy." In; Kerr e Crow 1983, 218-32.
———, ed. *UFOs and Abductions: Challenging the Borders of Knowledge*. Lawrence, KS: University Press of Kansas, 2000.
JAMES, Trevor. *They Live in the Sky!* Los Angeles: New Age Publishing Company, 1958.
JANSMA, Sidney J., Sr. *UFOs, Satan and Evolution*. San Diego: Institute for Creation Research, 1980.
JUNG, Carl. *Flying Saucers: A Modern Myth of Things Seen in the Sky*. Princeton, NJ: Princeton University Press, 1978.
KAFTON-MINKEL, Walter. *Subterranean Worlds*. Port Townsend, WA: Loompanics, 1989.
KAGAN, Daniel; SUMMERS, Ian. *Mute Evidence*. New York: Bantam, 1983.
KAMANN, Richard. "The True Disbelievers." *Zetetic Scholar* 10 (dezembro de 1982), 50-65.
KEEL, John. *The Complete Guide to Mysterious Beings*. New York: Tor, 2002.
———. "The Man Who Invented Flying Saucers." In: Ted Schultz, ed., *The Fringes of Reason*. New York: Harmony Books, 1989, 138-45.
———. *The Mothman Prophecies*. New York: Tor, 1991.
———. *UFOs: Operation Trojan Horse*. New York: Manor Books, 1976.
KERR, Howard; Crow. Charles L. *The Occult in America: New Historical Perspectives*. Urbana, IL: University of Illinois Press, 1983.
KEYHOE, Donald E. *Aliens from Space*. Garden City, NY: Doubleday, 1973.
———. *Flying Saucers Are Real*. New York: Fawcett Publications, 1950.
———. *Flying Saucers from Outer Space*. New York: Henry Holt, 1953.
———. *Flying Saucers – Top Secret*. New York: Putnam, 1960.

KINDER, Gary. *Light Years*. New York: Pocket Books, 1987.
KLASS, Philip J. *Secret Sentries in Space*. New York: Random House, 1971.
―――. *UFO Abductions: A Dangerous Game*. Buffalo, NY: Prometheus, 1989.
―――. *UFOs Explained*. New York: Random House, 1974.
―――. *UFOs: The Public Deceived*. Buffalo, NY: Prometheus, 1983.
KORFF, Kal K. *Spaceships of the Pleiades: The Billy Meier Story*. Amherst, NY: Prometheus Books, 1996.
KUHN, Thomas. *The Structure of Scientific Revolutions*. Chicago: University of Chicago Press, 1970.
KURLAND, Michael. *The Complete Idiot's Guide to Extraterrestrial Intelligence*. New York: Alpha Books, 1999.
KUSCHE, Lawrence David. *The Bermuda Triangle Mystery – Solved*. Buffalo, NY: Prometheus Books, 1975.
LAMY, Philip. *Millennium Rage*. New York: Plenum Press, 1998.
LAUMER, Keith. *The Invaders*. New York: Pyramid Books, 1967.
LAWSON, Alvin H. "Hypnosis of Imaginary Ufo 'Abductees.'" In: Curtis G. Fuller, ed., *Proceedings of the First International Ufo Congress*. New York: Warner Books, 1980.
LAYNE, Meade. *The Ether Ship Mystery and its Solution*. Bayside, CA: Borderland Sciences, 1950.
LE POER TRENCH, Brinsley. *The Flying Saucer Story*. London: Neville Spearman, 1966.
LEAR, John. "The Grand Deception: How the Gray EBEs Tricked MJ-12 into an Agreement." *CUFORN Bulletin*, March/April 1989, 2-8.
LESLIE, Desmond; Adamski. George *Flying Saucers Have Landed*. New York: British Book Center, 1953.
LEWIS, James R., ed. *Odd Gods: New Religions and the Cult Controversy*. Amherst, NY: Prometheus Books, 2001.
―――. *UFOs and Popular Culture: An Encyclopedia of Contemporary Myth*. Santa Barbara, CA: ABC-Clio, 2000.
LONG, Greg. *Examining the Earthlight Theory*. Chicago: Center for Ufo Studies, 1990.
LORENZEN, Coral. *Flying Saucers: The Startling Evidence of the Invasion from Outer Space*. New York: New American Library, 1966.
―――. *UFOs Over the Americas*. New York: New American Library, 1968.
LOVEJOY, Arthur O. *The Great Chain of Being*. New York: Harper, 1936.
MACK, John E. *Abduction: Human Encounters with Aliens*. New York: Charles Scribner's Sons, 1994.
―――. *Passport to the Cosmos*. New York: Crown, 1999.
MAGEE, Judith. "Maureen Puddy's Third Encounter." *Flying Saucer Review* 24:3 (novembro de 1978), 12-13 e 15.

MCCLENON, James. *Deviant Science: The Case of Parapsychology*. Philadelphia: University of Pennsylvania Press, 1984.
MCPHEE, John. *The Deltoid Pumpkin Seed*. New York: Farrar, Straus and Giroux, 1973.
MENZEL, Donald H. *Flying Saucers*. Cambridge, MA: Harvard University Press, 1953.
———; TAVES, Ernest H. *The Ufo Enigma*. Garden City, NY: Doubleday, 1977.
MIALL, Robert. *Ufo-1: Flesh Hunters*. New York: Warner, 1973.
———. *Ufo-2: Sporting Blood*. New York: Warner, 1973.
MICHAEL, Cecil. *Round Trip to Hell in a Flying Saucer*. Bakersfield, CA: Roofhopper Enterprises, 1971.
MILLER, Jay. *The X-Planes: X-1 to X-45*. Hinckley, UK: Midland Publishing, 2001.
NASH, William B.; Fortenberry. William H. "We Flew Above Flying Saucers." *True* (outubro de 1952), 65 e 110-12.
NEIHARDT, John G. *Black Elk Speaks*. Lincoln, NE: University of Nebraska Press, 1988.
NEWBROUGH, John Ballou. *Oahspe, A New Bible in the Words of Jehovih and His Angel Ambassadors*. Los Angeles: Essenes of Kosmon, 1950.
NICKELL, Joe, com John F. Fischer. *Mysterious Realms*. Buffalo, NY: Prometheus Press, 1992.
OBERG, James. "The Great Soviet Ufo Coverup." *MUFON Ufo Journal* (outubro 1982).
———. *UFOs and Outer Space Mysteries: A Sympathetic Skeptic's Report*. Norfolk, VA: Donning, 1982.
ORESKES, Naomi. *The Rejection of Continental Drift*. Oxford: Oxford University Press, 1999.
ORNE, Martin T. et al. "Reconstructing Memory through Hypnosis." In: Helen M. Pettinati, ed. *Hypnosis and Memory*. New York: Guilford Press, 1988.
OVERALL, Zan. *Gulf Breeze Double Exposed*. Chicago: CUFOS, 1990.
PATTON, Phil. *Dreamland*. New York: Villard, 1998.
PEEBLES, Curtis. *Watch the Skies! A Chronicle of the Flying Saucer Myth*. New York: Smithsonian Institution, 1994.
PENDLOW, Gregory W; Welzenbach. Donald E. *The CIA and the U-2 Program, 1954-1974*. Washington, DC: Central Intelligence Agency, 1998.
PERSINGER, Michael A. "The Ufo Experience: A Normal Correlate of Human Brain Function." In: Jacobs 2000, 262-302.
———; LAFRENIERE, Gyslaine F. *Space-Time Transients and Unusual Events*. Chicago: Nelson-Hall, 1977.
PFEIFFER, Bruce Brooks; e Nordland Gerald, eds. *Frank Lloyd Wright in the Realm of Ideas*. Carbondale, IL: Southern Illinois University Press, 1988.

PICKNETT, Lynn; PRINCE, Clive. *The Stargate Conspiracy*. London: Little, Brown and Co., 1999.
POTTENGER, Doris M. *UFOs: Aliens or Demons?* Middleton, OH: CHJ Publishing, 1990.
RAINIER, MD: Fund for Ufo Research, 1987.
———. "UFOs: Lost in the Myths," in: Jacobs 2000, 141-91.
RANDLES, Jenny. *Ufo Reality*. London: Robert Hale, 1983.
———; STREET, Dot; BUTLER, Brenda. *Sky Crash*. London: Neville Spearman, 1984.
Rawlins, Dennis. "sTARBABY." *FATE* 34 (outubro de 1981).
REEVE, Bryant; REEVE, Helen. *Flying Saucer Pilgrimage*. Amherst, WI: Amherst Press, 1957.
REGARDIE, Israel. *The Golden Dawn*. St. Paul, MN: Llewellyn, 1971.
RENTERGHEM, Tony van. *When Santa Was a Shaman*. St. Paul, MN: Llewellyn, 1995.
RICHELSON, Jeffrey T. *The Wizards of Langley*. Boulder, CO: Westview Press, 2001.
RING, Kenneth. *The Omega Project: Near-Death Experiences, Ufo Encounters, and Mind at Large*. New York: William Morrow, 1992.
ROSS, Hugh; SAMPLES, Kenneth; CLARK, Mark. *Lights in the Sky and Little Green Men*. Colorado Springs, CO: NavPress, 2002.
ROSZAK, Theodore. *Person/Planet*. New York: Anchor Press, 1978.
SAGAN, Carl. *Broca's Brain*. New York: Random House, 1972.
———. *The Demon-Haunted World*. New York: Random House, 1995.
———; PAGE, Thornton, ed. *Ufo's-A Scientific Debate*. Ithaca, NY: Cornell University Press, 1972.
SALER, Benson; ZIEGLER, Charles A.; MOORE, Charles B. *Ufo Crash at Roswell: The Making of a Modern Myth*. Washington, DC: Smithsonian Institution Press, 1997.
SANDERSON, Ivan. *Invisible Residents*. New York: World Publishing, 1970.
———. *Uninvited Visitors*. London: Neville Spearman, 1969.
SCHNABEL, Jim. *Dark White: Aliens, Abductions, and the Ufo Obsession*. London: Hamish Hamilton, 1994.
SHEAFFER, Robert. "The New Hampshire Abduction Explained." *Official Ufo*, agosto de 1976.
———. *The Ufo Verdict: Examining the Evidence*. Buffalo, NY: Prometheus, 1981.
SLADEK, John. *The New Apocrypha*. New York: Stein and Day, 1974.
SLOBODKIN, Louis. *The Space Ship Under the Apple Tree*. New York: Macmillan, 1952.
SPARKS, Brad; GREENWOOD, Barry. "The Secret Pratt Tapes and the Origins of MJ-12." *MUFON 2007 International Ufo Symposium Proce-*

edings. Organizado por James Carrion (Bellvue, CO: MUFON, 2007), 95-126.
SPENGLER, Oswald. *The Decline of the West*. Tradução de Charles Francis Atkinson. New York: Alfred A. Knopf, 1962.
STEHLING, Kurt R.; BELLER, William. *Skyhooks*. Garden City, NY: Doubleday, 1962.
STENHOFF, Mark. *Ball Lightning: An Unsolved Problem in Atmospheric Physics*. New York: Kluwer Academic Publishers, 1999.
STEVENS, Wendelle; ELDERS, Brit; ELDERS, Lee. *Ufo... Contact from the Pleiades*. Munds Park, AZ: Genesis III Publications, 1979.
STORY, Ronald. *Guardians of the Universe?* New York: St. Martin's Press, 1980.
STURROCK, Peter A. *The Ufo Enigma: A New Review of the Physical Evidence*. New York: Warner, 1999.
STUTLEY, Margaret. *Shamanism: An Introduction*. London: Routledge, 2003.
SWEETMAN, Bill. *Aurora: The Pentagon's Secret Hypersonic Spyplane*. Osceola, WI: Motorbooks, 1993.
TAUBMAN, Philip. *Secret Empire: Eisenhower, the CIA, and the Hidden Story of America's Space Espionage*. New York: Simon & Schuster, 2003.
TEMPLE, Robert K. G. *The Sirius Mystery*. London: Sidgwick and Jackson, 1976.
THOMPSON, Keith. *Angels and Aliens: UFOs and the Mythic Imagination*. New York: Addison Wesley, 1991.
THOMPSON, William Irwin. *At the Edge of History*. New York: Harper, 1971.
TULIEN, Thomas. "Revisiting One of the Classics: The 1952 Nash/Fortenberry Sighting." *International Ufo Observer* 27:1 (Primavera de 2002).
UDOLF, Roy. *Handbook of Hypnosis for Professionals*. New York: Van Nostrand Reinhold, 1981.
VALLEE, Jacques. *Confrontations: A Scientist's Search for Alien Contact*. New York: Ballantine, 1990.
———. *Dimensions: A Casebook of Alien Contact*. Chicago: Contemporary Books, 1988.
———. "Five Arguments against the Extraterrestrial Origin of Unidentified Flying Objects." *Journal of Scientific Exploration* 4 (1990), 105-17.
———. *Messengers of Deception*: *Ufo Contacts and Cults*. Berkeley, CA: And/Or Press, 1979.
———. *Passport to Magonia*. Chicago: Henry Regnery, 1969.
———. *Revelations: Alien Contact and Human Deception*. New York: Ballantine, 1991.
VESCO, Renato; CHILDRESS, David Hatcher. *Man-Made UFOs, 1944-1994*. Stelle, IL: Adventures Unlimited, 1994.

VICTOR, Jeffrey S. *Satanic Panic*. Chicago: Open Court, 1993.

VOLKMAN, Ernest. *Warriors of the Night*. New York: William Morrow, 1985.

WALKER, Jearl, ed. *Light from the Sky: Readings from Scientific American*. San Francisco: W. H. Freeman, 1980.

WALT, David Hatcher; ERS, Ed; WALTERS, Frances. *The Gulf Breeze Sightings*. New York: William Morrow, 1990.

WARREN, Larry; ROBBINS, Peter. *Left at East Gate*. New York: Marlow & Co., 1997.

WEBB, Stephen. *If the Universe is Teeming With Life... Where Is Everybody?* New York: Copernicus Books, 2002.

WESTRUM, Ron. "Limited Access: Six Natural Scientists and the Ufo Phenomenon." In Jacobs 2000, 24-56.

WHITE, Andrew Dickson. *A History of the Warfare between Science and Theology*. New York: D. Applegate, 1896.

WILLIAMSON, George Hunt. *Other Tongues – Other Flesh*. Amherst, WI: Amherst Press, 1953.

―――― (como "Irmão Philip"). *The Secret of the Andes*. London: Neville Spearman, 1961.

WILSON, Colin. *Alien Dawn: An Investigation into the Contact Experience*. New York: Fromm International, 1998.

WRIGHT, Susan. *Ufo Headquarters*. New York: St. Martin's Press, 1998.

YATES, Francis. *The Rosicrucian Enlightenment*. Chicago: University of Chicago Press, 1972.

ZALESKI, Carol. *Otherworld Journeys*. New York: Oxford University Press, 1987.

ZELAZNY, Roger. "A Rose for Ecclesiastes." *Fantasy and Science Fiction*, novembro de 1963.

Índice

A

Abadia dos Sete Raios 58
Hitler, Adolf 141
Aereon 204, 205
Agência Central de Inteligência – Central Intelligence Agency (CIA) 231
Agência Nacional de Segurança (National Security Agency – NSA) 232
Bender, Albert K. 55, 232
Pike, Albert 39
Aldebarã 142, 144
Wegener, Alfred 133
Lawson, Alvin 176
White, Andrew Dickson 126
Davis, Andrew Jackson 225
Puharich, Andrija 58, 83, 112
Aparições 163
Área 51 60, 104, 105, 106

B

Bell X-1 192
Franklin, Benjamin 28
Becquette, Bill 44
Black Elk 178, 179, 181, 242
Lazar, Bob 106
Nettles, Bonnie Lu 111
Goldberg, Bruce 146
Hopkins, Budd 98, 172

C

Jung, Carl 25, 50, 59, 88, 135, 180
Cavaleiros Templários 142, 144
Fort, Charles 17, 20, 30, 36, 51, 75, 116, 147, 152, 153, 162, 215, 238
Ziegler, Charles 122, 129
Chen Tao 112
CIA 60, 82, 83, 103, 186, 187, 193, 195, 197, 198, 203, 231, 233, 238, 242, 244
Lorenzen, Coral 55, 61
Mather, Cotton 28
Peebles, Curtis 76, 110, 135

D

Icke, David 107, 109
Jacobs, David 17, 175
Martin, Dean 84
Dirigíveis 24, 26
Keyhoe, Donald 51, 59, 61, 69, 71, 72, 91, 197
Menzel, Donald 59, 101, 131, 198
Martin, Dorothy 57, 112
Dreamland 97, 103, 104, 106, 236, 242

E

Meier, Eduard "Billy" 84
Condon, Edward 69
Fermi, Enrico 218
Espiritualismo 38, 39, 40, 224, 225, 226, 229

F

Falácias lógicas 129
"foguetes fantasmas" 21, 26, 206
folie à deux 157
foo fighters 21, 24, 26, 27, 214
Força Aérea Norte-americana 64, 136, 201, 203, 213
Drake, Frank 217
Scully, Frank 51, 82, 129

G

Adamski, George 54, 55, 59, 177
Williamson, George Hunt 54, 55, 81, 208
King, George 82
Patton, George 190
Van Tassel, George 53, 208, 225
Haines, Gerald K. 186
Golden Dawn 243
Creighton, Gordon 149
Grande Corrente do Ser 28
Barker, Gray 56
Guerra Fria 60, 141, 185, 188, 191, 192, 194, 196, 205, 206, 207, 208, 209, 210, 211, 226
Marconi, Guglielmo 143

H

Sherman, Harold 37, 42, 48, 49, 183, 209
Heaven's Gate 111, 112
Blavatsky, Helena Petrovna 39
HET. 122, 127, 129, 140
Hipnose 170
Homens de Preto 85, 232
Browne, Howard 36
Lovecraft, H. P. 41

I

I AM Activity 41
Couliano, Ioan 183
Sanderson, Ivan 145

J

Vallee, Jacques 85, 90, 108, 112, 120, 152, 188, 191, 202, 207
Hynek, J. Allen 13, 66, 69, 72, 85, 147, 197, 200, 231
Lorenzen, James 52, 231
McClenon, James 125
Moseley, James 108
Oberg, James 87, 188, 210
Randles, Jenny 168
Jesus de Nazaré 11, 102, 151
Carter, Jimmy 14, 130, 140, 214
Durante, Jimmy 92, 174, 177
Kepler, Johannes 27
Newbrough, John Ballou 40, 136
Fuller, John 71, 92, 174
Keel, John 77, 85, 110, 135, 152
Lear, John 103, 105, 110, 198

K

Arnold, Kenneth 21, 37, 42, 43, 48, 77, 91, 113, 135, 136, 141, 214, 224

L

Warren, Larry 202, 205
Stringfield, Leonard 129
Howe, Linda Moulton 79, 102, 239
Livro de Urantia 57

M

Tonnies, Mac 146
Hall, Manly Palmer 46
Probert, Mark 42
Applewhite, Marshall Herff 111
Layne, Meade 17, 42, 46, 55, 136, 183, 209
Persinger, Michael A. 154
Cooper, Milton William 107, 110
Mutilações de gado 76

N

NSA. 207

O

Operação Fortitude 190
Operação Fugo 194
Operação Genetrix 194
Operação Guarda-costas 189, 190, 191, 193, 194, 195, 196, 197
Operação Zeppelin 190
Ordem Hermética da Aurora Dourada 42, 169
Angelucci, Orfeo 54, 180
Spengler, Oswald 34

P

Bennewitz, Paul 101, 200, 203, 207
Devereux, Paul 149, 186
Kurtz, Paul 86
Klass, Philip 73, 87, 198, 210
Lamy, Philip 176
Mayer, Philip 23
Boaistuau, Pierre 22
Projeto Blue Book 50, 52, 61, 64, 66, 67, 72
Projeto Grudge 50
Projeto Manhattan 46, 141
Projeto Sign 50

R

Palmer, Raymond 17, 47, 55, 56, 58, 60, 108, 110, 136, 144, 145, 163, 209
Relatório Condon 71, 72, 73, 210
Dolan, Richard 189, 198
Doty, Richard 101, 198
Shaver, Richard S. 36
Howard, Robert 41
Sheaffer, Robert 14, 17, 93, 130, 132, 153, 210
Zelazny, Roger 175
Rússia 46, 60
Norman, Ruth 82

S

MacLaine, Shirley 84

T

Teosofia 39, 41, 151, 180
Terra oca 143, 144
Bullard, Thomas 16, 173
Kuhn, Thomas 118
Thayer, Tiffany 33
Triângulo das Bermudas 81, 82, 90, 145

U

União Soviética. 26, 141, 188, 192, 194, 200, 207
Geller, Uri 83

W

Harbinson, W. A. 142
Strieber, Whitley 97, 98
Wild Hunt 23, 148
Landig, Wilhelm 141, 208
Moore, William 82, 100, 101, 198, 201
Uhouse, William 106, 198

Este livro foi composto em Times New Roman, corpo 11,5/13.
Papel Offset 75g
Impressão e Acabamento
Yangraf. Gráfica e Editora – Rua Três Martelos, 220 – Tatuapé – São Paulo/SP
CEP 03406-110 – Tel.: (011) 2195-7722 – www.yangraf.com.br